James Kitchener Davies
Detholiad o'i Waith

James Kitchener Davies

Detholiad o'i Waith

golygwyd gan
MANON RHYS
M. WYNN THOMAS

CAERDYDD
GWASG PRIFYSGOL CYMRU
2002

Manylion Catalogio Cyhoeddi'r Llyfrgell Brydeinig

Mae cofnod catalogio'r gyfrol hon ar gael gan y Llyfrgell Brydeinig
ISBN 0-7083-1725-1

Cyhoeddwyd gyda chymorth ariannol Cyngor Celfyddydau Cymru

Dyluniwyd y clawr gan Olwen Fowler
Cysodwyd yng Ngwasg Prifysgol Cymru, Caerdydd
Argraffwyd gan Bookcraft, Midsomer Norton, Avon

I wyrion Mair a James Kitchener Davies –
ac i holl blant Ysgol Ynys-wen

CYNNWYS

RHAGAIR

Ddwy flynedd ar hugain yn ôl aeth fy mam ati i ddidoli ac i olygu nifer sylweddol o weithiau fy nhad – *Ing Cenhedloedd, Yr Arloeswr, Susanna, Ynys Afallon, Dies Irae* ac *Y Tri Dyn Dierth* ynghyd â *Sŵn y Gwynt sy'n Chwythu, Meini Gwagedd* a *Cwm Glo* – ac fe'u cyhoeddwyd ganddi yn y gyfrol *Gwaith James Kitchener Davies* (Gwasg Gomer, 1980). Ei bwriad oedd golygu gweddill ei weithiau – ysgrifau, cerddi a stori fer – a'u cyhoeddi mewn ail gyfrol. Dechreuodd ar y gwaith, ond bu farw heb lwyddo i'w gyflawni.

Ddwy flynedd yn ôl derbyniodd yr Athro M. Wynn Thomas wahoddiad gan Wasg Prifysgol Cymru i lunio bywgraffiad o Kitchener Davies yn y gyfres *Writers of Wales*. Yn ei ddull nodweddiadol drylwyr a chydwybodol, aeth ar drywydd yr holl weithiau a'u defnyddio fel sylfaen i'r damcanion a'r sylwadau treiddgar a geir yn y gyfrol honno, a gyhoeddir yr un pryd â'r gyfrol hon. Nid oedd ganddo, ysywaeth, fawr ddim arall – dogfennau anghyhoeddedig, toriadau papur newydd na llythyron – at ei ddefnydd, oherwydd dinistriwyd bron popeth yng nghartref fy mam yn y tân a'i lladdodd ym mis Ebrill 1990.

Trwy gyfrwng ei waith ymchwil ef, felly, cafwyd trefn ar y testunau a gyhoeddir yn y gyfrol hon. Y bwriad o'u cyhoeddi yw cynnig golwg ehangach a dyfnach ar y bardd a'r dramodydd Kitchener Davies, a hynny fel ysgrifwr hunangofiannol, gwleidyddol a llenyddol bywiog a chraff yr oedd ganddo farn bendant a'r ddawn i'w mynegi'n groyw.

Mae'r ysgrifau llenyddol a beirniadol yn rhan bwysig o hanes datblygiad llenyddiaeth Gymraeg yr ugeinfed ganrif, yn enwedig yng nghyd-destun y ddrama. Mae'r ysgrifau gwleidyddol yn rhoi inni ddarlun, a hynny o safbwynt Cenedlaetholwr digymrodedd, o fwrlwm brwydrau gwleidyddol ac ieithyddol y cyfnod. Mae'r ysgrif 'Welsh language: our defence consolidated' (1951) yn enghraifft ohono'n mynegi syniadau blaengar ynglŷn â dyfodol y Gymraeg mewn dull ymosodol, gan ragflaenu rhai o ymgyrchoedd ieithyddol chwyldroadol y 1960au. Ysgrif rymus arall, ac un sy'n cyplysu'r gwleidyddol a'r personol/hunangofiannol, yw 'Tir ei geraint, Tregaron'. Mae'r dicter a deimla yn erbyn cynlluniau'r llywodraeth i ddifwyno ardaloedd helaeth o'i Geredigion hoff at bwrpas rhyfela yn ysol: 'Dihunodd llid ynof, cerddodd casineb trwy fy ngwaed nes gwenwyno fy ymysgaroedd.'

Ysgrif delynegol o fawl i'r ardal honno yw 'Rhwng Aeron a Theifi – yno y mae haf', sydd, fel y gweddill o'r ysgrifau hunangofiannol, yn taflu goleuni gwerthfawr ar ei fagwraeth a'i gefndir – y cefndir sy'n sail i *Sŵn y Gwynt*, *Cwm Glo* a *Meini Gwagedd*. Yn 'Adfyw', croniclir y daith 'o Lwynpiod i Lwynpia, o Rydypandy i Donypandy', o'r 'tyddyn diffrwyth' a'r 'bwthyn unllawr pridd' i Gwm Rhondda'r dirwasgiad a'r Streic Fawr: 'fy nhraed ar gerrig palmant yn lle sinco'n saff i siglennydd y gors.'

O'r Llain, ar gyrion Cors Caron, i Aeron, ar y Brithweunydd, Trealaw; ac yntau'n hanner cant oed, daeth ei daith i ben ym mynwent y Llethr Ddu, dros y ffordd i'n cartref. Yn ogystal â chroniclo'r daith ddaearyddol honno, mae'r gweithiau a gyhoeddir yn y gyfrol hon yn croniclo taith eneidiol. Maent hefyd yn cofnodi ymdrechion a gobeithion un yr oedd ganddo weledigaeth glir a phendant mewn sawl maes.

Yn ogystal â'r ysgrifau, cynhwysir pedair cerdd sydd, ill pedair, hefyd yn destamentau eneidiol. Ac yn y stori fer, 'Y Llysfam', ceisiodd wynebu'r dolur a gafodd pan chwalwyd ei gartref a'i deulu – a'i fyd yn y fargen. Dyma'r ail o'r 'tri dolur mawr' y sonia amdanynt yn 'Adfyw'; y trydydd oedd marw'r fodryb a'u magodd nhw'n blant wedi marwolaeth eu mam. Y dolur mawr cyntaf – a'r mwyaf – oedd colli'i fam ac yntau'n ddim ond chwech oed.

Pedair oed oeddwn i pan fu farw fy nhad, felly ni fu fawr o adnabyddiaeth rhyngom. Bu'r cyfle i ymdrwytho yn y gweithiau hyn yn gyfle i leddfu rhywfaint ar y dieithrwch anochel. Cefais innau gyfle i adfyw ambell brofiad ac i ailafael mewn ambell atgof.

Mae'n addas y cyhoeddir y ddwy gyfrol adeg canmlwyddiant ei eni a hanner canmlwyddiant ei farw. Gwn y buasai fy mam wrth ei bodd yn gweld cyflawni'r gwaith o'r diwedd.

Hoffwn ddiolch i'm chwiorydd, Megan a Mari, ynghyd â Gwilym Tudur a Rheinallt Llwyd am bob cymorth a chefnogaeth. Gobeithiaf y bydd y gyfrol hon yn peri balchder iddynt ac i'r wyrion yr oedd gan eu mam-gu gymaint o feddwl ohonynt.

Diolch hefyd i bawb a fu'n ganolog i'r gwaith: i Wynn Thomas, wrth gwrs; i Susan Jenkins, Ruth Dennis-Jones, Llion Pryderi Roberts a Liz Powell yng Ngwasg y Brifysgol; ac i'm partner, Jim.

Manon Rhys

RHAGYMADRODD

Bu farw James 'Kitchener' Davies, yn hanner cant oed, ar 25 Awst 1952: flwyddyn yn ddiweddarach bu farw Dylan Thomas, yn ddim ond 39: ac ym 1954 mentrodd Pennar Davies gyffroi'r dyfroedd drwy haeru mai 'Kitch' oedd yr awdur mwyaf o'r ddau. Arfer gormodiaith yr ydoedd, bid siŵr, ond fe wnâi hynny o fwriad, er mwyn sicrhau bod athrylith Kitch yntau'n cael ei chydnabod. Cyhoeddwyd tri champwaith diamheuol ganddo yn ystod ei yrfa fer, a phob un yn torri cwys newydd o ran cywair, cynnwys a chynllun. Delwddrylliwyr a chwyldroadwr oedd Kitch wrth reddf. Chwalwyd y ddelwedd o 'werin y graith' gan y ddrama ddadleuol, gignoeth o realaidd *Cwm Glo* (1935); drylliwyd y ddelwedd o warineb bywyd cefn gwlad gan y ddrama/gerdd hunllefus *Meini Gwagedd* (1945); ac yn y gerdd ysgytwol o gyffesol *Sŵn y Gwynt sy'n Chwythu* (1953) diberfeddodd Kitchener ei hun, gan watwar y ddelwedd gyhoeddus ohono a oedd yn destun edmygedd i lawer – y '[c]eiliog bach dandi ar domen ceiliogod ysbardunog/ y Ffederasiwn a'r *Exchange*'.

Serch hynny, y ddelwedd gyhoeddus honno a oroesodd ar ôl i Kitchener farw mor annhymig. Fe'i hanfarwolwyd mewn cerddi – Gwenallt yn dathlu safiad y 'Caniwt yn ei goler a'i dei' a geisiai 'atal/ Y corwynt, y cenllysg a'r llifogydd'; Rhydwen Williams yn diolch i Kitch am ein 'dysgu ni/ I garu'n wirion/ 'Run pethau â thi'. Ac fe gofiwyd yn annwyl am Kitch, hefyd, ar lafar gwlad. Adroddwyd storïau dirifedi am ei ddireidi, ei feiddgarwch a'i ffraethineb. Cofiwyd amdano'n dringo tŵr yr eglwys, pan ymwelodd yr eisteddfod â thref Dolgellau, er mwyn tynnu baner Jac yr Undeb i lawr a gosod y Ddraig Goch yn ei lle. Dygwyd i gof hefyd y tro hwnnw ar sgwâr Tonypandy pan anelwyd carreg at Kitchener a safai ar ei focs sebon: eithr methodd ei hannel, a thrawodd gyfaill a safai wrth ei ymyl, gan dynnu gwaed o'i drwyn. ''Drychwch,' meddai Kitch yn syth, 'dyma ichi wron sy'n fodlon tywallt ei waed dros Gymru.'

Rhyfeddai pawb a gofiai am Kitch at ei egni diarbed a'i angerdd di-ball wrth weithio dros yr achosion lu a gredai ynddynt. Agorir cil y drws ar y gweithgarwch hwnnw yn y casgliad hwn. Athro ydoedd wrth ei alwedigaeth, ond ar ben hynny roedd yn fardd, yn ddramodydd, yn actor, yn gynhyrchydd drama, yn golofnydd papur newydd, yn ysgrifwr hydeiml, yn bregethwr lleyg, yn ymgyrchydd diwylliannol a gwleidyddol selog, yn brotestiwr cyhoeddus profiadol, yn bencampwr ar focs sebon, yn ymgeisydd Plaid Cymru mewn etholiadau lleol ac etholiadau seneddol, yn un o arwyr y mudiad i sefydlu ysgolion Cymraeg . . . bron na ellir ymestyn y rhestr yn ddiderfyn. Ar ôl iddo farw, mynnai ei gyfaill, Kate Roberts, ei fod wedi afradu gormod o'i amser yn ymhél â chynifer o feysydd, ac iddo fethu, o'r herwydd, â gwneud cyfiawnder llawn â'i ddawn fawr fel llenor. Hwyrach fod peth gwir yn hynny. Ond gellir synied hefyd am yrfa Kitch mewn tair ffordd arall, bur wahanol. Yn gyntaf, gellir ei gweld fel ymateb arwrol i argyfwng enbyd yr iaith a'r diwylliant Cymraeg y dwthwn hwnnw: yn ail, gellir awgrymu mai dawn amlweddog oedd dawn Kitch yn ei hanfod – hwyrach fod ein cyfnod ni, â'i bwyslais ar 'sgrifennu' yn hytrach na 'llenydda', yn fwy parod na chyfnod Kate Roberts i werthfawrogi'r ddawn honno; ac yn olaf, gellir dadlau mai un gwraidd, wedi'r cyfan, sydd dan yr holl ganghennau – mai un weledigaeth waelodol a arddelir gan Kitch ac a amlygir yn ei ysgrifeniadau am grefydd, iaith, cymuned, gwleidyddiaeth a llenyddiaeth. Ychwaneger at hyn y ffaith ddiymwad fod blas cyfnod pwysig a fu ar nifer o weithiau achlysurol, 'darfodedig' Kitch a deellir, efallai, paham yr aethpwyd ati i olygu'r gyfrol hon.

Crynhoir y farn gyffredin am lwybr bywyd Kitch gan B. T. Hopkins, Blaenpennal, yn ei delyneg goffa iddo: ymadawodd 'Y prydydd angerddol o'r "Llain"' â'i gartref gwledig ar gyrion Tregaron a theithio i 'ganol terfysgoedd Morgannwg', lle'r 'eiriolodd dros Gymru'n ddi-baid' a chafodd ei gydnabod yn 'Fardd-broffwyd Cwm Rhondda'. Yr hyn sydd o'i le ar yr amlinelliad hwn yw ei fod yn cynnig darlun syml, dethol o rawd gymhleth, er mwyn sicrhau bod bywyd Kitch yn cydymffurfio â myth diwylliannol a gwleidyddol. Yn ôl y myth hwn – a adleisiwyd dro ar ôl tro am gyfnod go hir gan y rhai a edmygai Kitch, ac a grybwyllwyd o bryd i'w gilydd hyd yn oed gan yr awdur ei hun – taith o Gymreigrwydd pur y wlad ddiledryw i barthau'r cymoedd diwydiannol Seisnig, sathredig oedd taith bywyd Kitch. Pwysleisid y rhoddion gwaredol a oedd ganddo i'w cynnig i'r ardaloedd hynny – y dafodiaith goeth, gyfoethog oedd ar ei fin; y sicrwydd ffydd y mynnai ei chyhoeddi wrth drigolion digrefydd y Rhondda. Ac i'r graddau yr oedd bywyd Kitch yn ymdebygu i'r patrwm hwn, yr oedd yn ymgorffori'r gwerthoedd 'cynhenid' tybiedig hynny a fawrygid gan y mudiad cenedlaethol ar y pryd: ceir molawd iddynt yng nghyfrol Iorwerth Peate, *Cymru a'i Phobl*, er enghraifft, ac arferai Plaid Cymru eu harddel yn bur selog. Eithr ni wireddir y gwerthoedd hyn nac yn *Meini Gwagedd* nac yn *Sûn y Gwynt sy'n Chwythu*; ac yn yr ysgrif hunangofiannol bwysig 'Adfyw' y mae rhyw led amheuon yn bwrw eu cysgod dros yr atgofio ac yn cymylu'r farn am gyfnod bore oes. Hynny yw, y mae amwyster awgrymog yn cyfoethogi ysgrifeniadau Kitchener Davies ar ei orau, amwyster sy'n codi o dyndra yn narddle ei ddychymyg. Mae'n werth craffu'n fanylach, felly, ar yr hanes llawn amdano.

Yn nhyddyn Y Llain, ger Llwynpiod, ar gyrion cors Tregaron, y ganed James Davies, ar 16 Mehefin 1902 – llysenw oedd 'Kitchener' a roddid iddo yn yr ysgol am fod mwstas ei dad yn debyg i fwstas y cadfridog enwog. Eithr dim ond yn achlysurol y gwelai Kitchener ei dad, oherwydd yr oedd hwnnw'n gweithio yn bell oddi cartref, ym mhyllau glo y de. Bywyd digon diddig oedd bywyd y teulu, serch hynny, er gwaethaf eu tlodi, a chofiai Kitchener ar hyd ei oes am gwlwm clòs cymdeithas werinol y gymdogaeth yr hanai ef ohoni. Yr oedd capel y Methodistiaid Calfinaidd, Llwynpiod, o fewn golwg i'r tyddyn, ac wrth fynychu'r oedfa, yr Ysgol Sul a'r seiat yn y capel hwnnw profai ef y wefr a'r dwyster ysbrydol a ddaethai yn sgil y Diwygiad. Yr un pryd, ymlawenychai ym mwrlwm bywyd hwyliog yr ardal, mae'n siŵr. 'Roedd ein bywyd yn rhy lawn o helpu ar y fferm, o ddysgu canu ac adrodd, ac o bosau a rhigymau, i ni fedru chwarae llawer â theganau,' meddai Cassie Davies wrth hel atgofion am ei phlentyndod ym Mlaencaron, a cheir teyrnged ganddi hefyd i 'S. M. Powell – athro nodedig o'r Cownti Sgŵl'. Yn sicr, cafodd ef ddylanwad y tu hwnt i fesur ar ddatblygiad Kitchener Davies. Arferai gymell ei ddisgyblion i sgrifennu ac i berfformio drama yn seiliedig ar ryw ddarn o hanes hynafol ardal Tregaron. Y modd hwn, gwnâi'r disgyblion yn ymwybodol o Sarn Helen a Charon Sant, Twm Siôn Cati a Daniel Rowland. Gwnâi'n siŵr, hefyd, eu bod yn ymgydnabod â'r gwerthoedd a nodweddai eu bro – heddychaeth Henry Richard, Apostol Heddwch, ynghyd ag ysbrydolrwydd y Methodistiaid cynnar. Ar ben hynny, pwysleisiai'r dolennau niferus a gydiai Dregaron wrth y byd mawr y tu hwnt i'r bryniau: teithiau'r porthmyn i Lundain; llwyddiant lleithmyn Tregaron yn y ddinas honno; yr hosanwyr a'r brethynwyr a gyflenwai ardaloedd diwydiannol de Cymru; y gwŷr a'r gwragedd a aethai i weithio ac i weini yn y maes glo. Roedd gan deulu Kitchener ei gyfran yn y profiadau hyn i gyd, ac nid yw'n syndod felly i'w gariad at ei fro ymestyn, maes o law, i gwmpasu Cymru gyfan.

Eithr nid melys oedd bywyd i gyd yn y fro honno. Pan oedd yn chwech oed, collodd Kitchener ei fam, a fu farw wrth geisio geni ei phedwerydd plentyn. Roedd yn noson stormus, y tad i ffwrdd yn y pyllau, cymdogion yn gwarchod y fam a'r tri phlentyn bach (Tom, Jim a Letitia) yn y bwthyn. Anfonwyd Tom i chwilio am feddyg, ond doedd dim modd cyrraedd Tregaron oherwydd fod yr afon wedi gorlifo. Yn syth ar ôl yr angladd gyrrwyd y plant – a oedd yn uniaith Gymraeg – i Banbury Seisnig i fyw gyda'u modryb am gyfnod. Yna, dychwelodd 'Bodo Mari', chwaer eu mam, o'r Rhondda i ofalu amdanynt. Rai blynyddoedd yn ddiweddarach clywodd Kitchener, ar hap mae'n bur debyg, fod gan Bodo blentyn siawns a bod y mab hwnnw yn cael ei fagu ar aelwyd Ann, chwaer i'w fam. Ond daliai

Kitchener i gyfrif Bodo Mari yn 'fam' tan iddi farw ym 1929, yn y cartref y
rhannai ef â hi yn Nhonypandy. Colli ei fam, a cholli Bodo Mari – dyna
ddau o'r tri loes enbyd y mae Kitchener yn cyfaddef, yn *Adfyw*, iddo eu
dioddef. Colli'r Llain yw'r trydydd, ac ar ei dad yr oedd y bai am hynny.
Clywodd y plant, yn gwbl ddisymwth, fod y tad am briodi rhyw 'fenyw
fach' o Flaengarw, ac yn fuan ar ôl hynny clywyd bod Y Llain wedi ei
werthu, gan chwalu breuddwyd fawr Kitch mai ef a fyddai'n etifeddu'r
tyddyn. Ymhellach, mynnai ei dad fod y llanc yn ymadael â'r ardal yn gyfan
gwbl ac yn ymuno ag ef i weithio dan ddaear. A hynny a fyddai wedi
digwydd oni bai bod Bodo Mari, ynghyd â rhai o'r tylwyth yn ardal
Tregaron ac athrawon y 'Cownti Sgŵl', wedi mynnu bod Kitchener a'i
chwaer yn cael gorffen eu haddysg. Ym 1933, adroddodd Kitchener yr hanes
am y loes o golli'r Llain yn y stori 'Y Llysfam', eithr methodd yn lân â
wynebu'r ddau loes arall – yn enwedig y loes creulon o golli ei fam – tan awr
olaf ei fywyd, pan sgrifennodd y gerdd ingol *Sŵn y Gwynt sy'n Chwythu*.

Onid yw'n amlwg, felly, mai perthynas eithriadol ddwys a dyrys oedd
perthynas Kitchener ag ardal ei febyd? Dychymyg un a amddifadwyd, a
hynny ar sawl ystyr, oedd ei ddychymyg alltud ef ar hyd ei oes. Nid yw'n
rhyfedd fod yr un themâu ysol yn brigo i'r wyneb ar hyd yr amser yn ei
lenydda ac yn ei wleidydda: dietifeddu, brad, dialedd (a maddeuant), cam-
driniaeth (o ferched, yn arbennig), grymuster y gorffennol. Ac fel y dengys
'Y Llysfam', deallai'n iawn, yn nirgel guddfannau ei enaid, mai'r profiad o
gael ei ddigartrefu a'i gwnaethai ef yn llenor. Y profiad hwnnw, hefyd, a'i
gwnaethai'n awdur 'crefyddol' gwahanol iawn i'r arfer yn ei ddydd,
oherwydd fe'i hysiwyd yn ei flaen i amgyffred ei gymhellion gwingog. Sonnir
byth a hefyd am ddylanwad capel Llwynpiod ar ddatblygiad awen grefyddgar
Kitch, ond anwybyddir ei ddiddordeb byw yn yr hyn a elwir, yn 'Y Llysfam',
yn 'feddyleg newydd', sef seicdreiddiad. 'Clinig yr enaid' oedd y seiat, meddai
Saunders Lewis yn y gyfrol arloesol am William Williams Pantycelyn a
ddylanwadodd mor drwm ar Kitch nes peri iddo saernïo *Sŵn y Gwynt* yn
rhannol ar batrwm *Theomemphus*.

Serch mai o eigion ei 'enaid' y daeth tri champwaith Kitch, egni ac asbri
ei gymeriad cymdeithasgar a gofir gan ei ffrindiau yn ddi-ffael. Cawsai amser
wrth ei fodd yng Ngholeg Prifysgol Cymru, Aberystwyth, yng nghwmni'r
criw o fyfyrwyr anystywallt a oedd newydd ddychwelyd o'r rhyfel. Yr
Arglwydd Anhrefn arnynt i gyd oedd Idwal Jones, y digrifwr athrylithgar a
roddodd fod i adloniant ysgafn yn y Gymraeg. Ar yr un pryd, ysbrydolid
Kitch gan gampweithiau arloesol dau o'i athrawon, T. H. Parry-Williams a
T. Gwynn Jones. Yr oedd crochan dadeni llên Gymraeg yn ferw o arbrofi yn
Aberystwyth bryd hynny, ac arbrofwr eofn oedd Kitchener ar hyd ei oes.
Credai'n angerddol fod yn rhaid i'r Gymraeg ymaddasu'n barhaus er mwyn
goroesi, a deallai fod hynny'n golygu dod o hyd i ieithweddau newydd

priodol a chyfryngau mynegiant arloesol. O'r herwydd, ceir ganddo ysgrifau niferus yn trafod swyddogaeth tafodiaith, yr angen i gyfoethogi iaith drwy gymathu termau newydd, a phwysigrwydd cyweiriau gwahanol. Ac wrth gwrs, nid yw yr un o'i weithiau llenyddol yn ymdebygu i'w gilydd: arbrawf unigryw yw pob un ohonynt, ac arbrawf na fynnai'r awdur ei ailadrodd. Hawdd deall, felly, sut y dryswyd pawb – gan gynnwys yr awdur! – gan *Meini Gwagedd*, am nad oedd yn eglur ai cerdd ynteu drama ydoedd. Ac onid yw'n briodol mai cerdd radio – cerdd ar gyfer cyfrwng a oedd yn bur newydd ar y pryd – yw *Sŵn y Gwynt*?

Cychwynnodd Kitchener ddysgu ym Mlaengwynfi ym 1926, blwyddyn y Streic Gyffredinol, a phan ymgartrefodd yn nhŷ Bodo Mari yn Nhonypandy – neu 'Tonypandemonium' fel y gelwid y dreflan bryd hynny – daeth un o ddisgyblion awdur *Ymadawiad Arthur* wyneb yn wyneb â dilynwyr Arthur Horner ac Arthur J. Cook. Er ei fod wedi ymweld â'r ardaloedd glofaol o'r blaen, yng nghwmni ei dad, mae'n bur debyg mai'r sioc o fyw yng nghwm dirwasgedig, gorthrymedig y Rhondda Fawr a drodd y cenedlaetholwr diwylliannol yn genedlaetholwr gwleidyddol, gweithredol. Ymunodd â Phlaid Genedlaethol newydd Cymru, a chyn bo hir yr oedd ef, ynghyd â Kate Roberts a Morris Williams, ei gŵr, yn trefnu ymladd etholiad, gan areithio a chanfasio a phamffledu. Dyna fu hanes Kitchener y gwleidydd heriol, aflwyddiannus, weddill ei ddyddiau yn y Rhondda. Fel y dengys ei ysgrifau gwleidyddol craff, deallai'r argyfwng economaidd yn iawn, ond doedd ganddo ddim i'w ddweud wrth na sosialaeth na chyfalafiaeth. Cyfundrefnau materol, canoliaethol, ymerodraethol oedd y ddwy, yn ei dyb ef, cyfundrefnau a ymelwai ar y byd diwydiannol, annynol. Yr oeddent yn dibrisio'r unigolyn ac yn anwybyddu'r ffaith fod iaith, diwylliant, crefydd a gwleidyddiaeth yn annatod glwm wrth ei gilydd.

Yr adeg honno, roedd bod yn athro Cymraeg yn y Rhondda yn golygu perthyn i'r *suicide squad*, y triawd o drueiniaid ym mhob ysgol a ddysgai Gymraeg, Ysgrythur a Cherddoriaeth. Rhwng 1931 a 1951 disgynnodd nifer y trigolion yn y ddau gwm a fedrai'r Gymraeg o 45.4 y cant i 29 y cant, a hynny er gwaethaf y ffaith fod gan yr awdurdod addysg bolisi iaith arbennig o oleuedig. Yn yr ysgol, ceisiai Kitchener ddarbwyllo'r plant fod gwerth ymarferol i'r iaith drwy chwarae ambell gêm ddifyr, megis adrodd enwau Cymraeg prif afonydd Ewrop. Drwy chwarae, yn ogystal – eithr drwy chwarae drama y tro hwn – y ceisiai ef ennyn diddordeb y gymuned gyfan yn y Gymraeg. Cyfnod y ddrama oedd y cyfnod rhwng y ddau ryfel byd yng Nghymru; y wlad yn ferw o berfformiadau ac o gystadlaethau llwyfan, a chwmnïau amatur ym mhob tref a phentref. Dyn y theatr oedd Kitchener, o'i gorun i'w sawdl, ac ymhyfrydai ym myd y ddrama. Eithr aderyn drycin ydoedd hyd yn oed yn y cynefin hwnnw, hyd yn oed wrth sgrifennu am *Adar y To* – teitl gwreiddiol y ddrama *Cwm Glo*. Mae'n amheus a fu drama fwy dadleuol na honno yn y Gymraeg. Tynnodd Kitchener Gymru gyfan am ei ben pan luniodd gymeriad Dai Dafis, glöwr anllad, treisgar, pwdr, a wnâi ddim ond gamblo a rhegu, a charu'n gnawdol. Bwriad yr awdur oedd dangos y bryntni a'r llygredd moesol a ddaethai yn sgil diwydiannu, wrth i'r gweithwyr gael eu darostwng a'u diraddio. Ond fe gredwyd ei fod am bardduo eilun y genedl, y 'Shoni' dewr hwnnw a glodforwyd mewn cerdd a chân yn Eisteddfod Genedlaethol Treorci, 1928. A chythruddwyd y werin, a'r deallusion, ymhellach gan y cnawdolrwydd a oedd i'w weld yn y ddrama. Ond ymateb nodweddiadol Kitchener i'r honiad nad oedd merch yng Nghymru a chwaraeai ran y 'butain', Marged, oedd creu ei gwmni drama ei hun i chwarae *Cwm Glo* a threfnu i'w chwaer, Tish, gymryd y rhan honno.

Eithr er mor ffrwydrol o effeithiol oedd *Cwm Glo* yn ei dydd, nid oedd Kitchener yn fodlon iawn arni. Fel y dengys ei ysgrifau, ni fynnai ei gyfyngu gan y dull realaidd o sgrifennu, a chredai mai megis cropian yn unig oedd y ddrama Gymraeg. Gan fod ynddo reddf athro, penderfynodd addysgu nid yn unig ei gymdeithas ond hefyd ef ei hun, a gwnaeth hynny mewn sawl modd gwahanol: cyhoeddodd beth wmbredd o ysgrifau – rai ohonynt yn ddysgedig a rhai eraill yn golofnau papur newydd – am bob agwedd dan haul ar fyd y ddrama; ceisiodd ddangos fod gan Gymru ei thraddodiad drama ei hun, yn ymestyn yn ôl, drwy anterliwtiau Twm o'r Nant, hyd at yr Oesoedd Canol; ac ymdrwythodd yn llenyddiaeth safonol y theatr, gan ddarllen nid yn unig weithiau Saunders Lewis a T. Gwynn Jones (dau o'i arwyr pennaf) ond hefyd beth o gynnyrch yr Eingl-Gymry J. O. Francis a Jack Jones, ynghyd â dramâu barddol cyfoes T. S. Eliot. Yr un pryd, lluniodd ddramâu arbrofol, anrealaidd, ei hun, gan gynnwys *Susanna* (1937), ynghyd ag *Ynys Afallon* (1935) a *Dies Irae* (1935), dwy ddrama y ceisiodd fynegi ynddynt naws cyfnod a oedd yn byw'n gynyddol dan gysgod rhyfel, pan oedd Cymru'n cael ei chydio'n fwyfwy tynn wrth Loegr.

Ym 1940 priododd Kitchener â Mair Rees, merch hynod ddawnus o Aberaeron a oedd yn athrawes yn y Rhondda, a ganed tair o ferched iddynt. Rhoddwyd yr enw 'Aeron' ar eu tŷ yn Heol Brithweunydd, rhwng Porth a Threalaw, a daeth y cartref hwnnw'n fan cyfarfod cwmni brith – cwmni a adlewyrchai ddiddordeb dihysbydd Kitch yn y natur ddynol. Yno medrai'r gweinidog llengar, ifanc, gofidus, Rhydwen Williams, gyfarfod â'r Pleid-iwr bach di-ddysg, Jack Lacy, â'i ben yn llawn breuddwydion: 'What I was thinkin', see, Kitch, was if we could only just get the capital, see, the initial outlay for the production of zip-fasteners; what I was thinkin', see, Kitch . . .' 'Dysga wrando ar bobol fel'na,' oedd cyngor Kitch i Rhydwen.

Y cyngor arall a gafodd Rhydwen ganddo oedd 'Dysga ddiodde', gwboi,' ac yn *Meini Gwagedd* mentrodd Kitchener fynd i'r afael â'r dioddefaint yn ei fro enedigol ei hun. Eithr unwaith yn rhagor aeth yn gwbl groes i farn ei gyfnod a'i gymdeithas. Adeg y rhyfel, gwnaethpwyd yn fawr o'r hen ffordd

Gymreig o fyw, y bywyd gwerinol, gwâr a oedd i'w gael ym mhentrefi cefn gwlad. Ym 1944 cynhaliwyd yr Eisteddfod Genedlaethol yn Llandybïe, un o seintwarau tybiedig y bywyd hwnnw, ond yr hyn a gafwyd gan Kitch oedd darlun affwysol o hunllefus o'r modd yr oedd cymdeithas wledig Cymru yn datgymalu. Gwaith barddol yw *Meini Gwagedd*, a chan nad oedd Kitch yn sicr ai cerdd ynteu drama oedd y darn, fe'i hanfonodd ef (yn bryfoclyd?) i ddwy gystadleuaeth. Ymserchodd D. Matthew Williams, beirniad cystad- leuaeth y ddrama fer, yn y gwaith, ond croes i hynny oedd ymateb Saunders Lewis, a feirniadai gystadleuaeth y gerdd *vers libre*, er iddo wneud iawn ar ôl hynny am y cam drwy ddanfon llythyr at Kitchener yn cyfaddef ei fod ar fai. Gan fod *Meini Gwagedd* wedi mynd yn destun trafod, ceisiwyd roi prawf arni fel drama drwy ei llwyfannu yn Llanbedr Pont Steffan ym 1945. Yn ôl pob sôn, cafwyd cynhyrchiad cyffrous, hynod ddychmygus, ond hwyrach mai'r syndod mwyaf yw fod Kitchener wedi meiddio cymryd y fath gam, ac yntau'n gwybod bod y gwaith yn seiliedig ar fywyd teulu a oedd yn hysbys yn yr ardal honno.

Nid yn y brifwyl yn unig yr arferai Kitchener gystadlu. Yn niffyg unrhyw feithrinfa arall, tybiai fod gan eisteddfodau a chystadlaethau drama gyfraniad pwysig i'w wneud i ddatblygiad llên Gymraeg. Felly, sgrifennodd y gerdd *Ing Cenhedloedd* ar gyfer eisteddfod leol Treorci (1945) a'r gerdd *Yr Arloeswr* ar gyfer Eisteddfod Genedlaethol Aberpennar (1946); ac er nad yw'r naill na'r llall yn llwyddiant diamheuol, o'r mannau cychwyn digon anaddawol hyn yn rhannol y datblygodd y gerdd fawr *Sŵn y Gwynt sy'n Chwythu*. Daethai'r rhyfel, a rhyfyg y bom atomig, â *hubris* hiwmanistiaeth i'r amlwg, a dyheai Kitch am adfer cred y Calfiniaid mawr, megis Williams Pantycelyn, yn anallu holl gyneddfau'r ddynoliaeth bechadurus i bontio'r gagendor rhwng dyn a'r Hollalluog – bwlch na allai ond y gras dwfyol ei groesi, gan chwalu ego'r hunan a gwneuthur 'sant'. Teimlai Kitch fod y gweddau dirfodol ar y profiad hwn wedi eu mynegi yng nghampweithiau megis *Lladd wrth yr Allor* (T. S. Eliot) ac *Amlyn ac Amig* (Saunders Lewis) ond fod Williams Pantycelyn wedi achub y blaen ar y ddau yn *Theomemphus*.

Pasiwyd Deddf Addysg ym 1944 a oedd yn caniatáu i gynghorau sir sefydlu ysgolion Cymraeg lle bynnag y byddai galw digonol amdanynt. Gwelodd Kitch a'i debyg eu cyfle, a chychwynnwyd brwydr hir dros greu ysgolion Cymraeg yn y Rhondda, brwydr a fu'n achos sefydlu Ysgol Ynys-wen yn y Rhondda Fawr a Phont-y-gwaith yn y Rhondda Fach. Yr un adeg, ymladdodd Kitch etholiadau cyffredinol yn y naill gwm a'r llall, gan golli i W. J. Mainwaring yn Nwyrain y Rhondda (1945) ac i Iori Thomas yng Ngorllewin y Rhondda (1950 a 1951). Eithr ni chollai olwg ar y bygythiadau i Gymru gyfan. Fe'i brifwyd i'r byw, wrth reswm, gan fwriad y Swyddfa Ryfel i hawlio 27,000 o erwau tir glas yng nghyffiniau Tregaron. Ymatebodd ar y pryd drwy lunio ysgrif wych am hanes hynafol y cylch, ond cynhyrfwyd a chyfoethogwyd ei ddychymyg gan y profiad yn ogystal, oherwydd cyng-aneddai â'r profiad gwreiddiol enbyd hwnnw o etifeddiaeth a reibiwyd ac o wynfa a gollwyd.

Un o hoff ddarnau Kitchener oedd y darn enwog o *Buchedd Garmon* am y 'winllan a roddwyd i'm gofal . . ./ A wele'r moch yn rhuthro arni i'w maeddu'. Ar y llethrau serth y tu cefn i Aeron ceisiodd adfeddiannu 'Y Llain', yr Eden a gollwyd, drwy greu gardd a fedrai gystadlu â gerddi crog Babilon. Ond ni roddodd y gorau i ymgyrchu, a phan fygythiodd y sefydliad milwrol Drawsfynydd mynnodd Kitch deithio yno ddwywaith i ymuno â'r rhai a fab-wysiadai ddulliau di-drais Gandhi o wrthdystio. Eithr yr oedd bellach yn dechrau clafychu, a'r ail dro bu'n rhaid iddo aros ar y ffordd yn ôl a gadael i gyfaill yrru'r car weddill y daith. Cafwyd ei fod yn dioddef o ganser y perfeddyn mawr, ac ar ôl iddo dderbyn sawl triniaeth lawfeddygol bu farw yn ei gartref o'r clefyd hwnnw ar 25 Awst 1952.

Eithr ni fynnai Kitch roi'r gorau i frwydro a sgrifennu hyd yn oed ar ei wely cystudd. Cyn mynd yn sâl yr oedd wedi addo llunio cerdd ar gyfer y gyfres arloesol o gerddi radio a gomisiynwyd ar ran y BBC gan ei gyfaill mynwesol, Aneirin Talfan Davies, a mynnodd Kitch gyflawni'r ddyletswydd olaf honno. Tra'n gorwedd yn ysbyty Church Village arddywedodd *Sŵn y Gwynt*, fesul darn, wrth ei wraig Mair. Roedd yn gorwedd yn yr un gwely pan ddarlledwyd y gerdd ym mis Ionawr 1952 a gresynai Kitch, ac yntau heb wybod bod rhai o'r perfformwyr yn eu dagrau, fod tinc sentimental yn llais ei hen gyfaill, Rhydwen, wrth iddo ddarllen y weddi fawr sy'n ddiwedd-glo i'r cyfan. Dylai'r llais, meddai wrtho, fod yn gwbl ddi-ildio: 'fel dur ar faen.'

Claddwyd Kitchener Daves ym mynwent y Llethr Ddu, gyferbyn â'i gartref, ac mae'n gorwedd, bellach, o fewn ergyd carreg i Tommy Farr, ymladdwr glew arall o Donypandy. Ond mae'r beddargraff a geir ar fedd Kitch yn ei ailgysylltu ag ardal ei febyd. Dyfyniad o Job 29.19 ydyw, ond mae'r geiriad ychydig yn wahanol i'r gwreiddiol:

Fy ngwreiddyn oedd yn agored i'r dyfroedd, a'r gwlith a arhosodd yn fy mrig.

Cysegrodd Mair Kitchener Davies ei bywyd, ar ôl i Kitch farw, i fagu'r teulu ac i ofalu am waith ei gŵr. Ym 1980 cyhoeddwyd cyfrol bwysig ganddi yn cynnwys y prif weithiau llenyddol i gyd, a'r bwriad oedd cyhoeddi ail gyfrol a fyddai'n casglu'r darnau eraill ynghyd. Ond bu trychineb enbyd: collodd Mair Kitchener Davies ei bywyd pan aeth y tŷ ar dân, a llosgwyd holl bapurau Kitch hefyd yn y tân mawr hwnnw. Drannoeth y tân, cafwyd hyd i ambell ddarn o ddalen, ac ôl llosg arno, yn cael ei gario gan y gwynt. Darn o lythyr gan D. J. Williams oedd un o'r papurach hynny, ac arno'r anerchiad pryfloclyd, priodol, 'Annwyl Geginydd'.

Cymar cyfrol Mair Kitchener Davies yw'r gyfrol hon, ar un olwg, ac ymdrech ydyw i wireddu ei bwriad hi o gyhoeddi cyfrol arall a fyddai'n rhychwantu doniau amrywiol ei gŵr. Ond yn ogystal â hynny, cynhwysir tri champwaith James Kitchener Davies yn y llyfr hwn yn y gobaith o ddwyn sylw cenhedlaeth newydd o ddarllenwyr yn yr unfed ganrif ar hugain at waith 'Jim bach y Llain', un o gewri llên Cymru yn yr ugeinfed ganrif ac awdur, fel y dywedodd T. James Jones ar gân, a fedrai gydbwyso'r melys a'r chwerw:

> Mae'r gerdd gynt i'r gwynt ar go'
> y Ganaan Gymreig yno.
>
> Cur heb hunandosturi.
> Ym mhoen gwaedd, amen gweddi
> yn ras rhag ei suro hi.

M. Wynn Thomas

NODYN AR Y TESTUN

Er mwyn cadw mor agos â phosib at ysbryd y testunau gwreiddiol, ac er mwyn diogelu naws eu cyfnod, penderfynwyd ymatal rhag ymyrraeth ormodol o ran arddull, ieithwedd ac orgraff.

Yn achos yr ysgrifau a'r stori fer, diwygiwyd rhywfaint ar yr atalnodi er mwyn hwyluso'r darllen, a diweddarwyd rhai ffurfiau sydd bellach yn ymddangos braidd yn chwithig. Er enghraifft, defnyddiwyd 'mas' yn gyson yn hytrach na 'maes', ac 'i fyny' yn hytrach nag 'i fynydd'; a chysonwyd rhai ffurfiau megis y defnydd o 'Comiwnyddion' yn hytrach na'r ffurf amgen 'Comuniaid'.

Cadwyd yr is-benawdau a ddefnyddiwyd yn yr ysgrifau papur newydd, er y sylweddolir mai ychwanegiadau newyddiadurol oeddynt.

Yn achos *Sŵn y Gwynt sy'n Chwythu*, *Meini Gwagedd* a *Cwm Glo*, ar wahân i gywiro ychydig o wallau neu anghysonderau, cadwyd at y fersiynau a gyhoeddwyd yn *Gwaith James Kitchener Davies*, a olygwyd gan Mair I. Davies (Gwasg Gomer, 1980).

Ysgrifau Hunangofiannol

RHWNG AERON A THEIFI – YNO Y MAE HAF

Am ddeunaw awr o ddydd golau

✦

Ar y ffin rhwng Padarn Odwyn a Charon-is-clawdd, sef ar y cefn rhwng dwy ffynnon y cae-dan-tŷ, y cnwc a dry ddŵr y naill i Aeron a'r llall i Deifi, yno heddiw am ddeunaw awr o ddydd golau y mae haf.

Bu yno oddiar y bore cynnar, cyn i'r golofn fwg dal gyntaf godi. Pan oedd tonc rhip llawn swnd-a-bloneg, di-linc di-lonc, yn hogi pladur, ac ôl dwytroed pladurwr yn ddeulinyn llwyd yn y gwlith gwyn cyn gysoned, rhwng pob pâr o ystodau, â rheilffyrdd trên tu fas i ddinas, yr oedd yno.

Daliodd felyn eiddil y brogaid bach-bach yn tasgu tan eiddilach melyn yr haul, a gwelodd (o gornel pellaf y clos lle y mae fel cawod o betalau, glwstwr o blu'r iâr felen or-fentrus), lwybr y cadno yn cerdded ar ei union trwy'r gwlith.

Bryd hynny y mae pob buwch yn ddiymadferth wedi ei dal yn ei gwâl, fel Gulliver yn Lilliput, â main-linynnau arian gwe'r cor, o rawn i frig glaswelltyn. A phan gyfyd hithau o'r diwedd yn drwm tan bwys ei chader flith, ac ymestyn a thuchan, cymer gyda hi led ei chefn o wlad wlithog gan adael ynys sych gynnes lle y gorweddai, a sawr moethus o'i hôl.

Saif y cesyg hywedd wrth fwlch y clos. Dringa'r tarth i fyny tros gopa Craig y Fintan.

Y te deg

Yno y mae'r haf lle'r erys poeri'r gwcw ar bob porfëyn; lle y mae sŵn ceiliogod y rhedyn ym mhob cyfeiriad fel sŵn cysurlon tegan beiriannau-lladd-gwair. Efallai mai cyrraedd pentir a throi y mae'r ceiliogod rhedyn pan ddistawant hwythau bob yn ail, a thorri o'u mwstwr allan trachefn heb rybudd. Lle y ceir penlinio ar bridd coch rhwng rhychau o faip deiliog, diferog, neu lle y ceir oerni a lleithder ar fyrddau cerrig a lloriau'r llaethdy, ac ewyn wrth ffiol i'w yfed; lle y daw te-deg ym mol clawdd, cyn i'r da blwyddi ddechrau clerdingo ac i'r gwartheg roddi heibio bori a myned i gnoi eu cil mewn dŵr rhedegog; cyn dechrau chwysu wrth wasgar ac ymhoeli a bwrw gwair ynghyd; cyn bod y pryfed a'r tes yn dechrau murmur, y mae haf yno.

Neu ar ginio pan yw'r gwres yn llestair ar adrodd stori, ac ni ellir gwneud dim ond bola-heulo wrth dalcen tŷ a disgwyl i'r gwair weirio; pan nad oes egni ar ôl yn nail eithnen i grynu, a phan yw'r fadfall yn cuddio ei phelydr lliwus yn nyfnaf oerni'r ffynnon; pan nad oes dim ond iâr-fach-yr-haf a'r tes yn hofran; pan yw'r goeden-fwg yn codi'n gwmwl brown ar yr esgus lleiaf, y mae hi'n haf yno.

Y ddau acrobat

Ac ar hwyr brynhawn, a'r gambo'n drwmlwythog, a'r gwair yn rhubanau ar y perthi, y das yn ei lled, a mynd ar y glastwr-blawd-ceirch; pan fo'r da yn tynnu eilchwil at y clos, y lloi yn brefu, y cŵn yn llyfedu, yr hwch fagu yn ei hyd yn y pwll-domen, a gwas y neidr yn acrobat ar lyfn yr afon a'r wennol yn acrobat yng nglas y nen, yno, bryd hynny, deil yn haf o hyd.

Neu eto'r lle, gyda'r nos, y cyfyd emyn diolch o gwrdd gweddi Llwynpiod, ac y dychwel mwyalchen i'r laburnwm gadwynog; lle y disgyn y tarth i'r gwastad anwastad nes bod anifeiliaid y rhos yn nofio'n gomic ddigoesau; lle daw draenog ar duth a dwrgi o'i loches, lle y daw malwoden ofnus, gafr-wanwyn a'i chwndid ac ystlumyn ar adain ledr, neu chwilen-bwm yn taro'r ffenestr; lle y geilw broga'i gymar rhwng twmpath brwyn tan flodau brown a phibrwyn gau, diflodau; lle clywir sgrech cornicyll a chwibanogl o'r man y mae Teifi'n ddu rhubanog rhwng ceulennydd gwynion gwawn a tharth, a'r crychydd camgoesog yn protestio yn erbyn gorfod codi; lle'r â heibio wenynen â gwlith a mêl y bysedd cŵn diwethaf yn llwyth trwm arni; lle y clywir y trên i fyny tu hwnt i Fflur yn brudio yfory glas; lle y gellir pwyso cymalau lluddedig ar wal a mwynhau un mygyn olaf doeth diwybed; lle â plant i'w gwelyau heb gannwyll, a gweision ffermydd i garu morynion tan y wawr; yno y mae haf.

Yno, rhwng Aeron a Theifi, trwy gydol undydd hir, heddiw y mae haf.

LLADD MOCHYN

Lluniai rhag llaw galandr blwyddyn imi

✦

Ar y tymor y mae'r bai. Mae mochyn tew yn halltu'n well, fel y mae cig porc yn ei bryd, pan fydd 'r' yn enwau Cymraeg y misoedd (onibai fod Gorffennaf a Thachwedd yn ymgecru). Daw, gyda'r Nadolig, i fochyn tew dangnefedd amgen na bwyd-blawd a gwâl sych-welltog y dysgodd bwyso arnynt ers canol haf.

O leiaf, yn yr wythnos ryfedd honno, hanner-yn-hanner o hiraeth a gobaith, a ddigwydd rhwng y Nadolig a'r Flwyddyn Newydd, y byddem ni, fel rheol, yn lladd moch.

Gofalu bod y lladdwr yn siŵr o gyrraedd yn y bore; rhoddi'r mochyn truan ar ympryd tros nos, fel y gweir â dyn cyn iddo fynd i hospital; trefnu cynnud, glo a mawn a choed-hollt i gynnal tân, a brigau i godi ffagl; ffwrn fawr wrth fachyn yn ei deuclust ar dorri berw, ffwrn fach yn ias-ferw ar drybedd; tri neu bedwar o botiau tun wedi eu benthyg i gario dŵr meddal o'r llynwen i'r ffyrnau, a dŵr berwedig ohonynt; caeadon, a fyddai'n sgrefyll, yn rhes gyfleus ar lawr; dwy gyllell y lladdwr wedi eu hailhogi ar fwrdd y ffenestr; yntau ag awdurdod ganddo ar bawb.

Twyllo'r creadur

Ni lwyddais, er fy oed, i esgusodi twyll gosod cwlwm-rhedeg ym mhen lein yn llechwraidd y tu ôl i ddannedd hen fochyn dof a ddaethai, fel arfer, i'w gosi wrth glwyd iard y twlc, nac ychwaith i ddeall ei dwptra ffodus-anffodus yn mynnu tynnu ar ei ben ôl i'r feri gwellt a daenwyd yn wely angau iddo.

Tair sgrech ni ddihangaf rhagddynt fyth: sgrech gwraig yn yr ardal a aeth yn wallgo; sgrech ysgyfarnog a aeth i gyd ond ei untroed ôl trwy'r fagl; a sgrech mochyn ddydd ei ladd.

Dirwyn y lein am ei safn i'w dawelu, ei droi ar wastad ei gefn, eillio'r blew ar ei dagell, naddu cwt cryno, a thrywanu'r galon â'r gyllell fain fel picell trwy'r cwt hwnnw.

Aros ennyd cyn i'r gwaed ddechrau byrlymu, yn ddugoch ar y cyntaf, yna'n sgarlad, ac wedyn yn binc, a llifo'n afon − afon y bywyd i'r cŵn a anghofiodd gyfarth − i'r pwll-domen. Troi'r gwingwr ar ei ochr a rhyddhau ei goesau iddo gicio'r dafnau bywyd olaf o'i gorpws. Wedyn rhedeg, cario dŵr berw, arllwys hwnnw tros ystlysau ac ysgwyddau, sgrafellu, gwthio'r pedeircoes hyd y ben-lin a'r gynffon gyrliog hyd y bôn yng ngwddf y pot a lloncian y berwddwr hyd-ddynt.

Pan geffid ef yn noeth, fel y mae babi'n noeth ar arffed, trwy fawr duchan ac ambell reg nerthol, codi'r gelain a'i hongian gerfydd gewynnau'r troed ôl ar gambren wrth wynbem y sgubor; tynnu llinell gywir â'r ail gyllell o'i gynffon i'r man y trywanwyd ef, gosod padell o tan ei ben i dderbyn ei goluddion, naddu'r cig-briw, ac yna'n ddiffwdan ar ôl y golchi â dŵr glân tu fas a thu mewn, a gosod taten yn ei geg i'w chadw'n agor, cau a chloi drysau'r sgubor arno hyd y bore.

Disgwyliaswn am ddeuddeng mis cyfan ddyfod dydd lladd mochyn, a rhedaswn, pe gallwn, led plwy rhagddo pan ddeuai.

Erbyn hyn, nid y diwrnod ei hun, ond y lliw sydd wedi ei gordeddu trwy batrwm diwrnodau blwyddyn gyfan, sy'n gyfaredd arnaf. Digwyddasai'n aml ar Ddydd Calan, a minnau eisoes wedi tramwyo'r fangre ers canol nos heb gwsg, ond yn orlawn cyn brecwast o deisen Nadolig holl wragedd y fro.

Gloddest

Wedi'r lladd yr oedd gloddest o gig-briw rhost, a'r dŵr ar fraster yn gwmwl gwyn a'i sŵn yn storm ar ffreinpan. Arwydd cymdogaeth dda oedd cig-briw ac afu, ac, yn ddistaw bach, mesurid gwres y cyfeillgarwch yn ôl pwysau'r fasged a âi heddiw oddi wrthym ni, yfory oddi wrth arall, a 'dim ond eisen fach ar ben tatw' o'r naill aelwyd i'r llall.

Ni chafodd tîm erioed â phêl-ddu well hwyl na ni'n blant â phledren mochyn tan ganlloer rewllyd. Diwylliant cefn gwlad a chystadleuaeth rhwng tyddynnod oedd toddi lard gwyn a berwi brôn o'r pen. Cofiaf, serch hynny, un hen wreigen ni wyddai ddefnydd i'r lard ond rhostio cig moch bras ynddo, neu godi sêr ar gawl; yn ei chawl hi hefyd y gwelais rwygo toesyn y dwmplyn rhiwbab, nes bod coesau gleision y rheini yn codi a disgyn fel llongau tanfor yn eigion tymhestlog y ffwrn.

Wedi'r halltu llifai'r heli o'r llaethdy llawr-cerrig, a nawseiddio trwy'r llawr pridd a'i wneud yn sarn; rhofio hwnnw i lanw tyllau mewn mannau sychion lle ni ddoi'r afon heli. Cefais yrru ceffyl a chart i'r hewl am y tro cyntaf wrth hebrwng y mochyn hallt wedi ei wnïo'n dynn mewn sach i'r stesion ar ei siwrne i'r Sowth lle byddai 'nhad yn ei werthu. Ac nid oedd wahaniaeth fod Fflower yn gloff ac yn unllygeidiog; ni bu'r gwas penna nac, yn wir, un gyrrwr Coits Fawr yn fwy o ddyn na mi y dwthwn hwnnw.

Diwrnod torri'r ham

Y mae diwrnod torri'r ham a'i gael gyda thatw newydd cynta'r tymor yn un â gwres a diddanwch a lludded iach cynhaeaf gwair i mi. Mor falch yr oeddwn weld gwyliau ysgol am eu bod yn dwyn dwy neu dair o athrawon y Sowth i'n tŷ ni, ac yn eu cysgod cawsem ninnau ham ac wyau i frecwast ambell waith; ond ni chaem ond arogl y wledd pan ddeuent â'u cariadon haf, meibion y ffermydd, i swper, a ninnau eisoes o'r ffordd yn y gwely.

Gan mor helbulus yw bywyd arnaf erbyn hyn y mae'n aml 'yn ddiwrnod lladd mochyn' arnaf, ond gallaf ddianc o'r helbul yn rhwydd i hamdden synhwyro trachefn, â chlust a thafod ac â dychymyg, gyfaredd diwrnod a oedd yn llunio, rhag llaw, galandr blwyddyn gyfan imi.

CODI CRAITH AR BREN A CHALON

Erys tros yfory a thrennydd a thradwy

◆

Ac eithrio sanau gwlân, ni thyf creithiau ar ddim nid oes ynddo fywyd. Sudd byw sy'n troi archoll ddoe yn graith heddiw ar holl ffurfiau pridd-y-ddaear – ai tir, ai cnwd ar dir, ai cnawd creadur. Ond erys craith heddiw tros yfory a thrennydd a thradwy; ac ni dderfydd.

'Mi alla-i faddau'n weddol,' meddai mam, 'ond alla-i ddim anghofio!' Gall clwyf wella, ond ni chliria'r graith.

Y mae i bob craith ei stori. Gellid bywgraffiad teilwng o ddyn ped adroddid stori pob craith yn ei thro sydd ar ei gorff; dyn di-graith dyn heb iddo stori yw. Neu, a yw craith, wedi'r cwbl, fel ceinder gwedd, heb fod cyn ised â'r seithfed croen?

Drws agored i ddianc trwyddo i ddyddiau maboed yw myfyr ar fy nghreithiau i mi. Methais gael mynd i hela calennig gan y llosg ar groth fy nghoes, ac y mae'r graith goch, gron, ddiflewyn yno hyd fedd, fel na chaf ddianc rhag fy siom.

Tebygwn mai helpu 'nhad yr oeddwn wrth naddu blaenau polion â bilwg, fel y gwnaethai ef â'i fwyell drom, pan gefais ar f'arddwrn yr unig graith arnaf sy'n teilyngu ei chyffesu ar fy llyfryn-croesi-moroedd. Craith methiant bwriad clodwiw plentyn yw hi ar fymwybod, gan nad beth a wna'r awdurdodau â hi.

Rhwng cyrn aradr

Fel y mae'r haul yn goreuro'r gorwel wrth heneiddio bob hwyr, felly y mae pob hen-gofio yn troi hanes yn ffantasi euraid. Gadawodd amser greithiau ar wyneb tir mewn rhych a grwn glas ar lawer man uchel, lle yr enillodd rhedyn frwydr yn erbyn gwenith, a lle y gwnaeth llydnod defaid alanas ar feibion a gweision ffermydd.

Nid bob tro y cofiwn, serch hynny, fod yr erydr a fu'n aredig y creigiau wedi torri cwysi cyn ddyfned llawn ar wynebau a chalonnau y gwŷr a fu rhwng eu cyrn. Creithiau heirdd ar wyneb gwlad yw cestyll pridd neu gerrig; unwaith bu gwaed yn llifo o'u plegid. Ymgeledda'r Llywodraeth ffantasi'r graith, ond ni chydnebydd gyfrifoldeb am realaeth y clwy cyn hynny.

Fel y tyf gŵr farf tros graith ei wyneb, felly y tyfodd prysgwydd gwyrddion tros hen waith haearn Dyffryn Gwy; felly y tyf heddiw borfa las tros domenni aml hen bwll-glo. Fel mai creulonach yw craith salw ar lendid merch, creulonach yw aflendid creithiog hen weithiau mwyn-plwm Ceredigion na chreithiau'r Garth a Phen-tyrch, am na thyf dim gwyrdd drosto i'w guddio.

Nid rhyfedd, gan hynny, mai graean mwyn-plwm a osodir gennym ar lwybrau a beddau ein mynwentydd. Y fynwent lle y cesglir ynghyd hiraeth holl deuluoedd ardal, hiraeth holl genedlaethau cymdogaeth, yw'r erw fwyaf creithiog ym mhob plwy. Pethau preifat a phersonol yw archoll a hiraeth ill dau, ond eiddo cymdeithasol yw craith a bedd; ni all neb ddioddef yn lle arall, ond ni waherddir neb rhag cyd-deimlo. Dolur hyd at lewyg i mi yw taro craith nes ail-agor clwy, ac agor trachefn fedd a fu unwaith ynghau.

Cyd-heneiddio

Naddodd pob un ohonom lythrennau ei enw ei hun lawer gwaith yn rhysgl llawer pren, o ddyddiau ein cyllell-boced gyntaf hyd yr awron, a chododd y sudd yn graith arhosol ar bob llythyren nadd. Po fwyaf y cyfyd y sudd ac y tyf y boncyff, mwyaf i gyd yw'r graith, ond nid oes ddal ai mwy ai llai yw'r pris a osodir gennym ar werth ein henwau fel y cyd-heneiddiwn ni a'r boncyffion.

Nid oes ychwaith ohonom un gŵr a garai wadu (er mai arall yw cyffesu) fod llythrennau enwau eraill hefyd wedi eu naddu gennym, a bod creithiau'r rheiny hefyd ar rysgl pren ac ar hiraeth calon. Erys pob un ohonynt hwythau, gan nad beth yw ein dewis, hyd yfory a thrennydd a thradwy; ac ni ddarfyddant.

Pe cymerem gyllell awchus i'w naddu ymaith dim ond codi craith fwy llidus a wnaem, ar bren a chalon.

ENWAU SONIARUS A DIEITHR

Gwledd y dafarn-laeth a'r ffynnon-soda

✦

Cysylltir enwau pert − pert am eu bod yn soniarus, neu yn ddieithr − â lleoedd neu â phethau arbennig i bob un ohonom.

Hudwyd teithwyr yr Oesoedd Canol i ddod o hyd i enwau rhyfeddol ar wledydd pell: aeth sgerbwd creadur annof yn greadigaeth newydd yn rhin ei enw da; myn ein beirdd modern enwau mwyth i gyfandiroedd sugn yr ymwybod, lle bellach y mae mynydd Parnasus â'i ben tuag i lawr yng Nghorsdiroedd yr Awen.

Nid y glas a'r coch a'r oraens, yn gymaint â'r hanner enwau od ar y poteli, a'm denai gynt yn grwtyn yn siop yr apothecari. A phan ballodd blas y tameidiau enwau clasur − yn iaith tylluanod Williams Parry, ar fy llw − ceffid, tan enwau mwy persain, bob persawr rhos a lili, lafant a mwsg wedyn. Ond am imi dybio bod dŵr y Brennig, yn llestri un ohonynt, yn troi'n rhy rwydd yn *aqua*, mynnaf ddal bod gwreiddyn y drwg yn *druggist*, ac mai ffurf ar *cam* yw'r Cymraeg cywir am *chemist*.

Enwau plaen

Ond nid â phryf yr apothecari y daliwyd fi ddiwethaf, ond meddwi yn ymyl ffynnon-soda ddirwestol, sobor a wneuthum − ymfrwysgo ar grand-rwydd nomen-clatur tafarn-laeth.

Byddai enwau plaen fel lemon ac oraens, afan cochion a syfi, ffrwythau'r grawn ac afalau'r pîn, ynddynt eu hunain yn tangnefi'r tes. Arnynt, rai ohonynt, y mae'r sawyr Ceredigion cyfarwydd, ac ar eraill wynt ynysoedd-tros-y-môr dieithr. Ill dwy ran digonant yr hiraeth dwbl sy'n blino gŵr − hiraeth am ei fore-fro, lle casglodd efe ym mol ei chloddiau lus ei hafau, a'i hiraeth hefyd am brofi, yn ei waed a'i wead, ystyr hud pellteroedd y trofannau.

Ond rhaid o afradloneddd calon, ac am dair ceiniog yn fwy, eu rhewi ag iâ o bob blas, neu dywallt siocoled barrugol trostynt, fel na chofir na lludded tes na syched mwy.

Blys at enw

Tarodd y dafarn-laeth hithau ar enwau mwy gogleisiol nag ansoddeiriau cefn gwlad i'w hamheuthun priod. Yno yr oedd Gwawr Euraid a Rhiain Arian, Fflam Goch Syfi, Y Llwybr Blith a Gwlith y Rhos. Ni fedyddiwyd gwartheg y tylwyth teg ag enwau cyfoethocach na'r llefrith synthetig hwn.

Dylasai'r bardd a fu'n amau diben enwau fod wedi clywed y rhai hyn: nid rhosyn yw rhosyn heb ei enw, na llefrith llefrith chwaith. Marchnata mewn blys at enw ac nid blas at nwydd y mae Eidalwyr y gaethglud.

Hufen tan Rew, a phob cordial i blesio taflod eich genau, a Phegwn y Gogledd yn ben ar bob dim oer bendithiol yn syrffed y caffe. Temtasiwn Rhianedd Paris gern-wrth-gern â Gwrid y Wyryf i foddio bryd pob gradd ar foes – a swllt yr un yw pobun. Gogoniant y Riviera, Mwyniant Manhattan, Difyrrwch Deauville, Angel Ceirios wedi ei gwasgu, Afalau Pîn tan Eira, a hyd yn oed Luwch Eira cyfan am naw ceiniog – pwy na ofynnai iddi fod yn haf o hyd!

Lle y bu llaethdy

Gelwir heddiw ar i bawb wneud a allo i godi'r hen wlad yn ei hôl. Awgrymaf yn swil un ffordd i'w chodi yn ei blaen. Er mwyn amaethyddiaeth dylid troi pob fferm yn dafarn-laeth a chwilio pob cyfarwyddyd am enwau gwell, nid yn unig ar y tyddynnod ond ar y gwartheg a'r ymenyn a'r llaeth, ar fuddai a sgilet a godart, ar odro i'r cunog, ac ar garthu'r sodrem.

Eisoes newidiodd trin y tir mewn un pum mlynedd o gyfnod y basic-slag a'r weiren bigog i gyfnod y lorri-laeth a'r ffatri-sgim; gwêl y pum mlynedd nesaf, pan blyg y cerddwr blin, yr heiciwr cloff, ei syched at wasanaeth y wlad, godi tafarn-laeth a ffynnon-soda yn y lleoedd gynt y bu llaethdai.

Neu pe ceffid enw ar y glo sy'n awgrymu bod holl wyrddlesni gwan-wynau'r gorffennol, holl grinddail goreuredig hydrefi'r oesoedd, holl heulwenau tesog y canrifoedd wedi eu cronni i'w loyw-ddu; pe dyfeisid ffordd i'w wisgo â rhubanau lliw mewn carton papur aur-a-thinsel, buasai arno elw fel ar ddŵr siop gemist, a chawsai'r glöwr gystal haf â gŵr y dafarn goffi.

FY AWR GYDAG EDWARD FRENIN

Dameg gyrru'r da dros Glawdd Offa

✦

Anghofiais y ffregod a ddysgwyd imi am gyfrifoldeb gŵr tros ryfyg ei freuddwydion, ac odid nad aeth y gredo arbennig honno i mewn ac allan o'r ffasiwn droeon erbyn hyn, fel ffasiwn ddillad Leisa'r Deildre, fel nad yw'n wahaniaeth yn y byd.

Democrat, parod i gymysgu â phawb, yw'r Brenin Edward, ac nid achwynodd am ei gael ei hun yn cyd-gerdded â mi trwy gymdogaeth yng Nghymru a fydd yn aros yn Gymru ddiwethaf oll, y gweundir a'r golosg sydd o ddeutu ffin plwyfi Padarn Odwyn a Charon-is-clawdd.

Nid achwynodd gymaint ag a wnâi Tom, fy mrawd, pan gyd-gerddai'r un llwybrau; yn wir, gwisgai'r Brenin gnawd ac osgo corff hwnnw weithiau, a siaradai bron o hyd gyda gwybodaeth arbennig Tom am gors a gwndwn, am rych a chefn a grwn, am hespen a maharen a mamog, am eog a brithyll a sildyn, am anner gyflo a chaseg yn bwrw ebol. Nid oedd, beth bynnag, ryfyg rhwng deiliad a thywysog tra pharodd y breuddwyd.

Mynnodd rannu â mi

Ni ddatguddiwyd imi pam yr oedd y Brenin yn rhodio Sarn Helen o gwbl, pam y trodd i Lôn Dderi-Odwyn yn ymyl capel Llwynpiod, pam y gwyddai am Annibyniaeth fore Llwynrhys a dechrau'r Diwygiad yn Llwynpiod.

Tros fawnog a thrwy ddolydd, heibio i Drewern a'r Gors Wen a mân-gyll Trebrysg y cerddasom, i lawr at Nant Las, lle y mae'r samon glana'n troi o Deifi. Yno, cyfarthodd Pero a'm dwyn yn ôl o rodio llwybrau a gerddais cyn imi erioed ddysgu bod yn Lloegr frenin.

Ar ben y lôn y cefais fy hunan yn ei gwmni arni, arllwysa'r ffynnon ei dŵr ar daen o glawdd i glawdd. Fy esgidiau ired bob-dydd oedd am fy nhraed am mai troedio fel march llamsachus a wneuthum, rhwng trot a charlam, nid mân-gamu fel ar y Saboth yn fy sgidiau dy' Sul.

Cerddai'r Brenin yntau'n gadarn fel un yn gwybod y ffordd i dasgu'r llaid dwrllyd yn glir tros ei ben a bod yn sych ddi-gagl, fel corcyn mewn rhaeadr. Estynnais iddo'r ddwy eirinen bêr olaf oedd ar y berth lle y bu gardd gynt, a bwthyn, ac aelwyd, a theulu, ond mynnodd rannu'n gyfartal â mi. Wrth hynny, deellais mai'r Brenin, ac nid fy mrawd, oedd fy nghydymaith; am imi gynnig, nid am iddo ef rannu, mae'n debyg.

O dwmpath i dwmpath

Ar waelod y lôn i'r gors saif gwartheg ar brynhawn claf o hydref yn bygynad am wair sych a beudy cynnes. Synnais weld ei Fawrhydi yn gosod llaw ddiffwdan ar war Seren flithog ac yn siarad ag awdurdod pen-coronog â'r tarw teirblwydd oedd eisoes â ringen yn ei ffroen, fel pe gwyddai yntau fod lle i'r pâr a'u hil i gyd yng nghyfri'r rhent Ddydd-gŵyl Fihangel. Nid arhosodd yr ebolion, mwy nag erioed o'r blaen, i'w canmol, er inni'n dau alw 'Cyp, cyp!'

Rhaid neidio tros ffosydd y rhos o dwmpath brwyn i dwmpath i groesi'n droetsych. Wrth gwrs, disgynnai fy nhroed i o reddf ar y mannau celyd, ond landiai'r Brenin, druan, tros ei bigyrnau ym mhob rhewin bron. Cofio amdanaf i fy hun yn ymgodymu â moesau palmant stryd, a'r hunlle arswydus oedd hynny i mi, a'm cadwodd rhag chwerthin ar ben y pen sydd dan goron hynaf Ewrop.

Ni bûm erioed yn fwy balch o'm tad, gan mai gwaith ei ddwylo ef – dwylo coedwr-tan-ddaear ar wyliau Awst gwlyb – oedd yr ychydig sarnau oedd ar y llwybr; deubren gwernen wedi eu gosod ar ddwylan rhaban dŵr (fel dannedd gosod mewn genau), carreg drom yng nghanol ffos. Trostynt hwy y troediais, i froydd llyfrau print a glynnoedd dadleuon rhesymeg yn Ysgol Sul Llwynpiod, a thros y bompren fach ddi-ganllaw y troediais gyntaf i ucheldir rhamant serch. Ond, fel cybydd, cedwais y gyfrinach rhag y Brenin, hyd yn oed.

Torri wyau

Yr oeddwn wedi gorffen pleth-wyth o frwyn erbyn inni gyrraedd y sticil a dodi unllaw ill dau ar y ffon uchaf o'r pump a neidio'n grwn i weirglodd Trewern, lle yn yr haf y mae cloch fach o wlith yn disgyn o bob gweiren ar gefn troed, a lle y clywir gyntaf, ac eithrio ym mynwent Bwlchgwynt, sawyr porfa'n gweirio, am fod rhaid torri ystod sydd fel traeth ar fin eigion, rhag difetha peisiau lliw y merched.

Trwy glos Trewern, a chŵn dieithr yn cyfarth: nid yw Dafydd a Marged yno mwy, na Siencyn, i holi iddo bris yr wyau. Cael hwyl wrth adrodd am y picil ar y gamfa nesaf, pan gollais afael ar y fasged a thorri cant cyfan – fel Moses a'r gorchymynion gynt. Ond, gwnaeth y deisen, a'r pwdin a'r wyau-rhost beth iawn am y bartas ar groen noeth. Bu raid egluro bod colli cant o wyau yn haeddu partas, a bod y moethau yn fwy gwledd i ni nag yw bwrdd Arglwydd Faer Llundain i Gabinet o

Sosialwyr: byddai bwyta ŵy tair-ceiniog yn bechod, a byddai bwyta ŵy pan fo rhaid wrth ddau ddwsin i wneud swllt yn anfaddeuol, am mai pres yr wyau a brynai bob mân-bleser, fel te a siwgwr.

Te a chroeso

Y mae Bel, gast felen Maesllydan, mewn bedd ers tro byd, ond hi oedd yn ysgwyd ei chynffon wrth y pwll llif, hesb o flawd, ac yn cwacian croeso nes tynnu Elen, y ffedog wen a'r llygaid llaith, i lidiart y clos. Nid oedd yn rhyfedd weld y Brenin yn yfed te ym Maesllydan, am nad yw'n bosib i neb wrthod pencage (*pancakes*) sy'n nofio ag ardderchowgrwydd hufennog yn eu llyn ymenyn tawdd. Yn wir, piti garw na all fod gan ei Fawrhydi ei hun gof real am gymaint â hynny, o leiaf, o'm breuddwyd.

Rhaid oedd troi i mewn i gegin y Gors Wen, am y gall fod yn yr hen adfail yng nghanol llwyni gwsberins ben doli bridd neu raca gwair eto fel o'r blaen.

Ond nid gwiw loetran, gan fod ym Mhenllwynbedw, sy'n berchen y tir, bob amser darw cas. Ar y cae hwn y trywanodd un ohonynt gaseg fagu, bron fel petai'r Gors Wen yn Sbaen, ar ddydd gŵyl. Gadael y fangre a fu'n gartref, ac Edward Frenin yn sôn am ddrain ac ysgall a mieri lle bu mawredd fel un y mae llên Cymru yn eiddo iddo.

Oddi yno bwrw cyrch cywir trwy eithin braisg, a'r pridd tan draed yn chwâl gan warinnau cwningod filoedd, i lawr at Drebrysg, tros y graig wrth dalcen y tŷ; ond nid oedd crynhoad dyddiau medi yno yn gwrando ar William yn adrodd hanes y fedel yn Lloegr, na phen yn ffenest fach y gegin gefn sy'n beichio mwg fel simne, i holi ac i adrodd helynt cyrrau'r plwy, na neb i dorri tafell o fara gwenith i blant newynnog ar eu ffordd o'r ysgol.

I'r ffair

Ond nofia'r hwyaid yn y ffynnon, cerdda'r cesyg yn urddasol tros y clos i'r pond, brefa'r lloi yn y crit, chwytha'r clacwydd wrth ein sodlau, a chlochdar yr ieir ar y domen.

Nid oedd bosib symud fy nghydymaith, gan fod pasiant lliwus y clos yn rhagori ganddo ar ddim a welodd erioed ar barciau crandaf Llundain.

Ni wn pam y bu raid inni, o dan y tŷ, daro ar ffwdan helbulus gyrru'r da i'r ffair fisol yn y dre, na pham y dewisodd yr anner flwydd droi y foment honno trwy fwlch yn y berth, gan glardingo yn ôl i'w chynefin.

Ond, yn sydyn, cofiais mai dod i Gymru a wnaeth y Brenin i wybod pam y gyrrir, fel y gyrrai'r porthmyn gynt eu da, ferched ifainc tros Glawdd Offa, heb fod ganddynt fwlch mewn perth i ddianc trwyddo.

Cyfarthodd Pero (neu yntau un o gŵn yr orymdaith chwyslyd) pan oeddwn ar fin cymhwyso'r ddameg.

ADFYW, 1

✦

O edrych tros daith yr anialwch i gyd rwy i bellach wedi dod i ddeall bod y pum mlynedd wedi'r Rhyfel Byd Cyntaf wedi newid cyfeiriad bywyd i mi. Ar y tir mewn tyddyn diffrwyth, mewn bwthyn unllawr pridd y bu fy llencyndod. Deuthum wedyn yn ŵr tref, fy nhraed ar gerrig palmant yn lle sinco'n saff i siglennydd y gors. Ar y ffordd o Lwynpiod i Lwynpia, o Rydypandy i Donypandy sengais allan o ddoe ac i mewn i heddiw. Ond ble y trewais i ben y ffordd honno dw i ddim yn siŵr.

Bu cysgod y Pwll Glo tros fy nghof cynharaf. Yn y Sowth yr oedd fy nhad, a dôi adre bob gwyliau, y Pasg i hau, Awst i gynaeafu, a'r Nadolig i ladd y mochyn ac i hollti coed yn wisgonau tal. Cof hapus sydd gennyf am streic y Combine 1911 er enghraifft; 'nhad yn torri cwteri trwy'r haf, a minnau'n llusgo eithin a chywain cerrig i'w rhoi ynddynt − ef â'i whilber fawr a minnau â'm whilber fach bit-bat o dan ei drwyn. Mae gen i ar f'arddwn graith ddigon mawr i'w rhoi ar fy mhasport − craith cwt cas wrth geisio naddu polion â bilwg fel yr oedd ef, y coediwr crefftus a'i fwyell fawr pwll-glo, yn eu naddu. Y polion oedd i ddal y gwifrau ar ben clawdd fel y caem ninnau'r plant ddanfon negeseuon trostynt wrth i'r injan-weiro eu tynhau. Roedd e'n arwr fel tad pob plentyn, ac roedd hi'n ddigon posib mai ato ef i'r Sowth y byddwn innau'n mynd, i weithio tan ddaear.

Ond dechreuodd rhywun sisial bod rhywbeth ym mhen y crwt, ac y dylai gael mynd i'r County School. Gan hynny, fel y nesâi'r C.W.B. [arholiadau'r Central Welsh Board] pellhau yr oedd y Pwll Glo − a bwrw bod lwc, wrth gwrs. Fu dim gormod o lwc, a disgynnodd y cysgod yn drymach. Ond wedyn dyma lygedyn o olau annisgwyl. Stad Sunny Hill ar werth ar ôl y rhyfel a 'nhad yn dilyn yr ocsiwn i brynu ffarm a dod adre i ffarmio. Ond gymaint y cododd pris y tir nes gorfod i 'nhad dderbyn ei dynged, ac yn lle prynu ffarm, gwerthu'r Llain a chwalu'r cartre.

Tri dolur mawr a gefais i erioed, sef colli mam pan own i'n chwech oed, gwerthu'r Llain pan own i'n ddeunaw, ac yn saith-ar-hugain manwl graffu ar y cancr maleisus, fel *convolvulus*, yn cordeddu am einioes y fodryb-fam a'm magodd.

Gyda'r chwalu daeth mynd i goleg a mynd i'r pwll wyneb yn wyneb − ond bellach, gan nad pa un a orfyddai, yr oedd fy nhraed i, heb obaith troi o'r ffordd, yn camu'n fras o'r wlad i'r dre. Dyma fi i Donypandy, dyma fi nôl i Aberystwyth, a dyma fi nôl drachefn i Donypandy. Rywle yn y pum mlynedd hynny ganed dyn newydd. Ac fel symbol o hynny mi fûm innau'n crwydro'r cyfandir. Wyddech chi ddim? Do, unwaith. Y nos yr oedd y trên yn teithio gan mwyaf, ond bodlonodd aros o frecwast tan de'r prynhawn rhwng y Gare du Nord a'r Gare de Lyon, a rhoi cyfle i minnau weld popeth sydd i'w weld ym Mharis, ac i ddeall y cwbl sydd i'w ddeall am Ffrainc, cyn mynd yn ei flaen mor bell â Genefa erbyn brecwast trannoeth. O'm magu rhwng Tregaron a Llangeitho rown i'n Galfin cyn mynd, ac o fod wedi rhedeg cylch amharchus rownd i foniwment Henry Richard rown i wedi fy nghyflyru ymlaen llaw, wedi fy ethol i fod yn rhyng-genedlaetholwr. Ond wrth droed Henry Richard, gyda llaw, y clywais i Llewelyn Williams, a helpu gweiddi 'What about the making of modern Wales!?' [teitl cyfrol hanes gan Llewelyn Williams oedd *The Making of Modern Wales* (1919)]. Fy mlas cyntaf ar lecsiwn – ac ar genedlaetholdeb hefyd.

Ond bellach, gŵr tref wyf i, wedi colli lecsiynau yng Nghwm Rhondda, ac wedi ennill ymroad a chyfeillgarwch y cwmni anwylaf o bobl ifainc – y Brynmor Follies annwyl. Chaf i byth eto fod gyda Kate Roberts yn dringo seleri'r Wengraig, chaf i byth eto gwmni Morris Williams ar ben bocs sebon, na Lewis Jones y comiwnydd o ran hynny – marchogion crwsâd yn y Cwm, bymtheng mlynedd yn ôl. Anghofiaf i byth mo'r hwyr haf hwnnw, a'r gŵr ar ben y bocs yn llewys ei grys, wedi bod wrthi am awr a chwarter, yn sefyll ar ganol ei frawddeg, a dilyn ei law araf tros y dorf, ymlaen ac yn ôl: 'Comrades,' mynte fe, 'you do dant me, you do look so bloody dull.'

Dim ond unwaith y bu fy nhafod trwm i mewn pryd. Bore'r dod i wybod am y tân yn Llŷn oedd hi, ac un o'r athrawon ffraeth-caredig yn pryfocio: 'Rhag eich cywilydd chi', meddai, 'ac rwy'n bodlon mentro mai *England's Glory Matches* oedd gyda nhw.' Am yr untro hwnnw cefais innau fflach. 'Nage,' mynte fi, 'rhai *Pioneer.*'

A heno ry'ch chi yna'n gwrando – y bois Llafur a'r bois cochach, bechgyn y capeli a bechgyn y clybiau, gwerin y gorymdeithio, gwerin ffyddlon i'ch ffydd er hoced arweinwyr, gwerin y graith – ac rwy i am ddweud wrthych chi fy mod i'n falch cael adfyw yr eiliad fer hon, a chael arddel fy nyled fawr iawn i chwi, am garedigrwydd a boneddigeiddrwydd, am gyfeillgarwch a ffyddlondeb, am ffraethineb a direidi. Fe'm gwnaethoch i'n gartrefol, myfi, ŵr dwad. Mi garwn enwi degau ohonoch chi, ond dyna fe . . .

Dyn dieithr ydwyf yma, draw mae 'ngenedigol wlad. Iaith seiat Llwynpiod sydd yn *Cwm Glo* a chof a geirfa Mynydd Bach sydd ar *Meini Gwagedd*, medden nhw. Ie, pobol eraill, a phethau eraill sy o dan y plisgyn. Gyda Marged Tanybryn, a Dani'r Deildre, Wiliam Sanders a Long John, a Herbi a'r lleill rwy'n byw. Pobol sy bellach yn eu beddau sy'n cadw oed â mi. Gwylad buwch yn bwrw llo, ofni dwrgwn ar lan Teifi, clywed gwynt paraffin yng nghwrdd gweddi'r *long-room*, a rhap-rhap trowsus rib 'y newyrth Daniel wrth iddo gerdded ymlaen i gymryd rhan; crychydd cam yn codi a chwibanogl yn troi, sgrech cornicyll, a sgrech oerach Ann druan wrth iddi'n sydyn fynd yn wallgo ar y gors – rheiny sy'n mynnu adfyw ynof.

Naddu gwernen yn llwyau pren o flaen tân, plethu gwiail yn lipau yn y sgubor, anadlu moethusrwydd tail yr eidionau wrth garthu crit y lloi; cael mynd â Fflower yr hen gaseg naill-lygad a'r cart i'r hewl fawr am y tro cynta; gwerthu Seren a'i llo, a cherdded hwnnw, druan bach, ddwy filltir i ben y ffordd; magu mochyn swci o'r gwanwyn i'r Nadolig, nes ei fod e'n fwy dof nag un ci – ac yna gorfod gweld a chlywed ei ladd at y tŷ; dal sgwarnog wrth ewinedd ei throed ôl mewn magl a hithau'n llefain y lle – dyna'r pethau rwy'n eu cofio pan fydda i yn cofio. Dyna'r pethau a'r bobol a'm lluniodd i er gwell neu er gwaeth.

Tom 'y mrawd a minnau'n mynd ati wedi'r ysgol i droi cae moch. Gosod ffon trwy olwyn y whilber, gwisgo rhaff fel trasus am f'ysgwyddau i, yntau'n dal cyrn y whilber – fe oedd yr hyna welwch chi – ac agor cefn a chau grwn gan adael cwysi yr olwyn glo droedfedd wrth droedfedd ddyfal tros wyneb y tir glas.

Nos Sadwrn gorfod cario dŵr, ddigon tros y Sul ac at y golch fore Llun. A dyna fy chwaer a minnau brynhawn Sul, a phawb arall yn y cwrdd, yn mynd ati i wneud y golch, gan dasgu'r dŵr glân nes bod yn wlyb sopen diferu. Ond untro fe flinodd y tri ohonom ar y siwrneon trymion rhy 'slow', a phenderfynu mynd â'r gasgen fawr at y ffynnon, ei llanw a'i rholio nôl at y tŷ, fel y gwnâi'r porter â'r llestri llaeth ar y platfform. Roedd Tomi nôl o Lundain pryd hynny ar ei Glangaea cynta, a fe oedd yn gwybod y ffordd, yn ei gwybod yn well lawer na'r hen gasgen fregus a fynnodd ymddatod, styllen wrth styllen yng nghlwyd fach y cae dan tŷ. O ie, nôl o Lundain, wedi dysgu rhoi briliantin ar ei wallt, a minnau, o eiddigedd at ei ben modrwyog du, yn plastro'r saem nes fy mod fel dafad yn dyfod i fyny o'r olchfa, a'm harwr mawr pymtheg oed yn wylo'r dagrau crac o'm plegid. A sôn am olchi defaid, lawr ar ddôl Trebrysg; ni'r plant yn dal y llydnod a'u gwthio i'r pwll. Dal yr hwrdd mawr ac eistedd yn fforchog ar ei gefn sgwâr; yntau'n dewis sboncio'n sydyn a disgyn i'r llyn; minnau'n dal yn ei wlân, a'i farchogaeth yn grwn i'r gwastad yr ochr draw.

Mi ges i gyfle i ganu alto yn wythawd Trewern – mae Shincyn yn ei gornel yn gwrando nawr – ond allwn i ddim canu alto na dim mewn tiwn, ac mi gollais fy lle. Roedd y gors rhwng Y Llain a Llwynpiod, a doedd dim posib mynd i'r cwrdd plant i ddysgu sol-ffa, neu fynd o'r tŷ nos Sul y gaeaf. A dyna lle byddem ni'n cael y Beibl mawr, Beibl Mam-gu, Beibl Peter Williams, i lawr ar y ford dan y lamp ac yn darllen y lluniau neu'n dysgu'r achau ar y ddalen flaen. Rwy'n falch 'mod i wedi cael gosod un briodas yn rhagor ar ddiwedd y rhes, a thorri tri enw yn rhagor – Megan a Mari a Manon – yn llinell yr ach.

Mae Ysgol Sul Llwynpiod, a Daniel Morris yn holi'r plant, yn brofiad i'w adfyw. Cofiwch chi, roedd eco'r diwygiad yn aros yn y wlad pan own i yn Llwynpiod. 'Molwch yr Arglwydd' mewn llythrennau bras ar ffenest siop yn y dre: un nos Sul yn y seiat, dweud adnod. 'Ie'n wir, machgen bach i,' meddai Daniel Morris, 'a ble cesoch chi'r adnod 'na?' 'Ar y jwg jam,' mynte finne'n ddiniwed. Neu'n ddiweddarach beth, a minnau mewn seiat ym Mwlchgwynt: yr hen Mrs Ifans, yn ymfalchïo bod bechgyn y County School wedi troi i mewn, a dyma hi'n troi at un o'r glaslanciau, a dweud, 'Mae rhai ohonoch chi'n leicio mynd i bysgota ar hyd yr afon gyda'ch tadau. Mae hynny'n gwneud lles i chi, a chithe'n gweithio mor galed – ond wir, dowch yn bysgotwyr dynion, dyna blant da.' Yna, gan droi rywle i'm cyfeiriad innau, 'A mae rhai ohonoch chi'n leicio dilyn dryll gyda'ch cefnderwyr. Mae bod mas yn yr awyr agored yn gwneud lles i chi. Ond wir, fechgyn bach,' meddai hi gan gofio actau apostolion eraill, 'dowch yn *weithwyr* da eich gair.'

Yn ysgol yr Eglwys y bûm i, ac rwy'n falch. Yno mi ges ddysgu storïau'r Beibl yn od o drwyadl, a dysgu'r catecism hefyd, drwy drugaredd. Dw i ddim yn cofio dysgu dim byd buddiol arall heblaw Petchora Dweina Neimen Fistwla, Onega, Winer Weter, a White Sea North Sea Skagerrac Xatigat yn rhaffau hirion. Mor gyfleus yw'r rheiny heddiw wrth dreio perswadio plant bach Cwm Rhondda, sy heb ormod o awch at y Gymraeg, 'mod innau'n hyddysg ryfeddol yn y *foreign languages* yma. Fûm i ddim erioed yn gallu sbelio geiriau Saesneg, a rhyw ddiwrnod dyma Tomos Inspector i'r ysgol. 'Sut mae'r plant yma mewn *spelling*?' 'Gweddol, syr – ond y bachgen bach yna,' meddai Phil Rees. 'Wel os gall plentyn spelio'r tri gair hyn sy gen i, mi all spelio pob peth.' Dyma gael slât a phensel – adeg y rhyfel oedd hi – a sgrifennu *Khaki, Bicycle* a *Blackguard*. Credwch fi neu beidio, dim ond fi o blant standard 5, 6 a 7 a allodd sgrifennu y tri gair yn gywir. Ond Phil Rees oedd yn iawn: alla i ddim hyd heddiw fod yn siŵr o *which* a *business* a *church*.

Mi ges i un gair o ganmol hefyd – gan Wiliam Sanders – am fod wedi gallu gwisgo ffrwyn a mwnci a holms a strodur ar y gaseg, i gyd fy hunan bach. 'Bachgen, rwyt ti'n debyg i dy dat-cu: dyna iti un deche oedd e.' Ac fe ges i air o gefnogaeth gan Sam Powell hefyd mewn dadl Cwrdd Diwylliadol: myfi'n codi'n fras i siarad, ac mi aeth yn nos arnaf, mor dywyll â bola buwch ddu. Methu'n lân â dweud dim a gorfod eistedd i lawr mewn cywilydd. Sam Powell yn codi mewn sbel: 'Yn falch iawn gweld Kitchener yn siarad. Wnaeth e ddim llawer ohoni heno, do fe. Ond dyna fe, mae rhaid i ddyn wneud ffŵl ohono'i hun rywbryd – a gorau i gyd po gynta.' Dyna'r help mwya a roes unrhyw athro i mi erioed, a dim ond cydnabod ciltyn bach, bach o'm dyled fawr iawn i'r dyn mawr hwnnw, S. M. Powell, Tregaron, yw adfyw'r profiad hwnnw y funud hon.

Teulu Siors yw'n teulu ni, pobol go sgaprwth, rai ohonom ni. Roedd yno gweryl gwaed rhyngom a theulu parchus arall unwaith ac un o'r rheiny oedd y torrwr beddau ym Mwlchgwynt. Daeth gŵr dieithr heibio iddo un diwrnod a sylwi ar y cerrig beddau. 'Bachgen,' meddai'r gŵr dieithr, 'mae lot o'r Siorsiaid 'ma wedi eu claddu fan hyn.' 'Oes,' oedd yr ateb swrth, 'ond dim hanner digon o'r diawled.'

Do, bu sugn y pwll glo yn gyndyn o'm dechreuad i'm cael i'w afael. Fe lwyddodd. Ond y mae dial y wlad fel tynged. Er na chaf eto fyw'n naturiol ynddi, dim ond mynd am dro i'r man y bûm yn gware gynt, mae hi wedi gofalu fy rheoli, fy alltudio a rhoi marc Cain arnaf. Syrthiodd to'r Llain. Y mae da hesbon ar ei haelwyd a phiswail yn ei pharlwr – ond hi a'i phobol a'i phethau sy'n mynnu adfyw yn ddychweledigion, ynof heno. Nos da.

ADFYW, 2

✦

. . . Ger Llwynpiod rhwng Tregaron a Llangeitho y ganed fi, y ganed Calfiniaeth ynof, a dwn i ddim ai Calfin ai Henry Richard a gyflymodd fy llencyndod, i'm cael i Genefa ar ddiwedd cwrs Coleg, ond felly bu.

Ond y gwir plaen yw hwn; nad yw na Macdonald na Robert Owen na Henry Richard na Chalfin na Genefa na Pharis na heddwch y byd na Phrotestaniaeth yn gwneud dim mwy na chrafu'r croen – pobl eraill a phethau eraill sy dan y plisgyn. Ar William Sanders a Dani'r Deildre, Marged Tanbryn, Herbi a Long John a'r lleill y bydda i'n cnoi 'nghil. Gwylad buwch yn bwrw llo, canlyn dwrgwn ar ddolau Teifi, teimlo ias llwydrew ar wlŷdd tatw ym mis Hydre, gweld crychydd cam yn codi, clywed gwynt paraffin yng nghwrdd gweddi'r *long-room*, sgrech corncyll a chwibanogl, a sgrech oerach Ann druan wrth iddi fynd yn wallgo yn sydyn ar ganol y gors – y rheiny sy'n mynnu eu hadfyw ynof . . .

Mae Ysgol Sul Llwynpiod, a Daniel Morris Pant-ddafad yn holi'r plant, yn brofiad i'w adfyw. Cofiwch chi, roedd ôl y Diwygiad yn aros ar y wlad pan own i yn Llwynpiod – 'Molwch yr Arglwydd' yn fras ar ffenest siop yn y dref, ac yn y seiat nos Sul a minnau'n dweud adnod – 'Ie'n wir, 'machgen bach i, da iawn,' meddai Daniel Morris, 'a ble cesoch chi'r adnod yna?' 'Ar y pot jam,' meddwn innau. Neu'n ddiweddarach, mewn seiat yn Mwlchgwynt, a'r hen Mrs Ifans yn ymfalchïo bod bechgyn y County School yn troi mewn i'r seiat, gan edrych ar un o'r glaslanciau, meddai hi, 'Mae rhai ohonoch chi'n leicio mynd i bysgota ar hyd yr afon gyda'ch tadau. Da iawn wir. Mae hynny'n gwneud lles i chi, a chithe'n gweithio mor galed yn yr Ysgol 'na. Ond wir, dowch yn bysgotwyr dynion dyna blant da.' Yna gan droi rywle i'm cyfeiriad innau – 'A mae rhai ohonoch chi'n leicio cerdded y llefydd yma gyda'ch cefnderwyr a dilyn dryll. Wel mae hynny hefyd yn iawn. Mae bod mas yn yr awyr agored yn gwneud lles i chi, ond wir, fechgyn bach, dowch', medde hi, 'yn Seithwyr da eich gair, da chi.' (Gobeithio eich bod chithau'n ddigon hyddysg yn Actau'r Apostolion i weld yr ergyd.) Rwy'n falch dros ben 'mod i wedi cael mynd i Ysgol yr Eglwys yn lle i ysgol y Capel. Mi ddysgais i yno storïau'r Beibl yn od o drwyadl, a dysgu'r Catecism hefyd drwy drugaredd. Dyna'r cwbl buddiol am wn i heblaw enwau afonydd yn rhes . . .

. . . Wrth imi edrych yn ôl tros holl daith yr anialwch, rwy i wedi dod i ddeall bod y pum mlynedd wedi'r Rhyfel Byd Cyntaf wedi newid cyfeiriad bywyd i mi. Ar y tir, mewn tyddyn diffrwyth, mewn bwthyn unllawr pridd, y bu fy llencyndod, ac yna deuthum yn ŵr tref, fy nhraed ar gerrig palmant, a gwelydd stryd yn gwasgu i mewn arnaf. Ar y ffordd o Lwynpiod i Lwynpia, o Rydypandy i Donypandy, sengais allan o ddoe ac i mewn i heddiw. Ond ble y trewais i ben y ffordd honno, dwn i ddim yn siŵr, fel na wn i ddim pryd y dysgais i ddarllen, na phryd y chwaith y dechreuais i glywed enwau fel T. Gwynn Jones a Williams Parry – ond bod y naill beth yn weddol gynnar, cyn mynd i ddim un ysgol, a'r llall yn hwyr iawn iawn, wedi mynd i'r coleg, rwy'n ofni. Felly hefyd ni wn i pryd y digwyddodd imi gefnu am byth ar y wlad a setlo lawr yn y gweithie, pryd y rhois i heibio'r breuddwyd am fy nghladdu ym mur bedd ar graig Llanbadarn Odwyn a bod yn barod i orffwys yn Llethr Ddu, Cwm Rhondda. Bu cysgod y Pwll Glo tros fy nghof cynharaf. Yn y Sowth yr oedd fy nhad, a dôi adre bob gwyliau, y Pasg i hau, Awst i gynaeafu, a'r Nadolig i ladd y mochyn ac i hollti coed yn wisgonau tal. Cof hapus sydd gennyf am streic y Combine yn 1911, pan oedd fy nhad yn torri cwteri, minnau'n llusgo'r eithin i'w rhoi ynddynt, a chario cerrig a chywain pibau pridd tair-modfedd, ef a'i whilber fawr, finnau a'm whilber fach pit-pat wrth ei sawdl a than ei drwyn. Y mae ar fy arddwrn graith cwt cas wrth geisio naddu â bilwg, fel yr oedd ef, y coediwr crefftus a'i fwyell fawr pwll-glo yn eu naddu i ffensio cloddiau'r Llain. Ond beunydd beunos yr oedd yn ddigon posib mai ato ef i'r Sowth y byddwn yn mynd i weithio tan ddaear. Ond dechreuodd rhywun sisial bod 'rhywbeth yn y crwt' ac y dylai fynd i'r County School, ac fel y nesâi'r C.W.B. [arholiadau'r Central Welsh Board] pellach yr oedd y Pwll Glo. Petai lwc wrth gwrs – a fu dim gormod o lwc, a disgynnodd y cysgod yn drymach. Ond wedyn, dyma lygedyn o olau annisgwyl, a stad Sunny Hill ar werth, a dyma 'nhad yn sôn am brynu ffarm a dod adre i ffarmio. Ond gymaint y cododd prisiau'r tir yn yr awction honno wedi'r rhyfel nes i 'nhad druan dderbyn ei dynged ac yn lle prynu ffarm, gwerthu'r Llain a chwalu'r cartre. (Tri dolur na wnaf i ond eu henwi, a fu i mi – colli mam pan own i'n chwech oed, gwerthu'r Llain pan own i'n ddeunaw, a manwl sylwi yn 27 oed, ar y cancr maleisus fel confolfiwlws yn tagu einioes y fodryb-fam a'm magodd.) Daeth mynd i Goleg a mynd i bwll glo wyneb yn wyneb – ond bellach gan nad p'un a orfyddai, yr oedd fy nhraed i heb obaith troi oddi ar y ffordd, yn camu o'r wlad i'r dre. Dyma fi i Donypandy, dyma fi nôl i Aberystwyth, a rhag nad yw neb yn gwybod, mi fûm innau'n crwydro'r Cyfandir. Do, unwaith, yr un haf â Ramsay MacDonald, ef i Seiat y Cenhedloedd, minnau i Ysgol Haf, a'r ddau ohonom i heddychu'r byd, a'r ddau gyda'r un aflwydd effeithiol . . .

        . . . Ond gŵr tref wyf i, wedi colli lecsiynau yng Nghwm Rhondda, ac wedi ennill i'm profiad gyfeillgarwch y cwmni annwyl o bobl ifainc

– canfasio yn y glaw ym Mlaenrhondda, y corn siarad yn bloeddio, yfed coffi a chwmnïa hyd yr oriau mân, 'creu chwyldro' medd fy ngwrthwynebwyr, a'r unig chwyldro a welwn i oedd bod meibion a merched arweinwyr Llafur ac Undeb y Glowyr yn cerdded i mewn i'r Blaid Genedlaethol. Chaf i byth eto fod gyda Kate Roberts yn dringo seleri'r Wengraig – chaf i eto byth mo Morris ar ben bocs sebon, na Lewis Jones y Comiwnydd, o ran hynny, dau farchog yr etholiadau sir a dosbarth yng Nghwm Rhondda (bymtheg mlynedd yn ôl). Anghofia'i byth mo'r hwyr haf hwnnw a'r gŵr ar ben y bocs yn llewys ei grys, wedi bod wrthi am awr a chwarter, yn sefyll yn stond ar ganol ei frawddeg gan ddilyn ei law dros y dorf, ymlaen ac yna'n ôl yn araf; 'Comrades,' mynte fe, 'you do dant [daunt] me, you look so bloody dull.' Wrth y man y mae goleuadau coch a melyn y byddai'r siarad, ac un noswaith pallodd y rheiny â gweithio pan oedd Morris wrthi ar uchaf ei nodyn – pallu, a Morris yn dal bod y goleuadau yn diffodd dros Ewrop, ac yna'n dod nôl yr un mor sydyn, a Morris yn dweud bod golau newydd ar dorri yng Nghwm Rhondda. 'Rhowch Kitchener ar y Cyngor Sir.'

Dim ond unwaith y bu fy nhafod i mewn pryd. Bore trannoeth inni ddod i wybod am y tân yn Llŷn oedd hynny, yn yr ysgol, ac un o'r athrawon ffraeth hynny'n tystio, 'Rhag eich cywilydd chi, ac mi fentra'i mai *matches England's Glory* oedd ganddyn nhw.' 'Nage,' mynte finnau ar drawiad, am yr unig dro smart yn fy myw, '*Pioneer matches* oedden nhw.' A heno, cofiaf hwy, y bois Llafur a'r bois cochach, bechgyn y capeli, a bechgyn y clybiau. Ga'i ddweud ei bod hi'n bleser cael adfyw yr eiliad fer hon, yr holl ddyled am gyfeillgarwch a ffraethineb, a'r ffyddlondeb mawr iawn a gefais i, ŵr dwâd, yn eich tre a'ch bywyd chi.

Ieithwedd seiat Llwynpiod sydd ar *Cwm Glo*, meddai Kate Roberts – gair a chof y Mynydd Bach sydd ar *Meini Gwagedd*, medden nhw, a dyn dieithr ydwyf yma, draw mae 'ngenedigol wlad.

Ac wedi'r Coleg, wedi Genefa, dyma fi yng Nghwm Rhondda. Beth am Gwm Rhondda. Gwynt y tar ar hewl Llwynpia yw'r symbol arhosol. Gallaf ei adfyw yn sŵn y carnifal a'i firi yn streic '21, a smel ceginau bwyd yn '26, cyfarfodydd yr United Front wedyn, a'r cynffonnau hir yn y swyddfeydd Llafur. Ac O na chawn i adfyw'n llwyr gwmni Morris Williams yn canfasio'r Wengraig ac Ynyscynon ac yn annerch ar focs sebon.

O Lwynpiod i Lwynpia, o Rydypandy i Donypandy y rhedodd fy ffordd. Gallaf deithio'n ôl drosti pryd y mynnaf – fel edrych yn ôl ar yr olygfa odidocaf yng Nghymru, o ben y Mynydd Du ac i lawr at Langadog, ar y cwilt o wlad las goediog – yn ôl i Blwy' Llanbadarn Odwyn y dug capel Llwynpiod urddas ei eglwys, heblaw am noson Cwrdd Diolchgarwch a diwrnod angladd ym mhridd ei lan.

Do, bu swyn y pyllau glo yn gyndyn o'r dechreuad i'm tynnu atynt. Fe'm cawsant; ond bu dial y wlad fel tynged, ac er na chaf eto fyw'n naturiol yno, dim ond fel ymwelydd, mae hi'n gofalu fy rheoli, fy alltudio, rhoi arnaf farc Cain yng Nghwm Rhondda. Syrthiodd to'r Llain, y mae da hesbon ar ei haelwydydd a phiswail yn ei pharlwr – ond hi a'i phobl a'i phethau sy'n mynnu byw, yn ddychweledigion ynof heno.

Ysgrifau Gwleidyddol

TIR EI GERAINT, TREGARON

✦

Bob tro y dôi o'r blaen fygwth gan y Swyddfa Ryfel ar ddarnau o dir Cymru anfodlonwn drwof a phrotestio – yn erbyn crefft gyndyn Awdurdod canoledig nad yw'n peidio, wedi y gorchfygir ef unwaith, ond sy'n dychwelyd i'w ysglyfaeth wedi i'r wrthblaid flino. Heddiw i ni yng Nghymru y mae ystyr greulon i'r wireb gyfansoddiadol 'the King never dies'.

Ond dyma fygwth canoldir Ceredigion, dyma fygwth Tregaron. Di-hunodd llid ynof, cerddodd casineb trwy fy ngwaed nes gwenwyno fy ymysgaroedd.

O bridd rhostir a mynydd-dir Ceredigion y lluniwyd fy llinach. Pobl Croes-a-Berwyn yw tylwyth fy mam; pobl y Gors Neuadd yw tylwyth fy nhad – erioed. O'r ffermydd sydd tan fygwth y daeth fy holl bobl i; ganwyd finnau yn un ohonynt. Yno y maent, â'u marc ar eu cŵn defaid gwâr.

Ymestyn y bygwth o ardal Swyddffynnon ac Ystrad Meurig heibio i Ystrad-fflur at Lynnoedd Teifi ac ar draws hyd ffordd Abergwesin wrth gefn Tregaron ac i lawr at Landdewibrefi a Llanio.

Gwlad Edward Rhisiart ac Ieuan Fardd: gwlad mynachlog a Speit a Sbyty: cartref Thomas Jones, Porth-y-ffynnon, 'the most celebrated, accomplished and accurate herald bard of his day': Twm-Shôn-Cati y rhamantau gwyllt; cartref Henry Richard, Apostol Heddwch; cymdogaeth Senedd Frefi a Dewi Sant, a'r ddwy graig, Y Fintan a Phantseiri'n foniwmentau i'r ych a frefodd naw gwaith wrth lusgo cerrig at y tir gwyrthiol tan eglwys Dewi Brefi; ardal garsiwn ail-leng Awgwstws Cesar.

Wrth edrych o ben y Garn Gron sydd ar Gwys yr Ychen Bannog, ffin y ddeublwy, Caron-is-clawdd a Charon-uwch-clawdd, gellir ym-deimlo â phob cyffro bron a fu yng ngorffennol Cymru. 'I know no district in Wales which provides so accessible and so concrete object lessons in the history of the Principality as the district of which Tregaron is the centre . . .' ebr rhywun.

Y dreftadaeth

Yn ystod wyth can mlynedd, o leiaf, arhosodd yr un enwau ar y ffermydd sydd heddiw dan berygl eu dileu; yn aml iawn yr un bobl sydd ynddynt. Yn siartr Rhys ap Gruffudd (1184) enwir Hen Fynachlog, Treflyn, Priskyeu, Dolfawr, Llwyngog a nifer eraill – y tiroedd sy'n ymestyn o flaenau Aeron at flaenau Teifi, Irfon, Elan a Deuddwr, hen diroedd Mynachlog Ystrad Fflur.

Bugail defaid, meddir, oedd Caron, a ddaeth yn esgob neu'n frenin ac a fu farw ar Fawrth 5 (dydd Ffair Garon yr hen gyfrif) a'i gladdu tan y bryncyn y saif tŵr yr eglwys arno o'r bedwaredd ganrif ar ddeg. Bugail defaid; mor weddaidd mai hwnnw yw nawddsant yr ardaloedd hyn.

Y mae ar gael, yn Llyfr Gwyn Caron, gofnodion Festri Caron-is-clawdd rhwng 1787 a 1847, a cheir ynddynt hanes llywodraeth leol y gymdogaeth am gyfnod hir o ryfel a'r cyfnod creulonach sy'n dilyn rhyfel mawr. Cyfnod cau'r comin, cyfnod codi'r tai un-nos ym Mlaen Caron ac ar y Gors Neuadd gan ddyddynwyr di-dir a di-hawl. Cyfnod tlodi, a gwasgu'r tlodion yn glosach at ei gilydd i ffurfio'r Dregaron ddiweddarach hon. Y mae Mr S. M. Powell yn awgrymu cymeriad y dref gan mlynedd yn ôl trwy sylwi ar enwau aelodau Eglwys Bwlchgwynt – 'saddler, glover, weaver, tanner, tailor, book-binder, brewer, hosier, hatter, butcher, boot-maker, factory-owner' – crefftwyr cefn gwlad sydd bellach wedi peidio â bod gyda dyfod ffatrïaeth; arhosodd amaethyddiaeth hyd heddiw, hyd ddydd milwriaeth ffatrïol, yn sgil rhyfeloedd ein hoes ni.

Heblaw ymgeleddu'r tlodion, swydd arall gan y Festri oedd at-gyweirio'r tair ffordd fawr. Y bwysicaf o'r tair oedd ffordd Abergwesin a gysylltai arfordir y bae a gwastadeddau a marchnadoedd Lloegr. Trosti y gyrrai'r porthmyn eu da a'u defaid gan osgoi tollau ffordd dyrpeg Llanbedr: o'i deutu byddai merched Tregaron yn gwlana; hyd-ddi cerddai'r gwerthwyr hosanau tua Merthyr a'r de – (fy mam-gu i yn eu plith, tan wau hosan wrth gerdded, i gadw ysgol yn Aberdâr). Ffordd Abergwesin a greodd Dregaron: yno y cesglid cyfoeth y doldir, a'i bedoli i'r ffordd; yno y dôi'r defaid tac wanwyn a hydref; yno y dôi'r merlod mynydd, hynafiaid y *Welsh Cob* enwog.

Y tir rhwng ffordd Abergwesin a ffordd debyg iddi – o Ryd-Fendigaid a Ffair Rhos heibio i lynnoedd Teifi i Gwm Elan a Rhaeadr Gwy – a fygythir heddiw. Tir y porfeydd gwelltog a'r dyfroedd llonydd.

Hon, i Gymru, yw Gwlad y Llynnoedd – Llyn Hir a Theifi, Egnant, Gorlan, Cynon, Y Fanod, Crugnant, Llyn Du, Gorast, Maesllyn, Berwyn (ac Eiddwen yr ochr arall i Deifi). Gwlad afonydd a nentydd hefyd: Croes, Berwyn, Brennig, Hoewnant, Fflur, Camddwr a Theifi, a'r rheiny sy'n arllwys i afon Gwy.

Croeso cynhenid

Dyma darddle dwfr glân llawer pentref, dwfr eu carthu hefyd; tarddle dwfr dinasoedd Lloegr – a'r dwfr, mewn Cymru well, a droir yn egni trydan – dwfr i'r peirianwyr esgus codi eu pontydd trosto!

Dyma borfeydd diadelloedd lawer trwy ganrifoedd – 'the pastures of the montaynes be so great that the hunderith part of hit rotteth on the ground; and maketh sogges and quikke-more by long continuance for lak of eting of hit,' ebr Leland (1536–9). Ar y tir hwn y porai 'ugain mil o ddefaid, pum cant o ferlod mynydd, a da gwylltion dirifedi' – eiddo un gŵr yn unig, William Williams, Pantseiri, uchel sirydd, 'Job y Gorllewin a Brenin y Mynydd' yn ôl Gwallter Mechain, gŵr nad oedd i gystadlu ag ef yn holl Ynys Brydain tua chanol y ddeunawfed ganrif, gŵr y pregethodd Rowlands Llangeitho yn gofiadwy ym Mhantseiri ddydd ei angladd o dan y testun 'Yr ydwyf yn gweled diwedd ar bob perffeithrwydd.'

Un perffeithrwydd y gwelwn ni ddiwedd arno yw'r croeso hael sy'n gynhenid i'r fro, y croeso y crisialodd Edward Rhisiard ef fel hyn:

> Mae'n bwrw 'Nghwmberwyn,
>> mae'r cysgod yn estyn,
> Gwna heno fy mwthyn yn derfyn dy daith,
> Cei fara a chawl erfin, iachusol a chosyn,
> A menyn o'r enwyn ar unwaith.

Fferm Penlan, meddir, yw gwersyll y peirianwyr i fod. I Benlan yn 1758 y troes y Methodistiaid Calfinaidd hyd oni chodwyd capel Bwlch-gwynt yn 1774, ar dir Nathaniel Williams, Mynachlog Fawr a Phantseiri, cyfaill Howel Harris a John Wesley. (Bu Wesley'n aros ym Mynachlog Fawr, ac yn pregethu yno wrth fynd a dod i Dregaron a Llanbedr.)

Ymweliadau Pantycelyn

Cyn hynny ym mynydd-dir Croes-a-Berwyn y blagurasai Methodistaeth. Bu Daniel Rowland yn pregethu droeon yn Nantylles (cartref fy mam). Ymhlith blaenoriaid cyntaf Bwlchgwynt yr oedd gŵr Nantylles a gŵr Penlan. Wedi priodas merch Nantylles â mab Tanrallt, i Danrallt, tŷ mwy, y tynnid. Y mae cofnod yn Nhrefeca bod Pantycelyn yn ymweld yn rheolaidd â'r gymdeithas yno: 'Yr wyf i fy hun yn ymweled a hwy unwaith yn y chwe wythnos, ac yn cadw cwrdd eglwysig gyda hwy, fel y gwypwyf eu syniadau a'u sefyllfa.'

Dôi Pantycelyn yno yng nghorff yr wythnos cyn Sul y Cymun – 'Sul

Pen Mis' ar dafod Tregaron o hyd. Beth a ddigwydd i dderwen fawr Tanrallt yng ngofal peirianwyr, y dderwen y pregethai Williams dani, ac y llediodd am y tro cyntaf ei emyn:

> Cyfiawnder marwol glwyf
>> A haeddiant dwyfol loes,
> Y pris, y gwerth, yr aberth drud
>> A dalwyd ar y Groes
> A gliria 'meiau'n llwyr,
>> A'm golcha'n hyfryd lân,
> Ac nid oes arall dan y nef
>> A'm nertha i fynd ymlaen.

Rwy'n edrych ymlaen at Gyfarfod Mawr ar sgwâr Tregaron, wrth esgynfaen Hotel y Talbot y bu Howel Harris yntau'n pregethu i dorf anferth oddi arni.

Nid yw Llangeitho ond tair milltir tu arall i Deifi, ac oni chlywodd Handel yn Hafod dyrfaoedd y Cymun yn moliannu wrth ddychwelyd, a dal nodau ei Haleluia oddi wrthynt? Fel y myn traddodiad, fe glywodd Sarn Helen, fe glywodd Carn Cefn, fe glywodd ffordd Abergwesin: a bu'r mawl yn atseinio trwy'r mynydd-dir am ddwy ganrif. Bydd rhaid wrth beirianwyr ei Fawrhydi cyn chwythu'r eco o galonnau gwerinwyr y gweundir.

Yn 1809 priododd Ebenezer Richard â merch o Dregaron a dod yno i fyw. Ordeiniwyd ef yn 1811; bu'n ysgrifennydd Cymdeithasfa Cyfundeb (ifanc) y Methodistiaid am chwarter canrif. Bu farw yn 1837, a'i gladdu tan gysgod tŵr yr eglwys. Efe a sefydlodd Ysgolion Sul y gymdogaeth ym Mhencefn, Treflyn, Cwmberwyn, Argoed, Blaen Caron, a Derigaron, yn ogystal ag ym Mwlchgwynt. Y mae o leiaf bedair o'r rheiny, ac ysgolion Blaen Nant (Gors Neuadd) a Rhiw Dywyll, gyda Chapeli Blaencaron a Soar-y-mynydd (heb sôn am eglwysi ac ysgolion cylch Pontrhydfendigaid) yn gwasanaethu'r gweundir a fygythir yn awr.

Mab i Ebenezer Richard oedd Henry Richard, Aelod Seneddol tros Ferthyr Tudful, ysgrifennydd y Gymdeithas Heddwch, dialydd Brad y Llyfrau Gleision, arloeswr addysg i Gymru ac Apostol Heddwch. A yw tref ei eni, y mae ei gofgolofn ar ei sgwâr, i fod yn garsiwn milwyr cyn 1948 – pen canrif ei ddewis yn ysgrifennydd Cymdeithas Heddwch, pan ddywedodd ef am ryfel ei fod mewn 'direct, implacable and everlasting antipathy to the whole spirit of the Gospel'? Os yw, chwyther ei lun ef oddi ar y sgwâr!

Un o orchwylion Festri'r Plwy oedd dewis trwy goelbren wŷr i'r militia yn Rhyfel Ffrainc. Gallai'r neb a fforddiai brynu milwr yn ei le.

'Gellir casglu oddi wrth y cyfeiriadau aml a chyson at y taliadau hyn (yn y Llyfr Gwyn) bod gwasanaeth milwrol yn atgas gan wŷr y plwy y ganed Henry Richard ynddo ar yr union adeg hynny,' medd Mr S. M. Powell.

Noddfa gwareiddiad

Bu'r Crynwyr yn gryf unwaith yn y fro, ac erys eu mynwent yn Llanddewi. Oddi yma, y mae'n debyg, yr aeth Mary Roberts, hen hen fam-gu Harriet Beecher Stowe, i America. Yng nghofrestri'r plwy nodir claddu Evah a geni Shelby. Pan oedd y Shelby hwn yn bymtheg oed aeth ei rieni ag yntau, a Mary Roberts, i America. Y mae Evah a Shelby yn ddau gymeriad caredig yn *Uncle Tom's Cabin*: a ddichon bod gor-or-wyres Mary Roberts yn gwybod am draddodiad gwâr y gweundir wrth gefn Tregaron – y wlad a'r gwareidd-dra sydd heddiw i'w treisio gan yr Adran Ryfel?

Dyma ddyfynnu Mr Iorweth Peate:

dyma'r olwg gyntaf a gaiff dyn ar Gymru, gwlad o fynydd-dir a gweundir uchel ym mhorth gorllewinol llwybr iseldir Ewrop . . . Gwlad â'i hwyneb i'r gorllewin yw Cymru, a thiroedd breision yn nyffrynnoedd yr afonydd . . . Dyma'r wlad lle y cedwir yr hen wrogaethau yn fyw, lle ni bu ei hen frodorion oddi cartref erioed, gwlad pobl yn byw'n agos i'r pridd, y gwerinwr *par excellence*.

[Y mae] Rhwng y ddau wely [glo'r gogledd a'r de] fynyddoedd Brycheiniog yn y naill ben a Meirion ac Arfon yn y llall. Yn y canol yn galon i'r cwbl, y gweundir maith . . . ambell gwm dwfn a dyffryn coediog, erwau diarffordd a moelydd rhedynog, ac ysgwydd Pumlumon Fawr yn y canol yn codi'n uwch na'r cwbl oll.

Bûm innau'n sicr y byddai Cymru'n noddfa gwareiddiad Crist tra byddai cilgant mynyddoedd Meirion, Pumlumon, Brycheiniog a'r Preselau – byddai Cymru Gymraeg, ein Cymru ni, ar lechweddau'r gweundir wrth gefn Tregaron, a thrwy ddyffrynoedd Teifi ac Aeron oddi yno i'r môr.

Tra byddai cilgant y mynyddoedd! Ac wele Dregaron, echel y gweundir a'r dolydd, yn dref garsiwn milwyr Lloegr. Dyma'r fidog i galon y Gymru olaf hon, 'gwlad pobl yn byw'n agos i'r pridd, y gwerinwr *par excellence*'. A thu ôl i'r fidog y mae llaw ac ymennydd a phwrpas Llywodraeth Lafur, llywodraeth gwerinwyr! O drallod na welwn ni!

Yng nghofrestri bedydd Is-Caron sgriblodd y Ffeirad unwaith: 'a fine breed for the next century.' Ar gofgolofn Rowlands yn Llangeitho dywedir: 'O Nefoedd, Nefoedd, Nefoedd, buasai dy gonglau yn ddigon gwag oni bai fod Seion yn magu plant i ti ar y ddaear.' Ni bydd magwrfa plant, ni bydd magu Cymry, ar y gweundir mwy.

Daw tros y dolydd lif cynddeiriocach na Theifi wedi glawogydd i siglo pentanau Pont Einon. Arswydais o'r blaen: heddiw pallodd fy nghalon: cerddodd casineb trwy fy ngwaed a'm hymysgaroedd. Eithr mynnwn allu dweud wrth giwed y fidog hir hon, a'u brad, fel y dywedodd Einon Pen-y-bont gynt wrth yr estron a fynnai ddwyn ei gariad cyntaf:

> Myfi biau'm tŷ a'm telyn a'm tân –
> Os â rhywun, **ti aiff allan**.

CYFLWR CWM RHONDDA

✦

Amcan cangen y Porth o Urdd y Deyrnas yw tynnu llun a fydd wir o Gwm Rhondda heddiw. Y cwm yw ei chartref, ac ni all lai na chydymdeimlo â'r trueni sydd yn ffynnu ynddo. Ymrodd i drefnu'r profion amlwg a welodd a'u hamlygu yng Nghynhadledd yr Urdd yng Nghaerlleon eleni. Ei bwriad yn ôl llaw yw gwneuthur ymchwil i fywyd Cwm Rhondda a chwilio am y cyswllt sydd rhwng prinder bara a ffilosoffi bywyd; rhwng anghenion materol a ffenomena meddwl.

Ni ellir na theimlir bod pobl y cymoedd gweithfaol yn profi chwerwder cyni pan ddarllener Adroddiad y Blaid Lafur, y ddadl ar hwnnw yn Nhŷ'r Cyffredin ddiwedd mis Mawrth, ac erthyglau yn y papurau newydd; a sylwi bod tri maer wedi cychwyn cronfeydd i gwrdd â'r angen. Y Gweinidog Iechyd, oeraidd, gofalus a ddywed na ellir cael cymaint cyni, cynifer o rai di-waith a chymaint tlodi ag sydd heddiw yn Ne Cymru heb i hynny ddylanwadu ar iechyd y bobl. Gwaeth na dim, torrodd pobl eu calonnau ac nid oes ganddynt mwyach na nerth nac ireidd-dra nac ysbryd i'w galluogi i wynebu eu hanawsterau. Y maent yn ddigalon a dinerth, a rhaid i'r ymdeimlad hwn yn y pen draw effeithio ar eu hiechyd, gorff a meddwl.

Yn ei Adroddiad am 1926 (yr olaf cyhoeddedig) eddyf y Swyddog Iechyd ddyled y cwm i egnïon nifer o gymdeithasau ac unigolion a fu ers tro bellach yn lleddfu'r dirboen. Y mae'r arswyd rhag i'r egnïon hynny dreio a methu yn gysgod trwm ar yr Adroddiad nes peri i'r Doctor ailadrodd dro a thro y byddai'r canlyniadau *yn y pen draw* yn niweidiol i iechyd dinasyddion y cwm. Er i'r Cyngor Tref wario £24,000 yn 1926 ar laeth rhad i famau babanod ac i fabanod dan dair blwydd oed, yr oedd cyfartaledd y llaeth a yfwyd gan bob unigolyn yn llai o 0.01 peint y dydd. Caeodd 14 y cant o siopau llaeth, a 12 y cant o siopau ffrwythau — nwyddau llesol iawn — y flwyddyn honno.

Wrth nodi bod ffigiwr marwolaethau babanod yn is nag arfer dywed y Swyddog: 'The general poverty is such as to discourage and reduce very materially the purchase of deleterious dainties and other food unsuitable for children.' Am na ellir fforddio moethau niweidiol bu fyw y plant! Yr adran a ddioddefodd drymaf yn *stores* Woolworth oedd adran y candi.

Y mae yn yr ardal wyth mil o lowyr yn ddi-waith, ac nid yw yn debyg y caiff un-rhan-o-dair ohonynt waith byth mwy ym mhyllau glo'r cwm.

Gadawodd 10,247 neu 6.3 y cant o boblogaeth y Cyfrif diwethaf y fangre yn y chwe blynedd oddi ar 1921 ac onide byddai'r ffigyrau yn llawer uwch. Nid cyfiawn â'r gweithwyr yw cymharu cyflogau â ffigyrau pris byw, ebr Mr Mainwaring, oblegid pe na ddewisid ond yr angenrheidiau a ddefnyddir ganddynt hwy buasai'r gwahaniaeth rhwng y ffigyrau yn fwy o dipyn. A chymryd bod cyflogau yn gant a phris byw hefyd yn gant yn 1913 y berthynas rhyngddynt yn awr yw 142:166, a'r gwahaniaeth o bedwar ar hugain yn amlygu lleihad mewn gallu i brynu nwyddau. Cyflogai un cwmni glo yng Nghanol Rhondda ddeuddeng mil o wŷr yn 1920, ac ymhen yr wyth mlynedd cyflogai wyth mil. At hynny bu un pentref cyfan yn segur am dros ddwy flynedd; gweithiodd am chwe mis; yna segurdod 1926; ac y mae 70 y cant o'r pedair mil a gyflogwyd wyth mlynedd yn ôl heddiw allan o waith. Gwn am un wraig a brynodd bedwar tŷ ag enillion ei bywyd. O'r rhent sydd arnynt rhaid yw iddi gadw'r tai yn ddiddos a thalu trethi at gael llog ar ei da. Y mae cyfanswm dyled y tenantiaid yn gant namyn dwy bunt, neu i bob tenant ar gyfartaledd rhent dyledus o £24 10s.

Cynyddodd nifer y plant sydd yn dioddef oherwydd bwyd anaddas yn gyson. Wele'r ffigyrau am bob blwyddyn yn ei thro o 1922: 4.72; 5.17; 5.21; 6.13; 6.93 y cant. Rhennir blwyddyn y streic yn dri chyfnod. Hyd at ddechrau'r streic ym mis Mai, 18.9 oedd y ffigiwr. Syrthiodd i 13.7 ar ddiwedd mis Gorffennaf, ac ar ddiwedd y flwyddyn 9.1 ydoedd. Trwy gydol y seithmis olaf cawsai'r plant fwyd yn y cantînau. Cawsant brydau cyson a bwyd da; cynyddodd eu pwysau a gwellodd eu graen. Ond darfu ymborth y cantînau gyda diwedd y flwyddyn a gellir troi ffigyrau 1926 i'r gwrthwyneb yng nghydol y pymtheng mis diwethaf.

Nid lleoedd i brynu nwyddau yn unig yw Cymdeithasau'r 'Co-op' yng nghymoedd y De. Y mae iddynt ran a chyfran yng ngwe y bywyd cymdeithasol, ac adlewyrchant enbydrwydd y tlodi, ebr Mr Ramsay Macdonald. Y mae eu stori yn druenusach yn y Rhondda Fach na'r Rhondda Fawr. Lle gwerthid yn 1920 werth £88,000, yn 1927 gwerthwyd gwerth £15,000; a lle gwerthwyd gwerth £585,000 wyth mlynedd yn ôl, gwerthwyd gwerth £139,000 y llynedd. Nid oedd neb yn nyled y gymdeithas arbennig hon cyn 1925; yn y flwyddyn honno yr oedd £37,000 yn ddyledus iddi, ac ymhen dwy flynedd wedyn yr oedd y ddyled yn £49,000. Nid yw gwerthiannau na chyfartaledd yr arian a werir gan bob aelod wedi dioddef yn y Rhondda Fawr, eithr lle yr oedd Share Capital o £42,500 wyth mynedd yn ôl nid oes yn awr ond £22,500, ac yn y ddwy flynedd ddiwethaf, am y tro cyntaf rhoddwyd benthyg £2,351 i aelodau. Âi'r dividend yn ôl yn shâr newydd yn y gymdeithas mewn dyddiau gwell, ond heddiw da yw gweld diwedd chwarter a dyfod o'r dividend i glirio biliau heb sôn am brynu shâr newydd. Byw ar eu henillion y mae pobl y Rhondda Fawr – ennill ceiniog a'i gwario ar y gorau; myned yn ddyfnach i ddyled y mae pobl Rhondda Fach.

Odid nad oes gwm yng Nghymru a gynhyrchodd fwy o gyfoeth na'r Rhondda, ond nid arhosodd nemor ddim ohono yn y cwm. Wedi gwneuthur ffortiynau chwilid am leoedd mwy addas i fyw arnynt. Am hynny nid oes ond 4.12 y cant o dai y Rhondda wedi eu prisio tros £25 i amcanion y trethi; prisiwyd 9.3 y cant rhwng £10 a £25 a 86.58 y cant yn is na £10. Daw 57.5 y cant o'r holl drethi oddi wrth fythynnod gweithwyr.

Y mae yn agos i £500,000 o ddyled ar Undeb Pontypridd i'r Banc a Phwyllgor Goschen, a £159,000 ar Gyngor Trefol Rhondda (sydd yn casglu trethi'r tlodion) i'r Undeb. Nifer y personau a dderbyniodd arian plwy yn Undeb Pontypridd ar ddydd arbennig o fis Mawrth 1913 oedd 6,892; 1920 oedd 10,417; 1927 oedd 18,783; 1928 oedd 19,098. Telir naw swllt y bunt o dreth tlodion yn y Rhondda, a derbyn pob teulu arian plwy yn ôl graddau'r Swyddfa Llafur hyd at uchafdal o 35 swllt. Ni thelir mewn arian ond lle bo afiechyd, ac nid oes siawns i brynu esgidiau na dillad na thalu rhent. Pan fydd baban dan dair oed yn derbyn llaeth rhad neu blentyn yn cael bwyd yn yr ysgol cyll ddeuswllt o arian plwy. Nid oes ddim arian plwy i un dyn iach di-waith, eithr rhoddir help i'w deulu – chweugen i'w wraig a thri swllt i bob plentyn. Mewn un ward am y chwarter diwethaf telid ar gyfartaledd £1 yr wythnos i bob teulu di-waith o bump. Y mae Tŷ'r Undeb ym Mhontypridd yn orlawn; yno y mae ugain teulu digartre am fethu ohonynt dalu rhent.

Gwnaeth rhoddi pensiwn i'r hen bobl yn 65 oed gyflwr ardaloedd fel y Rhondda yn waeth, oblegid pan gyrhaeddo gŵr ei 65 oed un ai fe gyll ei waith yn y lofa neu fe dorrir ei enw oddi ar gofrestr y Swyddfa Llafur. Derbyniai gŵr a chanddo wraig a thri o blant 29 swllt o'r Swyddfa. Ef yn unig, pan gyrhaeddo ei 65 mlwydd oed, sydd yn hawlio chweugen o bensiwn, a rhydd y plwyf i'r teulu 19 swllt at y pensiwn. Derbyniai gŵr a gwraig di-blant, os byddai'r wraig yn iau na 65 mlwydd oed, 23 swllt o'r Swyddfa. Rhaid i'r plwyf gyfrannu 13 swllt at bensiwn hwnnw. Mewn un ward yn unig effeithiodd newid oedran rhoddi pensiwn i'r hen ar 26 o wŷr, 18 o wragedd, a 4 o blant. Yn y ward honno enillwyd 30 swllt i'r trethi trwy'r cyfnewid a chollwyd £18 yr wythnos. Yswiriant cened-laethol yw'r dôl ond arian lleol yw'r trethi. Effaith yr holl gyfnewid yw gorfodi ardal dlawd i gadw ei thlodion ei hun.

Daethpwyd o hyd i res hir o deuluoedd y tystia athrawon ysgol, cenhadon y *police court*, Cymdeithas y Crynwyr a gweinidogion eglwysi am ddilysrwydd y ffeithiau yn eu cylch. Nid hawdd credu bod teulu o wyth yn byw ar 30 swllt yr wythnos ac yn talu 13 swllt o rent, na bod teulu o ddeg wedi byw am ddwy flynedd a hanner ar enillion bachgen deunaw oed, sef 30 swllt. A beth a ddigwyddodd i'r teulu pan gafodd hwnnw'r frech wen − cydymaith ffyddlon nychtod a phrinder? Tad i chwech o blant wedi ei glwyfo (nwy) yn y rhyfel yn credu wella ohono a dechrau gweithio ac yn colli ei bensiwn; y fam yn afiach, ei iechyd yntau yn torri eilwaith, y plentyn lleiaf mewn hospital (ac am hynny yn colli deuswllt), a'u holl gyfoeth yw 23 swllt arian plwy. Am y tro cyntaf mewn pedair blynedd derbyniodd mam i bedwar o blant dâl o'r gwaith pwy ddydd. Cyn hynny derbyniai 31 swllt yr wythnos, ac o hwnnw talu 7s. 6d. o rent am ddwy ystafell − y mae cysgod ugain teulu digartre yn estyn ymhell. I gadw'r ferch hynaf yn yr un gwres am ei bod yn wan gosodwyd ei gwely yn y gegin. Wrth gerdded trwy strydoedd amlycaf Canol Rhondda a chael bod cant namyn dwy o siopau − 19 o fewn deucan llath yng nghau, ac mai grot a phump a chwecheiniog yw prisiau cinema yng Nghwm Clydach; wrth siarad â hwn a'r llall a chlywed bod derbyniadau Woolworth's Stores wedi syrthio 30 y cant, a derbyniadau siop wlanenni wedi syrthio 45 y cant, a bod pob tenant i un wraig mewn dyled o £24 10s.; wrth droi i mewn i dŷ yma ac acw a gweled bechgyn 14 i 18 oed yn golchi lloriau am na bu iddynt gyfle at ddim arall, a gwragedd yn rhodio hyd loriau cerrig a snwd arnynt (dyna'r ffordd orau i'w cadw yn lân) yn droednoeth, a chael mai un pâr o esgidiau sydd rhwng tad a mab ac nad oes gan ferched ddillad isaf gweddus, nid oes a wâd bod cyni a dioddef distaw yn y Sowth. Nid rhyfedd bod pobl un ai yn wasaidd ai yn berwi o gynddaredd.

A hwn yw Cwm Rhondda lle y mae pobl yn byw ar enillion dyddiau gwell, yn bwyta eu tai a difa addysg eu plant; yn bod ar gardod 'a ddyry graith fâg nychtod swrth'; yn syrthio i ddyled, yn torri eu calonnau ac yn trengi o nychtod corff ac enaid.

THOUGHTS AFTER AN ELECTION

✦

The local election in Mid-Rhondda cemented fellowship with toil and energy. The thrill of common action against a tangible, near-at-hand problem has made the Nationalists of Mid-Rhondda and their enthusiastic allies feel new and real. Our own minds gained depth and made the election something more than the winning of five hundred odd votes: it became a bath in new life. Each township should plunge into this lake, and surely an angel will stir the waters – and heal first the paralysed Nationalists.

The comfort of armchair enthusiasm and the contemplation of distant Utopias is as nothing to the turning of thought into action. You want to test your powers – or the reality of your gospel? Fight an election! Mount a soap-box on a street corner; canvass from door to door; pit your wits against piercing questions; your philosophy against heckling, and at the end Nationalism is born again within you – or you are dead.

Make the sense of nationhood a fact to the thousands who under capitalism have been defrauded of their lawful past. Make your faith convince them of the fallibility of infallible labels. This is to have your Nationalism tried by fire.

Slumdom is like the dragon of fairy stories far enough away from us at normal times. But canvass a constituency. If we cannot give life more abundantly there we must not mock suffering with twaddle of dying things. If the miracle of a nation's awakening remains unconvincing to these our most needy brethren, the only alternative for them and us is Communism. I have no room for the leisure of languid loveliness while men are dying of hunger. The race is between our faith and the compulsion of Communism. In the election we captured too few Communist votes from slumdom. We have remained too respectable. Or had too little time to propound our revolution.

But we did try to tell the truth. And until next March we intend to tell the truth in stump oratory, and doorstep work. Our propaganda has to be extensive and intensive. We must be able to give the electors all the details of our policy and the method of carrying it out. Twenty years of Labour majorities have perfected its election machine that the momentum of it alone is enough to win an election. Communist discipline and devotion makes its vote creep up. We have learnt enough to steal a leaf from the books of each of our opponents.

General Election   October 25th, 1951

Freedom

—RHYDDID

PLEIDLEISIWCH   **VOTE**

KITCHENER DAVIES

Plaid Cymru's President said

"NO PART of the nationalist policy is of more vital importance than its insistence upon securing for Wales her due place in the international order.

Welsh nationalists have an almost insatiable interest in the life of other nations, and their desire to see Wales a free and self-respecting nation amongst them is profound.

This Welsh internationalism cannot find its natural expression, however, until the rights of Welsh nationhood are acknowledged, until Welshmen respond to the call of their nation . . . .

We are concerned with the whole of man not with some one aspect of his life. Man is neither economic man nor political man, however important economics and politics may be to him. He is a member of many groupings, all of which contribute to the enriching of his personality."

Gwynfor Evans,
in *Plaid Cymru and Wales.*

A Socialist on self government

"NATIONALISM means the vigorous development of material and moral resources of the whole people.

"All the problems that embarrass statesmen and challenge the imagination of reformers, are to be seen in Wales, reduced to manageable proportions.

"Given self-government, Wales might establish itself as a modern utopia, and develop its own art, its own national culture, its own idea of democracy in politics, industry and social life, as an example and an inspiration to the rest of the world."

Arthur Henderson, Secretary of the Labour Party—June, 1918.

---

*" A fo'n gam ni fyn y gwir,
A fo'n iawn ni fyn anwir."*

They said . .

Mr. Iorwerth Thomas :—
" There is no Welsh Nation.'

Mr. James Griffiths :—
" It is the policy of the government to lead the Colonies towards the goal of self-government."

Perhaps if Welsh people blackened their faces and dressed like African natives, he might change his mind about Wales.

Mr. Robert Richards :—
" I have a little petition which I would like to present to the House . . It comes from Rhosllannerchrugog . " *(Laughter)* That's how Welsh matters are treated in the House of Commons.

" The rearmament of Western Europe would be one of the greatest tragedies in history." But Richards is supporting a Government which is rearming Europe, has an armament programme of £4,700,000,000, and has forced conscription upon Wales.

Mr. D. Emlyn Thomas :—
Not a word.

Liberal Viewpoint

" I am proud of my nation, one of the oldest, most cultured and civilised in the whole world. Wales has every right to a Parliament of her own."

—Lady Megan Lloyd George.

" Scratch an English Socialist and you will find a Tory."—
Bernard Shaw.

Printed by Stephens & George Ltd., Electric Press, Aberdare and Published for the Candidate by Swyddfa Plaid Cymru, 8 Queen Street, Cardiff

Cymru a'r Byd

" MYNNWN felly, nid annibyniaeth, eithr rhyddid. Ac ystyr rhyddid yn y mater hwn yw cyfrifoldeb. Yr ydym ni sy'n Gymry yn hawlio ein bod yn gyfrifol am wareiddiad a dulliau bywyd cymdeithasol yn ein rhan ni o Ewrop. Dyna uchelfryd politicaidd Plaid Cymru......

Gan hynny, y mae'n rhaid inni wrth ymreolaeth. Nid annibyniaeth. Nid hyd yn oed rhyddid di-amod. Ond llawn cymaint o ryddid a fo'n hanfodol i sefydlu a diogelu gwareiddiad yng Nghymru.

A rhyddid yw hwnnw a fydd nid yn unig yn lles i Gymru, ond hefyd yn fantais ac yn ddiogelwch i Loegr a phob gwlad arall a fo'n gymydog inni. Canys y mae ansefydlogrwydd a diffyg traddodiad mewn unrhyw wlad yn berygl i dawelwch pob gwlad arall."
—*O Egwyddorion Cenedlaetholdeb.*

Awakening Wales

" That (the Welsh Nationalists) were able to penetrate through the thick wall of prejudice and re-kindle in Wales a feeling of national responsibility was an achievement which has had—and will have—a profound effect on the nation's will to survive.

This party has endured the cheap sneers of people who were too lazy or too soaked in prejudice to make the slightest effort to understand what the party really stood for."

article in *Y Cymro*,
(English Edition) 5/10/51.

Pneumoconiosis

FROM 1945 to 1950, 1,323 miners died in South Wales from either silicosis or pneumoconiosis, and 19,676 disablement certificates were granted. More miners suffer from these dread industrial diseases in Wales, than any other country in the whole world.

One of the biggest flops of the London government is that not one of the ten special factories built for disabled miners has been used for its original purpose.

Was it lack of interest or lack of money ? It could not be lack of money, because it costs the Government £400 per annum to train one young conscript.

Rhyddid i Gymru er lles y Byd

"MYNNWN felly, nid annibyniaeth, eithr rhyddid. Ac ystyr rhyddid yn y mater hwn yw cyfrifoldeb. Yr ydym ni sy'n Gymry yn hawlio ein bod yn gyfrifol am wareiddiad a dulliau bywyd cymdeithasol yn ein rhan ni o Ewrop. Dyna uchelfryd politicaidd Plaid Cymru . . . .

Gan hynny, y mae'n rhaid inni wrth ymreolaeth. Nid annibyniaeth. Nid hyd yn oed rhyddid di-amod. Ond llawn cymaint o ryddid a fo'n hanfodol i sefydlu a diogelu gwareiddiad yng Nghymru.

A rhyddid yw hwnnw a fydd nid yn unig yn lles i Gymru, ond hefyd yn fantais ac yn ddiogelwch i Loegr a phob gwlad arall a fo'n gymydog inni. Canys y mae ansefydlogrwydd a diffyg traddodiad mewn unrhyw wlad yn berygl i dawelwch pob gwlad arall."

—*O Egwyddorion Cenedlaetholdeb.*

RHEIBIO EIN TIR

DAU elyn anghymodlon Cymru heddiw yw'r Swyddfa Ryfel a'r Comisiwn Coedwigo. Y mae'r naill fel y llall yn rheibio tir Cymru, yn difetha amaethyddiaeth, yn dinistrio cefn gwlad, ac yn barod i yrru cannoedd o deuluoedd o'u cartrefi.

Y mae cyfartaledd y tir a ofynnir oddi ar Gymru gan y Swyddfa Ryfel yn uwch o lawer na Lloegr.

Felly gyda'r Comisiwn Coedwigo, sy'n bwriadu dwyn 800,000 erw o dir Cymru. Nid yw hyn ond fandaliaeth noeth, a grym Llywodraeth Seisnig yn gefn iddo.

Tachwedd 19, 1949, mewn cyfarfod yn Llanymddyfri, rhoddwyd rhybudd creulon, swta i 46 o ffermwyr adael eu ffermydd yn ymestyn o Gwrt-y-cadno i Ystradffin—20,000 o erwi.

Dyma ardal gwbl Gymraeg, ac asgwrn cefn y diwylliant Cymreig yn Neau Cymru. Bu tadau a theidiau ac achau mwyafrif o'r ffermwyr hyn yn amaethu yn y cylch ers canrifoedd, ac yn ymfalchio yn eu treftadaeth. Ond pan ofynnwyd i swyddog o Lywodraeth Seisnig beth a ddigwyddai petai'r ffermwyr yn gwrthwynebu'r cynllun, yr ateb oedd "The Government will take its gloves off."

Dyna ateb nodweddiadol o'r wladwriaeth dotalitaraidd, nad yw'n malio dim am fuddiannau materol nac ysbrydol y genedl Gymreig.

Ac y mae'r cyfan yn digwydd pan fo galw am gynhyrchu mwy o fwyd. Ateb Plaid Cymru yw bod y ffigwr 800,000 o erwi yn afresymol. Y mae angen cynllun coedwigo doeth, ond ni ddylid difetha tir amaethyddol i'r pwrpas, a chymaint o dir segur eisoes yng Nghymru.

CEFN GWLAD

Yn 1943 dim ond 6.5 y cant o ffermydd Cymru oedd â chyflenwad o drydan. Yn Lloegr-y nifer oedd 26.7 y cant.

Y mae'n rhan hanfodol o bolisi Plaid Cymru i ddatblygu amaethyddiaeth Cymru er diogelwch y wlad, ac i sefydlu amryw o fân ddiwydiannau yn yr ardaloedd gwledig.

RADIO CYMRU

YMAE Cymru'n talu £585,000 i Loegr am drwyddedau radio. Pris trwydded i bob Cymro yw £1 y flwyddyn.

Nifer oriau darlledu o Gymru, ar gyfartaledd, yn wythnosol = 23½.

Ond am yr un bunt, caiff Sais, yn Lloegr, ddewis o dair rhaglen a 230 oriau o ddarlledu bob wythnos—*deg* gwaith mwy o oriau darlledu na'r Cymro.

Y mae gan Iwerddon ei Chorfforaeth Radio ei hun, ond nid yw ei hincwm flynyddol ond £100,000.

Y mae gan Ddenmarc ei Chorfforaeth Radio, ond prin £200,000 yw ei hincwm, llai na hanner yr hyn a delir heddiw gan Gymru i Loegr.

Er mwyn cyfiawnder i Gymru, rhaid i Gymru gael ei Chorfforaeth Radio ei hun, er mwyn ychwanegu'n sylweddol at nifer yr oriau darlledu yn y Gymraeg, sydd heddiw yn ddirmygus o isel, ac er mwyn darparu rhaglenni addas i'r llu Cymry hynny, nad ydynt ar hyn o bryd yn deall Cymraeg. Dyna'r unig ffordd i wneud cyfiawnder â Chymru.

YMADAWIAD ARTHUR.

"A daw Y Dydd o'r diwedd,
A chân fy nghloch, yn fy nghledd
Gafaelaf, dygaf eilwaith
Glod yn ôl i'n gwlad a'n iaith."

T. Gwynn Jones.

THE COST OF ENGLISH GOVERNMENT

WALES today is being crushed by a heavy burden of taxation.

The value of the pound has depreciated, and the cost of living has increased, so much that it is difficult for people depending on "statutory benefits" like the unemployed, old age pensioners and people with small incomes, to make both ends meet.

While "cuts" are proposed in expenditure on schools, hospitals, and housing, the Labour Government is spending £800,000,000 on armaments.

In addition the State takes 43 per cent. of the national income, and English political leaders are warning us that we are tottering on the brink of economic disasters, far worse than any we have experienced.

And Wales? Nothing will save us, but a new determination to safeguard our own interests, and to demand the establishment of a Parliament for Wales within the next five years.

A LESSON FROM CEYLON

After less than three years as a self-governing Dominion, the Government of Ceylon is embarking upon vast irrigation schemes on lands which have been untouched for centuries. (*The Listener*). Self-government is the only form of responsible government.

THE OLD STORY . . .

THE NEW SPIRIT . . . It's up to YOU !

Nationalism in secluded chapel vestries, in regular branch meetings, in spasmodic oratorical deluges, remains the pastime of a few cranks, the interest of a new and therefore superfluous Cymrodorion Society. It does not touch the already-far-too-busy public. But an election – even a local one – claims serious attention immediately. We have spent money in Mid-Rhondda, but we have not wasted a penny. We have paid for three full weeks of discussion of Nationalism in mine and school, in pub and club, on street corners and employment exchanges. Get an election and Nationalism will be the talk of your town.

URDD Y DEYRNAS

Cynhadledd Caer: llunio 'cymdogaeth'

✦

Bu Cynhadledd Flynyddol Urdd y Deyrnas yng Nghaerlleon-fawr yn wythnos y Pasg, o brynhawn Mawrth hyd fore Sadwrn. Tan lywyddiaeth y Parchedig Herbert Morgan bu yn ceisio deall ystyr a chynnwys y Gymdeithas Gristionogol. Yr oedd y defosiwn fore a hwyr, yng ngofal y Parchedig Morgan Watcyn-Williams, yn rhan gyfansawdd o fywyd yr wythnos, ac o'r ymgais i greu'r gymdogaeth Gristionogol.

Yn y boreau cafwyd tair darlith gan Mr Robert Richards yn holi seiliau economaidd y gymdogaeth. Gofynnai a ellir gwladwriaeth Gristionogol yn wyneb hawl derfynol gwladwriaeth ar einioes pob un o fewn ei ffiniau i'w phwrpas pennaf, sef amddiffyn ei bodolaeth ei hun yn erbyn pob dim. Amlinellodd y frwydr a fu trwy'r ddwyfil blynyddoedd yn hanes Ewrop rhwng yr Eglwys, a'i hystyriai ei hun yn ben tan nawdd arbennig Duw, a'r wladwriaeth, a ymdrechai am hawl derfynol trwy'r canrifoedd, ac a'i henillodd yn y Dadeni Dysg. Ceisiodd hefyd dynnu gwahaniaeth rhwng gwladwriaeth sy'n byw ar rym ei hawdurdod gorchmynnol allanol – creadigaeth ddeddfol, heb fod yn rhan fyw o fywyd Cymdeithas – a democratiaeth wir sy'n sugno'i hawdurdod o ewyllys fodlon y deiliaid, gan sicrhau rhyddid i'r unigol a chyfiawnder mewn cymdeithas. Prif amcan economeg yw cyflawni rheidiau materol, a thrwy hynny beri bod y bywyd llawn yn bosibl (er nad yr un yw'r 'bywyd llawn' â 'daioni'). Y mae hefyd wahaniaeth rhwng y grefft dechnegol sydd beunydd yn perffeithio dulliau cyflawni rheidiau materol ac economeg sy'n ymwneud â gwerthoedd meddylegol. (Y mae hefyd wahaniaeth rhwng ethig ac economeg. Maes un yw *ansawdd* yr adweithiadau meddylegol, maes y llall yw eu *cryfder*. Y mae i bob un reidiau materol; mesurir eu cryfder yn ôl y pris y bydd pob un yn fodlon i'w dalu i'w chyflenwi. Y mesur hwnnw yw gwaith economeg.)

Wrth gynhyrchu cyfoeth newidir ansawdd rhad-roddion natur – troir ŷd yn fara, a gwlân yn frethyn. Y mae terfynau a ffiniau ar roddion natur. Cwrs cydweithredol hyd yn oed mewn trefn gyfalafol yw perffeithio crefft gynhyrchu ar waethaf y ffiniau hyn – gall unrhyw nwydd, cotwm er enghraifft, greu gwaith i rywrai lledled y byd cyfan.

Aeth heibio dydd 'economeg naturiol', pan yw dyn yn cynhyrchu ei reidiau personol-deuluol ei hun; daeth y byd yn gyd-ddibynnol, a bu dosbarthu ar lafur, fel bod un gŵr yn ymgydnabyddu ag un swydd heb wybod dim arall. Gwreiddiau cyfoeth bob amser yw Natur (sef tir) a llafur, a chyfalaf (sef cynhilion cynhyrchu blaenorol ar lun arfau gwaith neu beiriannau. Nid yw arian sychion ond un ffurf ar arfau gwaith).

Rhaid bod perthynas barhaol rhwng 'defnyddio' a 'chynhyrchu', a deuir o hyd i'r berthynas hon trwy 'gyfnewid' yn y farchnad. Y Gyfnewidfa a'r Farchnad agored yw'r peirianwaith sy'n rhannu cyfoeth y wladwriaeth rhwng y deiliaid. Gellir, wrth gwrs, ddychmygu llawer dull mwy Cristionogol o rannu – rhannu cyfartal, a rhannu yn ôl angen. Rhannu yn ôl cyfraniadau'r deiliaid i gyfoeth y wladwriaeth yw dull y farchnad – a phan na bo dyn yn abl i gyfrannu trwy afiechyd ieuenctid neu henaint, neu segurdod gorfod ein hoes ni, cynhelir ef o dosturi ar bwrs y wlad; nid oes *hawl* ganddo i ddim.

Yn y cyfarfod cyntaf oll (nos Fawrth) profodd Mr Louis Fenn fod digon o eiddo gan y wladwriaeth, ar ôl iddi gynilo'r gyfran arferol (a pherffeithio peiriannau) ac wedi iddi dalu, trwy'r tollau a'r trethi, am y gwasanaethau y mae'n rhaid iddi wrthynt, i dalu i bob teulu swm blynyddol o £300 o leiaf. Ond y mae i gymdeithas dair rhan – miliynau ar filiynau sydd ar fin gwrthryfel am fod eu rhan o'r cyfoeth ymhell bell o dan y safon; rhif llawer llai sy'n derbyn yn agos at eu cyfran safonol; ychydig bach bach o bobl lwcus (neu anlwcus) sy'n perchenogi rhan helaethaf y cyfoeth. Trychineb ein trefniant yw bod llawer yn meddiannu ychydig, ac ychydig yn meddiannu llawer, a dim ond rhif bychan (llai na'r cyntaf a mwy na'r olaf) yn agos i safon y gellir ei hystyried yn hawl i bob teulu yn y wladwriaeth. Gellir heddiw, â bod dynion yn ewyllysio, droi'r anhrefn economaidd hon wyneb i waered.

Yn yr hwyr cafwyd dwy ddarlith gan Mr Peter Scott ar y Bywyd Creadigol. Am ein bod yn myned trwy gyfnod o gyfnewid mwy nag a welodd y byd ers tro, ni ddylid brysio na gwylltio, eithr dylid meddwl yn ddewrach a dyfnach, ac yna weithredu'n eofn, ddiofn. Rhaid wrth gytgord a chynghanedd cyn y gellir unrhyw fywyd. Nid oes yn ein bywyd ni, nac i'r unigol nac i gymdeithas, gytgord na chynghanedd, am fod yr elfennau politicaidd, economaidd ac ysbrydol yn croesdynnu. Rhaid i'r drefn bresennol drengi, a chynigir yn ei lle Gomiwnyddiaeth ar un llaw a Ffasistiaeth ar y llall. Ond, ebe Mr Scott, y mae yn efengyl Iesu Grist gynnig arall hefyd, oblegid darganfu Ef y ffordd gywir y dylai bywyd ei cherdded – Ef yw y ffordd.

Y mae tri math ar Natur – natur ddifywyd, natur fyw a natur bersonol. Y peth na wnaeth yr Iesu oedd cymysgu moddau un math gyda moddau mathau eraill, fel y gwnawn ni mor rhwydd. Nid yw'r syniad am uned fathematig, sy'n gweddu i natur ddifywyd, yn gweddu fel modd i egluro'r bywyd personol. Ond mor aml y ceisiwn esbonio'r personol â geirfa ac â moddau y bywyd materol.

Rhaid eto ddarganfod Duw, darganfod Bywyd, y Bywyd Creadigol. Rhaid i ni ein mynegi ein hunain ym mhob dim a wnawn; hynny fydd bod er clod i'r bywyd creadigol sydd o'n mewn yn ein hysgogi, bod er clod i Dduw.

Uchafbwynt datguddiad y bywyd creadigol hwn yw personoliaeth, ac nid yw hwnnw'n ddim namyn cymdogi, ennill cyfeillgarwch. Cariad yw. Pan yw'r enaid yn ei ganfod ei hun yn un â'r bywyd creadigol hwn y mae yn gwir addoli Duw. Addoli yw sail y bywyd llawn, a'r gorchymyn cyntaf, 'Car dy Dduw'; a thebyg yw'r ail orchymyn, 'Car dy gymydog', sef ennill i ti dy hun iawn-berthynas â dynion mewn cyfeillgarwch. Perthynas rhwng personoliaeth a phersonoliaeth – o'r naill du a'r llall – yw cariad. I ennill y Gymdeithas Gristionogol rhaid i enaid addoli Duw, a charu dynion; bod mewn iawn-berthynas â bywyd creadigol ac â chymydog. Y mae personoliaeth gan hynny yn gysegredig.

Methodd y peth a alwn yn Ddemocratiaeth a gellir dihangfa rhagddo trwy golli rhyddid personol tros dro mewn Comiwnyddiaeth neu ei golli mewn Ffasistiaeth am byth. Eithr ni ddylid gwerthu personoliaeth gysegredig am un pris: nid cyfrwng mohono i ennill trwyddo hawddfyd tymhorol na dim un diben arall.

Am hynny rhaid meddwl 'y tu hwnt i'r' cyflwr presennol a 'thu hwnt i'r' darganfyddiadau a wneir gan feddylwyr anghristionogol. Hynny yw her ein dydd, i ni a fyn y Gymdogaeth Gristionogol.

Am i ddynion gredu bod cystal hawl gan y tlotaf ag sydd gan y cyfoethocaf (nid mewn arian yn unig) yn y wladwriaeth, tyfodd llywodraeth ddemocrataidd, a sefydlwyd ei dull o gyfrif pennau, a chael y posibilrwydd democrataidd o dreisio lleiafrifoedd gan fwyafrifoedd, dadlau yn lle cydymgynghori – sef peri bod uned fathematig sy'n perthyn i un math ar fywyd yn gweithredu ym myd personoliaeth. Canlyniad gau-ddemocratiaeth Ewrop yw nid chwilio am Wirionedd ond ennill y blaen ar bob barn wrthwynebol.

Am mai uned â bywyd ynddi yw cymdogaeth y mae beunydd yn newid – llif afon y Bywyd ydyw. Yr ydym ninnau yr hyn ydym, bob copa, am fod ein gwreiddiau yn y gymdeithas y perthynwn iddi; rhan ydym, anwahanadwy, yng ngwe'r gymdeithas honno.

Y mae i gymdogaeth ffiniau. Nid yw gorgrynhoi mewn trefi mawrion yn creu cymdeithas fel y mae pentref yn gymdeithas (ar waethaf culni pentrefol). Arwydd gobeithiol ein dydd yw bod oes y trefi mawrion yn prysur ddirwyn i ben, a thuedd amlwg i ddychwelyd at y bywyd pentrefol neu wledig, at y bywyd cymdogaethol a'r gymdeithas agos. Y mae darganfyddiadau modern gwyddoniaeth (egni trydan a rhwyddineb teithio, er enghraifft), yn peri hynny. Y mae'r gymdogaeth, a'r berthynas 'deuluol' sy'n nodwedd o ddull trefnu bywyd y gymdeithas fach, yn bwysicach na'r wladwriaeth am fod honno wedi hen golli pob ymdeimlad o berthynas 'deuluol', a'i dull wedi ei ddarostwng mewn democratiaeth – tan enw i fod yn gyfrif pennau yn unig.

Am fod hawl mewn democratiaeth i bob pen ni ellir ynddi fagu arweinyddion; a phan gyfyd gŵr i arwain saif yn ei swydd wedi iddo golli dawn arweinydd. Mewn cymdogaeth, a ysgogir ag ysbryd cymdogaethol y gymdeithas fach, darganfyddir arweinyddion, cymhellir hwynt i'w crefft fel y cymhellir crefftwr arall, boed saer neu of, a phan ballo'i grefft mewn arwain bydd barn y gymdeithas yn dewis arall, oblegid ystyr arweinydd yw 'canlynwyr bodlon'.

Gellir heddiw, yn y man y bôm, heb gymorth na llywodraeth na thywysog, gychwyn creu'r gymdogaeth wir, y gymdeithas Gristionogol, ac wrth hynny yn ddidrwst newid gwerthoedd cenedl gyfan, ac ansawdd y wladwriaeth, yn y pen draw, i fod yn wir ddemocratig.

Yn ei araith ar ddigwyddiadau yn Awstria dangosodd y Dr Karl Polanyi sut y gweithiasai'r elfennau y bu'r siaradwyr eraill yn eu dadansoddi ym mywyd ei wlad yntau wedi'r rhyfel.

Gwlad arall yw Awstria lle y diflannodd Democratiaeth o flaen Ffasistiaeth – yr unig wlad lle bu ymladd i'w hamddiffyn. Cawsai'r Sosialwyr 42 y cant o bleidleisiau yn yr etholiad blaenorol, a chyflawnasant wasanaeth arbennig i fywyd diwydiannol y wlad, ac i ddinas Vienna. Hwy oedd pinaclau democratiaeth yn y wlad. Ac fe'u maeddwyd.

Yr oedd mwyafrif y dosbarth canol yn Nazi, ac am uno Awstria â'r Almaen. Yn llywodraeth Dollfuss yr oedd ceidwadwyr dan ddau neu dri o enwau, ac yn eu plith yr Heimwer a oedd yn cefnogi Ffasistiaeth Itali. Y tu allan i'r llywodraeth yr oedd y Nazi a'r Sozi. Brwydr gyntaf Dollfuss oedd cadw annibyniaeth Awstria, a chawsai'r Heimwer i'w gefnogi; gwrthwynebai'r rheiny bob pleidio, â'r Sozi yn bennaf. Casâi'r ceidwadwyr eraill, a'r Nazi hefyd, y Sozi. Ni allai Dollfuss fargeinio â hwy, felly, wrth geisio cadw annibyniaeth ei wlad. Ni fuasai dim wedi digwydd yn Awstria oni bai am etholiadau'r Almaen ar Fawrth 5, 1933. Ar y seithfed bu etholiadau Awstria ac ar y pymthegfed ni alwodd y llywodraeth y senedd ynghyd. Am resymau daearyddol ni fyn Itali i Awstria nesáu dim at yr Almaen, ac Itali am hynny a barodd nad apeliodd Awstria at Gynghrair y Cenhedloedd. Yr oedd byddin Itali wrth law, a hi a oedd wedi arfogi'r Heimwer. Hynny oedd gwendid ei pholisi gan nad yr un oedd Heimwer 1933 a Heimwer y blynyddoedd cynt, yn un peth am fod ei harweinyddion, a oedd unwaith yn filwyr proffesedig, wedi troi at y Nazi. Addawsai Dollfuss greu gwladwriaeth gorfforedig heb golli gwaed,

ond ffolineb yw meddwl am wladwriaeth Ffasistaidd yn gwrthwynebu
dylanwad y Nazi – hwy oedd yr unig gylch cryf a allai gefnogi'r syniad
Ffasistaidd.

Yr Eglwys Gatholig a drodd y fantol. Gwrthwynebai'r Sosialwyr am
nad oedd rheiny'n 'grefyddol'. (Er enghraifft, dilewyd ganddynt y penyd
dienyddio, a gwnaethpwyd tor-priodas yn bosibl yn Awstria fel mewn
rhannau eraill o Ewrop). Safasai'r Eglwys tros annibyniaeth Awstria yn
erbyn yr Almaen a chefnogai Itali (a oedd yn cefnogi'r Heimwer). Ym
mis Medi ceisiodd Dollfuss newid y llywodraeth tan ddylanwad Itali;
cafodd gymorth y Fatican ym mis Rhagfyr, ac erbyn Chwefror 1934 yr
oedd dylifiad o 'ddychweledigion' i'r Ffydd – gan mai felly y gellid
sicrhau swyddi a gwaith. Yr oedd brwydr y trefi a dinas Vienna wedi ei
threfnu.

Mewn ateb i lu o gwestiynau mynegodd y Dr Polanyi a Mr Donald
Grant (*Auxiliary S.C.M.*), a fu yn Vienna wedi'r gwrthryfel yn lleddfu'r
dioddef, gyflwr enbydus y trueiniaid yn y trefi, at fanylu ar achosion y
gwrthdaro – y milwrol a'r economaidd. Cyfododd y gynhadledd y
prynhawn hwnnw â dwyster meddwl a gweddi yn ei chalon.

Cafwyd trafodaethau gweddol fanwl ar fater y darlithiau a phroblemau
perthynol ar foreau Mercher a Iau, ac adroddiadau ar y myfyrdodau
i'r Gynhadledd fore Gwener. Yr oedd pum cylch myfyr ar waith, ar
economeg, ar fywyd yr Eglwys, ar fywyd yr ysgol, ar y bywyd personol,
ac ar segurdod a thlodi. Bwriedir llith eto ar gynnwys y myfyrdodau a'r
darganfyddiadau a wnaethpwyd ynddynt.

Un o'r cyfarfodydd cyfoethocaf i brofiad yr Urdd oedd yr olaf, ar nos
Wener. Seiat ydoedd. Mynegodd Mr D. Anthony, gŵr ieuanc di-waith a
oedd yn y gynhadledd am y tro cyntaf, y gellid defnyddio moddau'r
Gynhadledd – ysbryd y Gymdeithas gywir sydd yn yr Urdd – mewn
cylchoedd eraill gydag ystyr newydd i ddemocratiaeth, fel na bo undebau
Llafur a'r Pwyllgorau lleol yn ddim ond cyfrif pennau. Yna galwodd
Nansi Davies, sy'n hŷn yn yr Urdd, am unplygrwydd ac ehofndra (nid
dewrder ond dewrder enaid) i edrych ar ein cymdogaeth a'n cymdeithas
yn ysbryd y gynhadledd, yn null yr Urdd. Onis ceir, ofer fu'r wythnos. A
Marged Tomos ymarferol yn amlinellu'r galluoedd a fyddai'n sicr o'i
gwrthwynebu hi wrth iddi geisio creu y Gymdogaeth Gristionogol yn ei
chylch ei hun – cyfeillion agosaf a wêl bethau'n wahanol, staff ysgol
deallus, cyfeillgar, na all ddeall y dull, ac yn bennaf oll hi ei hun a'r
cymhlethdod diddordebau sydd heddiw'n fywyd iddi. Cyfannodd y
Parchedig Herbert Morgan y cwbl yn ysbryd seiat gan alw i gof
weledigaeth Eseia mewn argyfwng politicaidd, ei arswyd rhag yr alwad,
ei ymdeimlad o aflendid, ei buro â'r marworyn, ei enaid tân yn llefain:
'Wele fi, anfon fi.'

Yng Nghaer deallasom yn well gynnwys y Gymdeithas, profasom mewn teimlad beth o'i rhin, ac ymgysegru mewn ewyllys i lafur i'w lleinio ar y ddaear. Cawsom ein personoliaeth gyfan, meddwl, ewyllys, teimlad, yn hiraethu am greu'r gymdogaeth newydd, oherwydd myfyr ysgolheigaidd, seiat y cyfeillgarwch, a dewrder yr ymroad ieuanc. Bydd Caer yn ein hysu ymlaen pan ddechreuwn flino, yn ein nerthu pan lesgáwn, yn ein hatgoffa pan anghofiwn, yn ein cysuro pan fyddwn ddigysur; yn ein cadw yn agos pan ein teimlwn ein hunain yn unig, yn ein barnu pan ddiffygiwn, ac yn ein condemnio pan nad ymdrechwn.

LLE CYMRU YNG NGHYNLLWYNION LLOEGR

✦

Y mae cynllwyn (*strategy*), i bob pwrpas, yr un ddoe, heddiw ac yn dragywydd: erys goledd tir, llif afonydd a dyfnder môr yn elfennau ni newidiant.

Unwyd Cymru â Lloegr bedwar can mlynedd yn ôl am i'r Tudur cyntaf hwnnw allu cerdded trwy wlad ei dadau o'r Cyfandir i'w orsedd sigledig yn Llundain. Ni fynnai ef na neb o'i hil fod neb yn dilyn camre Harri'r Seithfed. Dilewyd annibyniaeth Cymru fel bo drws y cefn yn cau.

Nid o'r De na'r Dwyrain, agos i Ewrop, y ceisiodd gelynion tramor Lloegr, na'r rhai a chwenychai ei gorsedd hi, lanio, ond yn y Gogledd neu'r Gorllewin. Y farn swyddogol heddiw yw, a bod glanio yn rhywle ar arfordir yr ynys mewn rhyfel, mai rywle rhwng Land's End a Galloway y bydd, gan fod cyrchu a difetha pob parth diwydiannol o'r wlad yn haws o'r cyfeiriad hwn, a bod hynny'n bwysicach na difa Llundain. Y mae afon Hafren ar y naill law, ac afon Mersi ar y llall, yn bwysig heddiw fel yn adeg brwydrau Deorham a Chaer. Am hynny y mae pont tros y naill mor sicr o'i chodi â bod twnnel eisoes wedi ei dorri tan y llall. Caiff y llywodraeth gan y Pwyllgorau Sir i'w chodi trwy arw neu trwy deg.

I Wasanaeth Sifil Seisnig Llundain, anghysur yn nyddiau heddwch, a pherygl pan ddaw rhyfel, yw miloedd anhywaeth Cymru newynog. Pigyn tan ei bron yw cyndynrwydd protestgar ein proletariat gwrth-Seisnig. Am hynny, dosbarther hwynt mewn pryd, tan orfod newyn, fesul degau, tros dir nid yw gartref iddynt. Y mae rhesi o ffatrïoedd newydd wedi eu codi ac i'w codi mewn llinell union o Rydychen i Fôr Hafren. Bydd y bont yn hwyluso'r plannu yno, heb bridd, heb wreiddiau. Y mae symud yr anfoddog i'w dofi hwy (fel y bônt yn difa gelynion eraill) yn nhraddodiad llywodraeth Lloegr.

Erys y gweddill a fydd ar ôl yn farchnad – yn *colonial dumping ground* – i gynnyrch y ffatrïoedd newydd. Y mae'r swyddfa ryfel yn siŵr o gefnogaeth llywodraethwyr golud, gan fod y bont yn ateb dibenion Mawrth a Mamon.

Y mae'r ddadl yn wir am dwnnel Mersi hefyd. Ar hyd y bont, a thrwy y twnnel, bydd mynd a dod rhwydd i wŷr ac offer byddinoedd pan ddaw galw.

Rhaid hefyd, ar bob pen i'r prif-ffyrdd milwrol hyn, wrth nythle swyddogion a milwyr. Dyma reswm tros y paratoi ym Mro Morgannwg, ym Mhen Bre ac yn Sir Benfro yn y De, a thros Borth Neigwl yn Llŷn. Felly hefyd yr adeiladwyd cestyll ers llawer dydd.

Bargeiniwr caled yw De Valera: deil Lloegr afael ar borthladdoedd Iwerddon. Ond nid oes neb a all frudio beth a ddigwydd a bod rhyfel. Nid rhyfedd yw agwedd Mr Lloyd George at brotest gref ei etholaeth ef ei hun, o gofio iddo ef geisio, a methu, darostwng Iwerddon â grym arfau. Yn wyneb trafferth cyffelyb i'r un a'i lloriodd o'r blaen, y mae Porth Neigwl yn anhepgor.

Eithr y mae perygl arall, sef bod ymosod o'r awyr a difa swyddfeydd llywodraeth yn Llundain. Rhaid pennu ymlaen llaw fan addas iddynt. Nid hwn fydd y tro cyntaf i'w symud hwythau o Lundain mewn argyfwng. Y ddau ddewis amlycaf yw Edinburgh a Chaerdydd. Efallai y bydd Caerdydd nid yn brifddinas weinyddol i Gymru, ond i'r Ymerodraeth.

CENEDLAETHOLDEB CYMRU A CHOMIWNYDDIAETH

✦

Da gennyf ganfod bod Mr Roose Williams, wrth ddisgrifio'r Blaid Genedlaethol, eisoes, yn *Heddiw*, yn dethol ei eiriau gyda mwy o ofal nag yn ei bamffled ar *Llwybr Rhyddid*. Yn fras derbyniaf ei ddisgrifiad o gyni Cymru hefyd, gan gofio huotledd mwy cynhwysfawr Mr Saunders Lewis, mai 'Cymru yw slym embytaf Ewrob.' Gŵyr Comiwnydd a Chenedlaetholwr fod dynion yn dioddef; cyd-feiant yr un achosion yn aml; y llwybr ymwared sydd yn wahanol ganddynt.

Trueni i Mr Williams ddywedyd i'r Blaid dynnu 'yn ôl o'r mudiad yn y De yn erbyn rheolau Bwrdd Cymorth y Di-waith'. Nid yw hynny'n gywir. Cynigiodd Mr Saunders Lewis gydweithredu ag arweinyddion eraill i drefnu gwrthwynebiad cenedlaethol ond gwrthododd Sosialwyr De Cymru ei wasanaeth gan ddewis cadw'r achos yn fonopoli sosialwyr er budd popaganda'u plaid mewn etholiadau. Hynny oedd mesur eu diddordeb yng nghyni'r wlad. Y mae trafodaethau Ysgolion Haf 1934, 1935 a 1936 a dysgeidiaeth swyddogol y Blaid yn gwneuthur geiriau Mr Williams yn anwiredd.

Ni wn hefyd sut y gallodd ysgrifennu na cheisiodd y Blaid wneud achos Ysgol Fomio Porth Neigwl yn rhan o'r frwydr tros heddwch, ac yntau (os yw wleidydd o gwbl, ac os yw wedi ennill hawl i fynegi barn) wedi darllen anerchiad Lewis Valentine i reithwyr prawf Caernarfon. Dichon mai heb wybod y mae bod nifer o derfysgwyr Cwrdd Protest Pwllheli yn gwisgo rosetiau cochion ac yn haeru mai Comiwnyddion oeddynt. Yn enw heddwch y mae ein brwydr ni; nid yn erbyn y Llywodraeth Genedlaethol bresennol yn unig, ond yn erbyn pob llywodraeth fel ei gilydd yn Lloegr. Bu Llafur yn bomio brodorion India, a rhoi Lunn, gwrthwynebydd cydwybodol, i amddiffyn hynny; cynyddodd Llafur arfogaethau Lloegr; heddiw nid yw'r wrthblaid yn gwrthwynebu ailarfogi o gwbl, dim ond barnu dulliau'r polisi swyddogol o godi'r arian benthyg y mae. Eisoes nid oes ddwy-blaid yng ngwleidyddiaeth Lloegr; nid oes dim ond dwy gang yn credu'r un gredo ond yn ymgodymu am swyddi breision a seddau esmwyth ar fainc y trysorlys.

Cnewyllyn y gwahaniaeth rhwng Cenedlaetholdeb a Chomiwn-yddiaeth yw hyn: amcan y cenedlaetholwyr yw cadw a chynyddu eiddo preifat: bwriad Comiwnyddion yw dileu eiddo preifat. Yn y bwriad hwnnw y mae Cyfalafiaeth a Chomiwnyddiaeth yn un. Mynnant ddileu eiddo personol, un i greu monopoli a'r llall i greu'r wladwriaeth un-bennol. Dileodd ffatrïaeth gyfalafol eiddo personol dynion, eu crefftau, a'u hawl hyd yn oed i werthu grym eu cyhyrau, gan greu proletariat na chaiff berchenogi dim. Wrth hynny, caethiwodd ni i ddiweithdra heb hawl i fynegi barn ac heb adael inni farn i'w mynegi. Cam byr sydd o fonopoli cyfalafol at wladwriaeth sosialaidd unbennol – sef newid enwau ar lyfrau cyfrifon. Trwy fyrddau cyhoeddus a chorfforaethau daeth y wladwriaeth unbennol (*sosialaidd* mewn grym os nad mewn gair) eisoes yn faich arnom. Onid y baich hwnnw yw cwyn bennaf Mr Williams yn erbyn Bwrdd Cymorth y Di-waith? Gwnaethpwyd dynion yn is na chig-a-gwaed: trowyd hwy'n ffigurau ar gofrestri swyddfeydd. Echdoe, gweision cyflog monopoli'r fasnach lo, y goruwchwylwyr gwasaidd, oedd tasg-feistri'r truan yn ei waith; ddoe a heddiw, yn ei segurdod gorfod, gweision cyflog byrddau'r wladwriaeth unbennol, clercod swyddfa yw'r tasg-feistri – ac nid er gwell y bu'r sosialeiddio hwn.

'Rhaid', ebr Mr Williams, 'yn gyntaf sicrhau Cymru'n eiddo i werin Cymru, a'i thir a'i mwnau a'i holl olud yn cael ei ddefnyddio er budd gweithwyr a mân ddyddynwyr y genedl.' Ond atolwg, o roi tir Cymru a'i mwnau a'i holl olud yn nwylo rhyw fwrdd cyhoeddus, rhyw sofiet arbennig, a fydd un gweithiwr neu fân-ddyddynnwr yn gyfoethocach, yn ŵr mwy rhydd? A yw *kulak* Rwsia yn fwy rhydd o orfod arno droi ei ddyddyn i grafangau adran o'r wladwriaeth? Dyger oddi ar ddyddynnwr ei ddyddyn yn enw banc neu fwrdd cyhoeddus, yn enw cyfalafiaeth neu sosialaeth, ac nid tyddynnwr yw mwyach, ac ofer sŵn am sicrhau Cymru yn eiddo iddo, druan di-eiddo.

Nid digwydd damweiniol yw'r tebygrwydd rhwng Cyfalafiaeth a Sosialaeth. Cenhedlwyd sosialaeth Marx a chyfalafiaeth ffatrïol gyda'i gilydd yng nghroth y chwyldro diwydiannol: gefeilliaid ydynt, a damcan-iaeth Datblygiad yw eu mam-faeth. Nid yn ddamweiniol y cysylltodd Mr Williams enwau Marx a Darwin. I Marx, rhaid oedd i ffatrïaeth gyfalafol *ddatblygu*, ac o ddatblygu, datblygu i fod yn berffeithiach ffatrïaeth. Os yw ffatrïaeth yn gaethiwed, yna perffeithio caethiwed yw perffeithio ffatrïaeth. Y mae Mr Williams yn hollol resymegol, fel unrhyw gyfalafydd, pan ddywaid '[nad] eisiau dinistrio'r peiriannau rhyfeddol hyn sydd' ond inni gofio beth yw'r peiriannau clodwiw – peiriannau Busnes Fawr, sef cyfalaf canoledig, hysbysebau gwerthu digywilydd, caethiwed diwydiannol, golud, a'r awdurdod trahaus a ddaw trwy olud (hyd yn oed i wladwriaeth sofiet).

Y mae Mr Williams yn rhesymegol fel y mae Marx yn rhesymegol, am y myn gychwyn gyda rhyw ddeddfau haearn sy'n llywodraethu datblygiad cymdeithas, deddfau y deil efe eu bod y tu hwnt i ewyllys dyn. Ni cheir heddiw un dau athronydd mewn bywydeg na chymdeithaseg i gydnabod anffaeledigrwydd y ddysg Galfinaidd hon. Nid yw Comiwnyddiaeth a fagwyd yng nghrud y gau-fateroliaeth hwn yn cydweddu â dysgeidiaeth fodern am natur cymdeithas nac yn chwyldro oddi wrth gyfalafiaeth a fagwyd yn yr un crud. Digwydd gwir chwyldro o gredu bod dyn yn ewyllysio newid cyfeiriad tueddau a'i camarweiniodd, ac yn ewyllysio dileu, pan flina arnynt, sefydliadau a greodd ei ewyllys ef. Nid cylch di-dor o gynnydd 'broadening down from precedent to precedent' yw stori cymdeithas ond symud tebycach i bendil cloc neu drai a llanw – cerdded i un cyfeiriad ac yna droi yn ôl i gyfeiriad arall.

Y mae heddiw yn Ewrop ac America wŷr a genfydd ddyfod penllanw ffatrïaeth – ffatrïaeth y fonopoli breifat a ffatrïaeth y wladwriaeth un-bennol. Gwŷr ydynt a ddewisodd gerdded i gyfeiriad ail-greu eiddo preifat personol. Digwyddodd y chwyldro economaidd a chymdeithasol hwn yn yr Almaen ac yn Itali o dan unbennaeth fel y digwyddodd perffeithio ffatrïaeth gaethiwus y wladwriaeth tan unbennaeth yn Rwsia. Ond gall-wyd hefyd y chwyldro yn Ewrop ac yn America heb unbennaeth wleidyddol a thrwy sefydliadau gwerinol. Gobaith Plaid Genedlaethol Cymru yw y gellir 'dinistrio y peiriannau rhyfeddol hyn', dileu ffatrïaeth, ac ailgodi eiddo preifat cyn y tyf unbennaeth wleidyddol gudd llywodraeth Lloegr yn unbennaeth agored o dan Chamberlain neu Mosley neu Cripps neu ba liw crys bynnag a ddewisir. Dyfod cyflym y chwyldro hwn, llwyddiant y Blaid Genedlaethol, yw sicrwydd pennaf Cymru yn erbyn unbennaeth ar batrwm Hitler neu ar batrwm Stalin. Ym mhle y dysgodd Comiwnyddion mor sydyn santeiddrwydd gweriniaeth ac anghofio mor gyfleus unbennaeth y proletariat, sef unbennaeth lleiafrif o swyddogion mewn awdurdod?

Dengys Mr Williams mewn geiriau fel 'adfywhau'r prif ddiwydiannau sydd yn sylfaenol i fywyd economaidd y wlad' mor gyfalafol o hen-ffasiwn ydyw. Y mae clywed Comiwnydd ifanc yn dadlau tros allforio glo Cymru mor dorcalonnus â chlywed y sosialwyr swyddogol yn eiriol ar gyfalafwyr Busnes Fawr ddod â'u ffatrïoedd i Gymru. Oes aur sosialwyr Cymru a chyfalafwyr yn natur eu ffydd gyffredin yw blynydd-oedd llwyddiant masnach rydd a ffatrïaeth fyd-eang, cyn 1914, fel pe na ddigwyddasai'r flwyddyn honno. Y mae cenedlaetholdeb economaidd wedi hen-ddyfod i wledydd rhydd y byd, ac nid oes ond arweinyddion sosialaeth ar y naill law a chadeiryddion y banciau ar y llall heb sylweddoli hynny, a dal i ladd, gyda'i gilydd, ar genedlaetholdeb.

Os nad yw'r 'peiriannau rhyfeddol' i'w dinistrio rhaid yw i Gomiwn-yddion Cymru hefyd 'fyned yn ôl' ganrif gyfan, gan nad yw Cymru heddiw, tan oruchwyliaeth y peiriannau sydd eisoes wedi eu dinistrio trwy'r byd, yn gallu 'cynnal ei phoblogaeth' ond yn eu gyrru fel gwartheg y porthmyn o'u cartrefi. Sut hefyd y mae Mr Williams yn mynd i ad-drefnu'r trefi a'r pentrefi os nad yw yntau'n fodlon 'sôn am fynd nôl at fywyd ar y tir', sy'n golygu cant a mil o bethau nad yw efe'n ymwybod â hwy?

'Rhaid diddymu pob deddf sy'n peri bod Cymro a'r iaith Gymraeg mewn safle is-raddol yn eu gwlad eu hun.' Yn gywir. Y brif ddeddf sy'n peri hynny yw Deddf Uno Cymru a Lloegr 1536. I ddileu'r uniad hwnnw y sefydlwyd Plaid Genedlaethol Cymru. Codwyd ysgol fomio Llŷn yn nannedd barn unol gwlad gaeth o dan y ddeddf hon; llosgwyd yr ysgol am na châi gwlad unol glust y llywodraeth sy'n gweinyddu'r ddeddf honno; symudwyd achos y tri chenedlaetholwr i Lundain am fod y ddeddf honno; gwaharddwyd iddynt siarad Cymraeg yng Nghaernarfon ac yn Llundain am ei bod; tawsant hwythau rhag cydnabod hawl y llys arnynt. Oni bai'r ddeddf ni byddai'r achos o gwbl. Tros heddwch, yn erbyn awdurdod ffasgaidd llywodraeth ganol, 'y pethau sy'n hawlio sylw gweithwyr ym mhob gwlad', y mae'r cenedlaetholwyr yng ngharchar. Y maent yng ngharchar i brofi nad pethau ar wahân 'i'r frwydr fawr tros ryddid' yw iaith a diwylliant. Os peth damweiniol yw bod 'y gweithwyr mewn gwahanol wledydd yn siarad gwahanol ieithoedd ac yn meddu ar nodweddion arbennig' nid peth damweiniol yw bod cyfalafiaeth bob tro yn ceisio difetha iaith brodorion a'u nodweddion arbennig. Rhan o fethod gwerthu nwyddau ffatrïaeth, rhan o ddull ymerodraeth, yw hynny. Y mae heddiw, yng Nghymru, yn para i fod yn rhan o fethod ac o ddull Comiwnyddion, ac hyd oni chymerant 'amser i feddwl am' iaith a diwylliant fel rhan o'r frwydr fawr, ymladd ar ochr cyfalafiaeth y maent. Y mae hyd yn oed Mr Williams yn mynnu sôn am y 'cwestiynau pwysicaf i'r dosbarth gweithiol', gan roddi'r 'problemau hyn', er eu pwysiced, ar wahân ac nid fel rhan o'r frwydr fawr. Hwy yn y pen draw yw'r frwydr fawr.

Goddefer i minnau ddywedyd nad o safbwynt Cymru yn unig yr edrychaf ar bethau; nid wyf ychwaith yn dal y gellir ystyried ffawd Cymru ar wahân i dynged y ddynoliaeth. Y mae i wledydd Cred heddiw ddau ddewis − cenedlaetholdeb neu ffatrïaeth. Fel cenedlaetholwr o Gymro yr edrychaf ar Gomiwnyddiaeth.

WELSH LANGUAGE: OUR DEFENCE CONSOLIDATED – NOW WE MUST ADVANCE

✦

That the Welsh language must perform in full the function of expressing life in a modern civilization is one of the major discoveries (or rediscoveries) of the first half of the twentieth century in Wales. No longer can it be tolerated as a part-time tongue of the hearth, say, or of religious experience only. Nor is proficiency in it a mere advantage like piano playing – a drawing-room accomplishment. The use of it must be (like the practice of peace once described by Molotov) 'one and indivisible', covering the nation's full experience.

The Welsh language is not taught in schools and colleges because it is an ancient tongue, or because it has a lovely literature, or because of any similar external charm. It is taught because it is adequate to the full life of those who use it.

Nothing hurts more than to hear such phrases as 'Oh, isn't it lovely to hear them talk in Welsh' when this is said patronizingly of Welsh-speaking children. The Welsh language, like every other, is because it is.

Mr Saunders Lewis once claimed that he was teaching not a dead language but a living tongue – and into the nation's conscience was seared the realization that Welsh has no official status in law. Signatures by the half million to a national petition produced a Parliamentary Act, supposedly to give equality of status to the two languages. The Act was a travesty, for it meets the stated case at no point. The Welsh language has today no official status.

Here are two personal illustrations . . . Motor tax authorities will not accept claims for Road Fund licences made in Welsh. ('If you cannot fill the form in English, my department will be only too glad to help you,' wrote the Glamorgan Taxation Officer.) No soldier can register for National Service as a Welsh-speaking conscript. The form he signs must be filled in English. Officially and politically, we are as we were. But officially and politically we are behind the times.

Because the 1944 Education Act allows parents some say in the education they deem fit for their children, primary schools in which Welsh is the medium of all instruction immediately sprang up, and spread like a contagion in the sea-coast towns, along Offa's Dyke, and in the industrial counties of the south – the more anglicized areas of Wales. Obstacles and difficulties of many kinds are being surmounted by the will of parents acting as individuals, and as Welsh Parents' Associations.

The location of schools far distant from population centres, buildings that are too small or are only a part of other school buildings, long journeys for small schoolchildren and inadequate transport facilities – these are some of the major administrative difficulties. Provision of suitable books, definition of statute regarding external examinations, and the supply of qualified teachers worry the staffs inside the schools. But such handicaps are cheerfully borne and steadily overcome.

Now the Glamorgan Parents' Association is much exercised in claiming the provision of Welsh-speaking secondary and grammar schools. By 1955 a population not far short of a hundred pupils will have emerged from the Welsh primary schools. Can these be brought into a self-contained secondary Welsh school, that their instruction may be continued with the Welsh language as its medium?

The problems of the primary stage – location, residence, transport, staffing – are at the secondary level more acute while new obstacles appear. Though it is realized that the only real and ready-made reply is the speedier growth in the number of primary schools and of the number of pupils in each, it is time to remind ourselves that throughout Wales there are many long-established primary schools where all instruction is given through Welsh. These flourish in industrial areas of Glamorgan and Carmarthen as in rural, mid and North Wales counties, but have had no headlines. Secondary education, using Welsh as a medium, is now as immediate a challenge, with as speedy a prospect of realization, as was the hope of primary Welsh schools five years ago.

Although in the Court of the University of Wales the only official use of the language (apart from printed bilingual reports from the Guild of Graduates and the Board of Celtic Studies) is in the University title 'Prifysgol Cymru', during this century the University has helped greatly the recognition of the adult status of the Welsh language. The personal contribution of its great teachers in Celtic studies, the creative literature of eminent artists within its Welsh departments, the establishment of the Board of Celtic Studies, the University Press Board and the publication of specialist researchers, of popular editions of Welsh classics, of books in the sciences and the arts – all this and more, the University has done in this half-century.

But in the four constituent colleges of the national University, in all departments (except Celtic), the language of instruction is not Welsh. Late into the 1920s English was the medium of instruction even in the

Welsh departments. Even now no student can, in Wales, study for any one of the University degrees using Welsh as his medium. Yet the experience of bilingual countries like the Union of South Africa, the Dominion of Canada, Belgium and Switzerland and of newer lands like Israel is cumulatively pressing upon the conscience of Welsh national (not to say nationalist) leaders.

Already the Court of the University itself has decided to examine the POSSIBILITY of establishing a constituent college the language of instruction in which shall be Welsh. The Court has debated and acclaimed unanimously the DESIRABILITY of such an establishment within the University.

Along such lines only can Welsh education, from nursery to university, become one and indivisible and be in line with European and international educational practice. The project, however, is in danger of being filed and forgotten in the archives of the sub-committee set up to report progress. In the radio discussion that followed early upon the Court decision the difficulties were massed and marched with over-whelming weight of humour.

A reasoned article by Dr Iorwerth Peate in this week's *Baner ac Amserau Cymru* examines and opposes this parade of difficulties. Much was made of the need for external examiners on the honours schools in each subject taught. Dr Peate names a galaxy of Welsh-speaking scholars in these subjects who are retired from University service in Wales or who are now teaching them in other British universities.

Concerning the paucity of adequate textbooks he remarks that textbooks are implements only, and that to decry the lack of instruments without attempting a supply of craftsmen to use them is folly. Nor would University students read only Welsh books. English and German text-books, for instance, must be read by students of mathematics and statistics in Stockholm, though lectures are delivered in the Swedish tongue.

It was argued on the radio that a college giving instruction through Welsh would develop into a closed shop and be a little university inside the University. In a university that is already federal the four colleges and the School of Medicine enjoy much independence, while in each college certain schools (like agriculture in Aberystwyth and medicine in Cardiff) have but nominal intercourse with, or adherence to, the College as a whole.

This may not be a good thing, but it is an argument not against a Welsh-speaking College as much as against the whole conception of the University of Wales. The only real objection, concludes Dr Peate, is the prejudice of certain academic gentlemen who are out of touch with Welsh thought and sentiment.

But Dr Peate makes a positive contribution to the debate. For this he draws upon his knowledge of Scandinavian countries. Sweden, with seven million population, has three universities – Upsala, Lund and Stockholm. In each of these is a school of research staffed with professors, lecturers and research students. One specializes in folk literature, another in folk culture, and the third in Swedish dialects.

Sweden spends annually one quarter of a million pounds on these folk studies. Hardly does the Welsh University touch the hem of any one of these three fields of research and spends no money directly on them. Nor can it, argues Dr Peate, until a fully Welsh-speaking college in the University be established to guide such work.

There are people who say that to claim equality of status for a minority language is senseless. Yet minority tongues are recognized in true democracies – even a tongue spoken by only 2 per cent of the population is in Switzerland an official language.

It is a quarter of a century since a select committee deliberated on Welsh in education and life. Its report stirred with its criticism the Welsh conscience, and its recommendations have been more or less successfully adopted, not least by the Welsh department of the Ministry of Education.

Voluntary organizations like the Urdd, Undeb Cymru Fydd, Urdd Siarad Cymraeg and many more have accepted the claim to the totality of use of the native tongue. It is against this background only that the stand of the Council of the National Eisteddfod (for an all-Welsh Eisteddfod) can be appreciated.

The first half of this century has realized in many fields of thought and action that the nation's experience must be expressed fully in the Welsh language. The line of defence has been consolidated. The second half of the century must see advance all along the line.

Ysgrifau Llenyddol

ARWYDD Y GROG

✦

Ymffrostia f'enaid drwy fy oes
  Yn Santaidd Groes fy Arglwydd;
Wrth gofio am y Groes ei hun,
  'Rwy'n hoff o'i llun a'i harwydd.

Er mwyn i'm ffydd gael cysur mawr
  O'i gweld bob awr o'm bywyd,
Argraffodd Duw ei delw bur
  Ar natur a chelfyddyd.
                Y Flwyddyn Eglwysig

I

Y mae'r groes yn hŷn na Christnogaeth. Hyned yw â'r ddawn addurno a berthyn i ddyn. Enwir 385 o fathau ar groesau a ddefnyddir fel arwydd-luniau yn yr *Encyclopædia Heraldica*, ond nid oes mwy nag ychydig iawn ohonynt yn symbolau pwysig yng nghrefyddau'r cynfyd. Fel y llinell union, y cylch, y cilgant a'r triongl, y mae'r groes yn ffurf seml a naturiol fel na allai lai na'i hawgrymu ei hun i ddyn a oedd yn chwilio am gyfryngau i gyfleu syniad o brif nodweddion y bydysawd – yr awyr, y ddaear, pelydr goleuni; ac wedyn y bydysawd ei hun. Hawdd deall bod ei ffurf yn arwyddlun cyfleus o bethau sydd ar lun tebyg iddi, megis aderyn ar adain, dyn a'i freichiau ar led, a morthwyl deupen.

Defnyddiai'r Asyriaid y groes gyfochrog yn symbol o'r awyr a duw yr awyr. O'i chymhlethu trwy osod cylch am y pedair braich, saif am yr haul a chrogid hi ar wddf brenin y wlad honno fel y gwisgir hi gan lywyddion rhai o'n hurddau marchogion ni. Y mae teyrnwialen Apolo'r Groegiaid ar lun croes gyf-ochrog, ac y mae hefyd ynghlwm wrth arwydd Castor a Pholocs i bwysleisio eu cyswllt â'r byd serennol. Ymhlith y Galiaid hefyd, symbol o nefolion bethau yw hi. Gwisgir delw un o'r duwiau â llaeswisg wedi ei gor-chuddio â chroesau ac yn ei law chwith deil forthwyl, sef arwyddlun taranfyllt. Synnwyd darganfuwyr America o'i gweled yno ar foniwmentau crefyddol, a'i chymryd ganddynt yn braw pellach o ymweliad Sant Thomas, apostol yr Ynysoedd, â'r wlad. Cyfeirio y mae, serch hynny, at bedwar tarddle'r glaw, ac o hynny y gwynt hefyd a chwyth o bedwar ban y byd. Ymysg pobl China amgylchir y groes gyfrochrog â sgwâr i arwyddo'r byd. Y mae gair yno a ddywaid i Dduw lunio'r byd ar ddelw croes, ac yn rhyfedd dywaid Ierôm: 'Llun y groes, beth yw ond llun y byd o'i bedwar cyfeiriad.'

I'r Eifftiaid y mae'n dyled am fod y groes llun T mewn cymaint bri hyd heddiw fel symbol. Y mae'r groes a thrantol i'w gweled yn aml yn llaw brenin ac offeiriad a duw, ac ar welydd y beddau hi a ddefnyddir i ddihuno'r meirw i fywyd newydd. Mewn un cerflun deil duwies flaen y groes hon wrth ffroenau'r brenin, ac ar ei waelod y mae ysgrifen: 'Rhoddaf iti fywyd a chryfder a glendid, fel Ra, yn dragywydd.' Y mae'r ideogram a ffurfir o'r groes drantolog yn arwyddlun bywyd, ac nid rhyfedd iddi gael ei galw yn 'Allwedd Bywyd' a'i benthyg gan genhedloedd y Môr Canoldir i gyfleu meddylddrychau tebyg, a gwneuthur llun wynebau eu duwiesau bywyd, megis Aphrodite, Hermonia ac Artemis, â hi tan law'r Groegiaid.

Er anodded yw ffurf y Gamedion hi a ddefnyddir amlaf (nesaf at y gyfochrog) fel symbol. Fe'i ceir ar lestri pob rhan o wlad Groeg, ac aeth yn symbol dewisedig ar ddarnau arian pobloedd ardaloedd y Môr Canoldir. Y mae i'w chael ar addurnau claddu gogledd Ewrop, ar allorau a gwisgoedd y byd Rhufeinig hyd at Brydain ac ar offer rhyfel gwŷr yr Oes Bres. Yn India hi yw'r Swastica a'r Sawfistica, a dodir defnydd eang arni gan grefyddwyr y Bwda. Gosodir hi ymysg symbolau eraill yn y llun clasur o ôl traed y proffwyd, mewn llefydd amlwg wrth droed colofnau iddo ac am ei wddf ef a'i ddilynwyr. Saif y Swastica yn ysgrifen China am luosogrwydd a chynnydd a digonedd a hir oes. Yn Japan saif am y rhif 10,000, sef llawnder a digonedd eto. Rhy'r Hindŵ hi ar ei lyfrau cyfrifon heddiw, ac weithiau ar drothwy ei dŷ hefyd. Gwryw yw'r Swastica – y duw Ganesa; saif am yr haul a dydd, am oleuni a bywyd. Benyw yw'r Sawfistica – y dduwies Cali: nos a distryw. Ac eithrio'r defnydd hwn o'r Sawfistica saif y Gamedion bob tro am lwyddiant a bendith, emblem bywyd a digonedd a diogelwch. Ai am ei bod yn cynrychioli'r sêr yn eu cyrsiau, y lleuad, y planedau a'r nefoedd ei hun, a phob peth arall hunan-symudol – dŵr, gwynt, mellt, a thân? Os hynny, tyfodd yn naturiol yn symbol ffrwythlondeb a bendith a'r cyneddfau a berthyn i'r duwiau sy'n gyfrifol am dwf a llwydd yr hil ddynol. Y mae yn ei lle ym mhatrwm cardiau cynilo y Llywodraeth (y *War Savings Certificates*).

II

Ffordd i ddienyddio troseddwyr yw'r groes Gristnogol yn gyntaf. O hynny tyfodd i arwyddo poen erch y groes, unrhyw loes ddofn, ac yn olaf y cwbl a 'orffennwyd' yn angau Iesu Grist. Defnyddir dau fath ar groes i gosbi trosedd: y groes seml (*Crux Simplex*) a'r groes gymhleth (*Crux Composita*). Nid croes yw'r seml mewn gwirionedd, ond polyn â blaen nadd iddo. Trywanwyd drwgweithredwyr ag ef, neu eu hoelio arno. Gellir tair ffurf ar y gymhleth: y *decussalia* ar lun y rhif ✕ Rhufeinig, croes Sant Andreas; y *Commissa*, sef y groes ⊤ croes Sant Antoni; a'r *Missa*, sef y ffurf arni a gysylltid mewn traddodiad Cristnogol ag angau Calfaria.

Ni ddarganfuwyd angau mwy poenus erioed. Hoeliwyd y truan wrth ysgwyddau'r groes ar y llawr, a chodi'r rheiny i'w lle ar y boncyff. Bryd arall hoelid ef ar y llawr a chodi'r groes yn gyfan, a bwrw ei throed i dwll yn y ddaear. Weithiau codid y truan â rhaffau ac ysgolion at ysgwyddau'r groes oedd yn barod yn y ddaear, a'i hoelio yno draed a dwylo. Nid oedd ei draed fwy na dwy droedfedd o'r llawr ac nid fel y darluniau clasur yr ydym yn gynefin â hwy. Clywai'r gwatwar, siaradai â'r rhai a ddigwyddai fod wrth draed y groes, ac yr oedd yn hawdd estyn y finegr iddo i dorri'r syched creulon. Rhwygai pwysau'r corff ar hoelion y traed a'r dwylo, ac nid oedd bosibl symud; cronnai'r gwaed yn y cylla a chrawni. Rhwygai'r fflangell y croen, a thynnai'r gwaed a'r gwres dwyreiniol bryfed i aflon-yddu arno trwy gydol y pump i'r saith niwrnod y byddai yn trengi. At hyn oll yr oedd esgyrn bychain ynghlwm wrth y fflangell i sicrhau rhwygo'r croen, cymhellid y troseddwyr i ddwyn rhan o'u croes eu hun, croeshoelid rhai â'u pennau i waered, cynheuid tân wrth droed y pren i'r fflamau losgi a'r mwg fogi, gosodid anifeiliaid gwylltion arnynt i'w llarpio, a thorrid eu cluniau â bwyell ryfel yn erbyn y pren syth (fel ar eingion gof). Nid oedd y cywilydd yn llai ddim na'r boen; cyfodid y groes y tu allan i welydd y ddinas ar ochr ffordd fawr, lle y gallai pawb wrth fyned heibio watwar a thaflu cerrig; ni chroeshoelid neb namyn caethion a fyddai wedi ceisio dianc, a gwŷr poblogaidd a fyddai wedi annog gwrthryfel. Y groes hon a'i phoen a'i dirmyg, a oedd i'r Iddew yn dramgwydd ac i'r Groegwr yn ffolineb, a ddaeth yn symbol atgyfodiad ac yn arwydd gwaredigaeth i'r Cristnogion bore. Wedi i Gystennin wneuthur Cristnogaeth yn grefydd swyddogol yr ymerodraeth, ac ang-hyfreithloni croeshoelio troseddwyr, enillodd y groes barch a'i haddoli hyd yn oed.

Edrydd traddodiad i Elen, mam Cystennin, ddarganfod tair croes tan deml Wener a godasai'r paganiaid ar Galfaria. Nid oedd wybod pa un ohonynt oedd croes Crist: awgrymodd Macarius, esgob Caersalem, wyrth, a dim ond un a allasai iacháu cleifion. Sefydlwyd gwledd eglwysig i gofio'r darganfod, a chynhelir hi ar y trydydd o fis Mai bob blwyddyn – yr *Inventio crucis*. Rhannodd Elen y groes yn dair, a chyflwyno'r rhannau – un i Gaersalem, arall i Gaer Cystennin, a'r llall i Rufain. Daethai pererinion i Rufain i'w gwella o edrych ar y pren, a phrynu cyfran ohono wedi hynny os gallent. Po fwyaf a werthid mwyaf a fai ar ôl am fod cynneddf yn y pren rhinweddol i'w gynyddu ei hun. Yn OC 614 ysgyfaelodd y Persiaid groes Caersalem pan orchfygasant y ddinas, ond enillwyd hi drachefn a'i dychwelyd gyda gorfoledd a phasiant gwych ymhen pymtheng mlynedd. Eithr nid agorai pyrth y ddinas i'r orymdaith fonheddig. Deallodd y brenin fod yn rhaid iddo ddiosg ei esgidiau a'i arfogaeth, a gadael ei fyddinoedd, a dwyn y groes ar ei ysgwyddau noeth ei hun. Pan wnaeth, pallodd y gwrthwynebu gwyrthiol. Sefydlwyd gwledd eglwysig arall i gofio'r dychwelyd, a chynhelir hi ar y pedwerydd dydd ar ddeg o fis Medi bob blwyddyn – yr *Exaltio Crucis*. Y mae'r ddwy wledd mewn llythrennau breision yn y Llyfr Gweddi Cyffredin, er na chyfrifir hwy ym Mhrydain wedi'r Diwygiad.

Aethai ystyr hud ar bob dim a berthynai i angau Calfaria. Weithiau hoelid y ddwytroed gydai'i gilydd tan un hoelen, weithiau ar wahân, tan ddwy hoelen. Cyfrifir bod o dair i dair ar ddeg (yn ôl mympwy y cyfrifwr) o hoelion wedi eu defnyddio ar y groglith. Taflodd Elen un i'r môr wrth ddychwelyd o Gaersalem a thawelu storm arw. Bu un arall yn helm Cystennin, a chafwyd hi wedi ei phlygu gan gleddyfau a gwaywffyn ei elynion. Gwnaeth ef enfa i'w geffyl ag un arall, fel y gwireddwyd proffwydoliaeth Secareia am santeiddrwydd ar ffrwynau'r meirch.

III

Gwrthwynebai'r Cristnogion bore bob eilun-addoli. Dysgasai Iddewaeth 'na wna iti lun dim'; nid oedd amser i geinder na budd ynddo a diwedd byd a'r ail-ddyfodiad ar bwys; nid byd ysgafn, llawn llawenydd y Groegiaid hamddenol ond byd blin, llawn poen oedd yn ymwybod y Cristion caeth. Daethant, er hynny, i weled delw'r groes ym mhob man y croesai dwy linell mewn bywyd beunyddiol mewn celf ac anian. 'Y mae arwydd y grog wedi ei gosod ar natur gyfan; nid oes grefftwr braidd nad yw yn defnyddio ei ffurf yn ei offer crefft. Y mae yn rhan o ddyn ei hun fel y gwelir arno pan gyfyd ei freichiau mewn gweddi,' ebr Iestyn Ferthyr. Y mae ei delw ar emyn a cherdd a llên, celfyddyd a phen-saernïaeth, a'i llun ar ddarnau arian a bathau a choronau ymerodrol, ar lestri a llawysgrifau, arfau cad ac eirch claddu.

Tan gysgod y groes farchnad cyfarfyddai'r plwyfolion yn eu pentrefi, a hwy oedd symbol cyfiawnder trefol a rhyddid lleol. Y gosb eithaf ar Liège a allai Siarl Hyf oedd symud ei chroes farchnad i Bruges. Torrwyd plan eglwysi ar lun croes fel pan gyfodai'r gwelydd yr oedd gosgedd croes ar yr adeiladwaith, ac ar ôl gorffen yr oedd hyd cribyn y to yn un groes urddasol. Gosodid croesau yng ngwaith cerrig y gwelydd ac ar dalcennau'r eglwysi, ond nid oedd yn weddus ar y dechrau i'w gosod mewn palmant tan draed dynion i'w sangu. I berffeithio arfer yr addurno cymhlethid blodau a dail â'r groes i arwyddo gwialen Aaron a Phren y Bywyd. Codwyd cofgolofnau ar lun croes i ddangos bod yr ymadawed-igion wedi marw yn y ffydd, ac ar lafar gwlad y mae dyn yn ei arch a'i freichiau ynghroes ar ei frest 'o dan ei grwys'. Ond odid nad croesau Elen, gwraig Iorweth I, a gyfodwyd rhwng 1291 a 1294 i gofio'r mannau yr arhosodd ei chynhebrwng tros nos o Gaer Lwydgoed (Lincoln) i Charing yn Llundain – naw ohonynt – yw'r croesau coffa glanaf yn y wlad.

I ddysgu plant i ddarllen crogid wrth eu lwynau lyfrau corn, sef dalen femrwn neu bapur a chorn drosti rhag ei difwyno. O flaen yr wyddor a pha beth arall a fyddai ar y ddalen torrid croes i atgoffa'r plentyn mai diben pob gwybodaeth yw rhinwedd, a galw'r llyfryn yn Gris Crôs – *Christ's Cross* – am hynny.

Cystennin oedd y cyntaf i fathu'r groes Gristnogol ar ddarnau arian (ac fe saif ar ein dernyn deuswllt ni), ac Iwlian a'i dododd gyntaf yn y goron ymerodrol. Adeg rhyfeloedd y groes torrai'r marchogion ac urddau'r mynachlogydd hi ar eu baneri a charnau eu cleddyfau ac ar eu gwisgoedd. Tangnefwyd gwewyr esgor gwraig un marchog am iddo ei gorchuddio â'i glogyn a llun croes arno. Yr arfer hwn yw sail emblemau urddau marchogion a'r croesau anrhydedd heddiw, er nad oes a fynnont ddim â chrefydd. Croes Crist hefyd yw patrwn llumanau cenedlaethol fel yr *Union Jack*, sydd â chroesau Sant Sior a Sant Patrig a Sant Andreas mewn gwahanol liwiau yn gymhleth ynddi. Y mae pum croes ar allor y cymun yn yr eglwys i gofio pum clwyf y Gwaredwr.

Ni ddefnyddid y grogwedd (*crucifix*) hyd y seithfed ganrif, a cheir oen wrth ei throed a holl offer y croeshoelio hefyd – y morthwyl, yr hoelion, yr ysgol, y goron ddrain, y fflangell a'r waywffon, ei wisg Ef a dîs y milwyr. Gwahaniaethir rhwng croes y dioddef a chroes yr atgyfodiad. Gwyrdd y pren ir neu goch y gwaed a gollwyd yw lliw y gyntaf; glas y nefoedd neu wynder y dwyfol yw lliw y llall, a hi sydd ar flaen pob gorymdaith.

Nodir gwahaniaeth rhwng urddas swyddogion yr Eglwys Gatholig wrth nifer y breichiau sydd i'r groes a gludir ganddynt. I groes y Pab y mae tair braich (☰), i eiddo'r cardinaliaid dwy (╪), a'r esgobion un (†).

Mathid croes ar y brondlysau mwyaf eu bri a'r modrwyau a hoffid fwyaf a'r ornamentau personol amhrisiadwy. Aethai'r defnyddiau drutaf wedi eu cyfoethogi â gemau gwych a'u harddurno â phob cywreinwaith celf, i'w gwneuthur.

Tyfodd ymgroesi yn ddefod i achub y Cristion rhag pob drwg o du dyn dialgar, ysbryd aflan ac anian ddidostur. Ymgroesa aelodau Eglwys Rufain o'r chwith i'r dde ac aelodau Eglwys Gatholig y Dwyrain o'r dde i'r chwith. Ebr Tertwl yn y drydedd ganrif: 'Ar bob cam a phob symud, wrth ddyfod i mewn ac wrth fyned allan, wrth wisgo ein dillad a'n hesgidiau, wrth ymolchi, wrth fwyta hwyrbryd ar orwedd neu eistedd, pa osgo bynnag a fo arnom, argraffwn ar ein talcennau arwydd y grog.'

Rhy'r Pab ei fendith drwyddi, a defnyddir hi yn sacrament fedydd yr eglwysi Protestant. Hi sydd i atgoffa'r Cristion o'i broffes, ac â hi yr ymgroesa plentyn bach ar ei lw heddiw a dywedyd 'Cris crôs y Beibl,' a dywedwn ninnau 'Croes Duw rhagddo' am anfadwaith.

Adroddir i Ddiocletian, ac yntau yn ymladd yn y Dwyrain, orchymyn i offeiriad ei grefydd aberthu a sylwi ar goluddion y creaduriaid i ragwybod ffawd y cadau. Methodd y seremoni bedair gwaith, a pheri darganfod dau gapten o Gristnogion yno a ymgroesai pan gynigid aberthu. Daliai'r offeiriad mai presenoldeb gwŷr di-gred oedd yn drysu'r defodau.

Mae sŵn anghydfod tebyg yn oes y diwygiad Protestant hefyd, fel yn y ddyri hon:

> Arfer rhai wrth godi'r bore
> Yw troi bys o gylch eu trwyne,
> I geisio Croes Duw'r Mab i'w cadw
> Rhag pob drwg y dwthwn hwnnw.
>
> Nid yw Duw yn erchi gwneuthur
> Unrhyw groes yn yr Ysgrythyr;
> Nid yw'n addaw y caiff hynny
> Wared undyn rhag drygioni.

Carolau a Dyrïau Duwiol (1686)

IV

Pan ddaeth Cristnogaeth yn grefydd swyddogol y wladwriaeth, aeth yn faterol ei hamcanion ac enillodd gyfoeth a gallu daearol. Tâl uchaf ffydd-londeb iddi oedd eglwysdiroedd breision a choronau tywysogion y byd hwn. Yn sgil materoliaeth traflyncus deuai adwaith, a mynnai gwŷr a gwragedd ddianc rhag byd moethus i symlrwydd ac unigedd y meudwy a'r ancr gan dyngu llw o ufudd-dod a diweirdeb a thlodi. Poenydient eu cyrff, gan chwennych dioddefaint yn unig gyfoeth a heb feddiannu dim iddynt eu hunain ond bryntni. Hyn oedd eithafnod 'cyfodi'r groes' i'w profiad hwy.

Un a gododd groes drom felly oedd Simeon Stylites yn nechrau'r bumed ganrif, a ddihangodd i fynachlog a dioddef amser praw gerwin a myned oddi yno wedyn i fynydd dwyreiniol nid nepell o Antioch. Yno fe'i clymodd ei hun wrth gylch o gerrig a chodi hwnnw yn dŵr cul trigain troedfedd. Arhosodd arno ddeng mlynedd ar hugain, haf poeth a gaeaf oer, mewn osgo ddefosiynol, a'i ddwy fraich ar led. Suddodd y gadwyn i'w gnawd a phydru hwnnw nes iddo ddrewi a bod cynrhon yn syrthio ohono. Gwaith ei fywgraffydd a safai gerllaw oedd codi'r cynrhon drachefn i'r clwyfau, a dywedai Simeon: 'Bwyta yr hyn a osododd Duw i ti, frawd bach.' Yr oedd cornwyd yn ei forddwyd, a'r diawl a'i rhoddodd iddo am iddo fod yn or-chwannog i'w gredu pan wahoddodd yntau ef i esgyn fel Eleias mewn cerbyd tân i'r nefoedd.

Yng nghanol enbydrwydd rhyfeloedd y Groes nid rhyfedd i ddynion ddefnyddio arwydd y grog yn swyn rhag pob adfyd. Cyn hynny cyffes-odd hyd yn oed esgobion y gollyngasai taeogion di-ddysg eu gafael ar eilunod paganiaeth yn fwy llawen pe cawsent rywbeth tebyg yn iawn ym mynwes yr eglwys. Crogid y groes gyda phapurau a fformulae ar wddf rhag awch cleddyfau a min saethau. (Gwnaethpwyd yr un peth yn union yn 1914–18 hefyd.) Achubwyd Epidaurus rhag storm ar fôr trwy lun tair croes a dynnodd Sant Hilaria ar y tywod; cwympodd teml, codwyd coffin o'r môr, gyrrwyd fflamau yn erbyn y gwynt, a datgloid drysau wrth rin arwydd y grog. Gallodd Ioan yfed cwpan gwenwynig heb niwed wedi gwneuthur yr arwydd wrth ei ben, a throdd Sant Martin goeden a oedd ar gwympo arno, a dofodd Sant Ffransis flaidd. Profid dau wrthwynebydd yn y llysoedd deddf trwy eu gosod wyneb yn wyneb a'u breichiau ar led wrth groes. Yr un a flinai gyntaf a distwn ei freichiau a fernid yn euog. Os ysgrecha gwraig yng ngŵydd y grogwedd ddydd y Groglith troid hi yn wrach. Os digwydd i bioden hedfan o'r chwith i'r dde rhaid torri croes ar lawr. Y mae cynneddf ar gwpan Nanteos a wnaethpwyd o bren y wir groes i wella afiechyd. Os yw yfed dŵr ohono yn lles y mae bwyta'r pren yn fwy llesol. Am hynny bu raid rhoi cylch aur am ei ymyl rhag ei ddinistrio. Gwnaethpwyd gwely Crist trwy estyn hadau ar lun dyn ar groes bren a'i adael ar gae a gardd i hyrwyddo'r cnydio. Hyd heddiw defnyddia 'dyn hysbys' Sir Aberteifi arwydd y grog yn y fformiwla rhag anffodion ar greaduriaid a chnydau a reibiwyd. Ys llawer dydd torrwyd yr arwydd ar greaduriaid rhag digwydd niwed iddynt, a saif heddiw yn groes o bîg ar ddefaid wedi'r cnaif. Gyda'r mynachlogydd yr oedd y llaw orau ar wneuthur cwrw, ac arwyddlun geirda'r mynachod a sicrwydd daioni'r ddiod yw'r tair croes sydd heddiw ar fareli cwrw. Ymgroesa'r offeiriad Catholig wrth enw'r Gwaredwr a rhag digwydd iddo anghofio dodid llun croes ar ymyl y ddalen gyferbyn â'r enw. Benthyciodd y wasg y groes hon i dynnu sylw at nodyn ar waelod dalen o brint.

Ym mhob oes a lle a chylch gafaelodd arwydd y grog yn nychymyg dyn, ac nid rhyfedd i chwedl a barddoniaeth y drydedd ganrif ar ddeg greu o'i chylch lên gwerin gyfan fel pe bai hi yn beth byw. Pan fu farw Adda plannodd Seth frigyn o Bren y Bywyd ar ei fedd. Tyfodd, ac ohono y cafodd Noa goed yr arch, ac Aaron y wialen a flodeuai, a Solomon goed ei Deml, a Christ bren Ei Groes. Claddwyd honno ar Galfaria a'i darganfod gan Elen, a'i dwyn gan y Persiaid. Adenillwyd hi a'i cholli drachefn i'r Mwslim, ac nid oes wybod lle y mae hi heddiw. Eithr fe ddaw eto ar gymylau'r nef a Christ yn barnu'r byw a'r meirw yn y dydd diwethaf.

DRAMA FAWR GYMRAEG: PAM NA DDAETH ETO?

✦

Y mae'n syndod bod gwŷr a fyn fod yn feirniaid yn dal i feio ar ddramawyr am na ddaeth y ddrama fawr Gymraeg eto. Nid ar y bywyd Cymreig y mae'r bai, ebe hwy; y mae hwnnw'n ddigon dramatig.

Wrth gwrs, y mae bywyd, lle bynnag y bo, yn llawn drama. Ond nid bob amser y gellir creu drama ohono er ei ganfod yn gywir. Ar gyflwr y bywyd Cymreig dramatig y mae'r bai na ddaeth dydd y ddrama fawr.

Rhan o boblogaeth Cymru sy'n siarad y Gymraeg, a rhan lai yn ei darllen. Nid yw'n ddigon i gynnal llenor ar grefft ysgrifennu. O gariad at y gwaith y gweithia pob llenor o Gymro, a dim ond oriau prin, wedi gorffen ennill 'bara a chaws' wrth alwedigaeth arall, sydd ganddo i lenydda. Gellir gwneud darnau byr llên yn weddol felly.

Y stori a'r ysgrif

Y mae'r stori fer yn nwylo Kate Roberts, ysgrifau Parry-Williams, mân erthyglau yn y cylchgronau, a'r englyn a'r cywydd (a'r awdl yn eu sgil), ar safon uchel. Y mae'n bosibl llunio'r rheiny ar eisteddiad noswaith, wedi gorffen gwaith.

Nid oes lewych ar gynhyrchion hwy; ni chafwyd nofel na drama hir na llawer o feirniadaeth lenyddol o safon, ac eithrio un neu ddau. Cynhyrfir y crëwr â gweledigaeth, ond nid oes i'r Cymro gyfnod cyfan fel y gall ysgrifennu'n ddi-dor tra pery gwres ei deimlad. Anwastatrwydd bratiog, di-orffen yn unig a all ddilyn hynny ar waethaf gwychter gwel-edigaeth y llenor.

Nid oes neb yng Nghymru'n gallu byw yn y chwaraedy, ac felly wybod popeth amdano – ei anghenion a'i gyfle.

Nwyd ysgrifennu

Am fod cyn lleied yn darllen Cymraeg, ni all y papurau enwadol a chenedlaethol yn aml dalu i ysgrifenwyr am eu llafur. Pe gallent, buasai'n gefnogaeth i ddechreuwyr ar y grefft, ac efallai, ymhen hir a rhawg, y codai dramäwr mawr. Ni chwyd dramäwr nac unrhyw lenor arall wrth i feirniaid floeddio 'Bydded' nerth min eu pin sgrifennu.

Nid oes neb yng Nghymru yn brentisiaid llenyddol cyson. Rhaid i'r nwyd ysgrifennu ei mynegi ei hun orau y gallo. Gwna hynny tan an-awsterau, oherwydd cyflwr y bywyd Cymreig. Un o anhepgorion drama fawr yw canolfan i'r bywyd a ddarlunnir, fel y mae Llundain yn Lloegr. Yn wir, Llundain bell yw canolfan Cymru hefyd – ohoni hi y rhed dylanwadau ac iddi hi yr â llawer o'n cynnyrch – hyd yn oed bysgod Sir Benfro a dramawyr gorau Cymru! Y Saesneg yw iaith Llundain, ac y mae llenorion llwyddiannus fel J. O. Francis yn deall hynny. Am nad oes ganolfan Gymreig, nid oes yng Nghymru na llys brenhinol na swydd-feydd llywodraeth, na thai masnach canolog na banciau Cymraeg, na chwaraedai ychwaith, yn arwyddion unoliaeth bywyd gwlad.

Y mae defnydd crai llawer o ddramâu Lloegr yn eisiau yn ein bywyd ni, ac anaml iawn y llwydda drama o'r wlad, am y werin, yn y trefi mawr. Os cais Cymro lunio drama o fywyd Cymreig am droseddwyr beiddgar, nid oes ganddo Gymro, ond plismon y pentref, i'w gysylltu â pheirian-waith y ddeddf. Ni all na dramäwr na chynulleidfa *ddychmygu* ditectif yn Gymro heb dreisio pob gwirionedd dramatig. Mewn prifddinas y mae'r bobl a dâl am ddrama. Yno, gall llys brenhinol noddi'r chwaraedy; gall cynffonwyr swyddi cyhoeddus ennill bri trwy gefnogi drama; gall cwmnïoedd drama wrth eu crefft gyflogi dramäwr swyddogol.

Dramâu D. T. Davies

Ni ellir dim o'r fath yn y Gymraeg, oherwydd bod y bywyd Cymreig yn wasgaredig, yn ddi-ganolfan, yn 'answyddogol,' heb unoliaeth dinas na chenedl, nac arian canolog i'w gefnogi.

Y mae dau fywyd yng Nghymru, a'r ddau'n ddramatig. Canolfan bywyd y wlad, y man y profir cymdeithas gwŷr â'i gilydd, yw'r pentref a'i sefydliadau – y capel, y siop a gweithdy'r crefftwr. Rhaid i'r dramäwr weld ei ddrama – os yw am osgoi 'golygfa yng nghegin tŷ fferm' sy'n tramgwyddo'r beirniaid – yn rhith pregethwr a blaenor (a churad mewn comedi), a groser a saer a phlismon.

Dyma bethau sy'n esgymun heddiw, er mai hwy yw'r cyfan sy'n aros o'r *bywyd Cymreig cymdeithasol*. Ai am mai D. T. Davies oedd y cyntaf i weld hyn y saif ei ddramâu cynnar gyda'r gorau a feddwn? Ond ymh'le y mae ef heddiw na fyddai efe'n ysgrifennu'r Ddrama Fawr? Dichon bod ofn arno yntau ei ailadrodd ei hun, gan guled gorwelion y bywyd Cymreig pur; peth enbyd fyddai llên-ladrata'i waith ei hun.

Dramâu Idwal Jones

Bu bron i Idwal Jones lwyddo am iddo chwarae â bywyd myfyrwyr Cymru – ond methodd lunio hwnnw ag apêl genedlaethol iddo; gorfu arno ef, *o bawb*, wneuthur pregethwr o'i dramp i'w achub. Ni allai wneuthur gweinidog yn y llywodraeth nac un dim arall swyddogol ohono am nad oes neb felly, yn nychymyg y wlad, yn siarad Cymraeg.

Ac nid oes i'r bywyd gwledig hwn iaith safonol ychwaith. I'w gyflwyno ar lwyfan, rhaid i'r ddrama fod mewn tafodiaith. Y mae'n rhaid i chwarelwyr *Ffarwel i Addysg* (Kate Roberts), wrth ymddangos yn y de, droi'n lowyr, a siarad iaith y de, a rhaid i lowyr *Ble Ma' Fa?* (D. T. Davies) siarad iaith newydd i'w deall yng Nghaernarfon. Gall tafodiaith fod yn gain, ond nid oes ar lwyfan Cymru iaith safonol i hwyluso gwaith y dramäwr.

Glastwr y trefi

Efallai bod y beirniaid yn credu bod bywyd Cymreig yn y dinasoedd a'r trefi diwydiannol. Nid oes ynddynt ddim ond Tregaron-oddi-cartref a Llanbryn-mair-ar-goll-ym-merw'r-ddinas. Glastwr o laeth bywyd pentref yw Cymreigrwydd y trefi – y capel, y gweinidog a'r blaenor.

Collwyd rhai elfennau hefyd: llyncwyd y groser yn y siop gangen, a'r saer yng nghynhyrchiad celfi parod. Cymysgwyd y tafodieithoedd yn y Fabel fodern. Y mae'r gweinidog yn ŵr gradd wedi 'gloywi' ei Gymraeg, y pen-blaenor efallai'n Gardi, y cyhoeddwr yn fab Môn, a'r aelod onest, moesol, yn un o 'wŷr y gloran'. Dyna gymysgedd i lunio ohono gyfan-waith celfyddyd!

Am ran arall y bywyd dramatig, peth hanner-Cymraeg-hanner-Saesneg ydyw. A geisiodd y beirniaid lunio drama Gymraeg am y bywyd hwn erioed? Cyflwynaf iddynt blot a'm drysodd i ar fyr o dro.

Llunio stori

Mynnwn ddangos goruchwyliwr pwll glo yn Gymro llengar (a allai fyw'n gysurus yn Llanbryn-mair); a'i fab ag enaid Seisnig ar ôl bod yn Rhydychen a dyfod yn Rhyddfrydwr twym; yr oedd ei gariad yn ferch ifanc o Brifysgol Cymru, ac yn aelod o'r Blaid Genedlaethol; ei thad hi oedd arweinydd Comiwnyddion y pwll hwnnw.

Dyna ddefnydd dramatig. Lluniais stori i'r ddrama'n rhwydd. Ond yr oedd yn rhaid i'r goruchwyliwr yn yr act gyntaf anfon neges ar y ffôn o'r tŷ i'r gwaith. Sais oedd wrth ben arall y wifren, am na ellir *dychmygu* am oruchwyliwr yn siarad Cymraeg â'i weision cyflog. Yr oedd yn rhaid i'r

Comiwnydd yn yr ail act annerch ei gymrodyr ar gongl stryd (neu gyfleu'r argraff ei fod yn gwneuthur hynny).

Arbraw newydd

A geisiodd y beirniaid wneuthur hynny yn Gymraeg wrth dorf o bobl gymysg newynnog? Rhaid i'r ddrama fod yn ddwyieithog – Cymraeg i'r rhannau urddasol, teuluol, cyfeillgar, a Saesneg i'r berthynas dramor newydd rhwng meistr a gwas, a rhwng y di-dras a'i gilydd.

Yn wir, o sylwi ar y ddrama hon a fu farw cyn ei geni, gwelir mai haen denau rhwng dau drwch o Seisnigrwydd yw'r bywyd Cymreig – tipyn o gig rhwng tafell Seisnigrwydd caethweision tlodi a thafell Seisnigrwydd caethweision ffug-fonheddig.

Tybed mai am fod D. T. Davies o hyd yn fyw i broblem y ddrama fawr y tawodd cyhyd, a bod *Toriad Dydd* ganddo'n ddwyieithog, nid yn gymaint yn bropaganda dros ddysgu Cymraeg, ag yn arbraw ar foddau newydd?

Byd at eu galw

Y mae byd cyfan at alw dramäwr o Sais. Os â athro o Loegr i'r Tyrol, nid yw'n drais disgwyl cael gŵr y gwesty'n siarad Saesneg; os yw gwŷr o'r Amerig yn chwilio am olew yng nghanol Ewrop, cânt forwyn fach yn dysgu Saesneg digon da i bwrpas creu drama: ped ai Sais i Begwn y Gogledd, ni byddai'n anodd dychmygu bod brodorion y lle hwnnw'n gallu Saesneg. Ni ellid dychmygu bod neb yn siarad Cymraeg yn y mannau hyn. I brofi hynny, ceisied y beirniaid droi *Autumn Crocus* neu *Musical Chairs* i'r Gymraeg.

Gellir, rywbryd, wedi prentisiaeth ddigon hir, gael drama hanes fawr Gymraeg, ond mynd yn ddigon pell yn ôl. Dywedodd rhyw hanesydd ar awr wan fod hanes Cymru'n cwpláu yn 1485, ac i bwrpas drama hanes, y mae hynny'n wir.

Ni ellir amgyffred am Syr Henry Morgan yn gorchymyn môr-ladron o bob parth yn Gymraeg, nac am Henry Richard yn y Devonshire Club, neu John Penry yn y llysoedd, neu sylfaenwyr Prifysgol Cymru yn eu pwyllgorau, neu borthmyn gwartheg ym marchnadoedd Lloegr, neu'r tadau Methodistaidd yn Sasiwn Watford, neb yn parablu Cymraeg, heb dreisio ar grediniaeth cynulleidfa.

Ein gobaith – drama hanes

Gellir meddwl am Iŵl Cesar neu'r Derwyddon, am Hywel Dda neu'r barwniaid Norman yn siarad Cymraeg, am ddau reswm. Nid Saesneg oedd eu hiaith na Seisnig eu bywydau, ac y mae hawl i Gymro, heb dreisio dychymyg neb, roi'r iaith a fynno yn eu genau.

Creadigaeth dychymyg a fydd y ddrama hanes, ac nid gwiredd fel y mae'n rhaid i feirniadaeth ar y bywyd Cymreig presennol fod. Nid yw'n anghytnaws â dychymyg dyn i roi Cymraeg ar eu tafodau; gellir cludo'r rhith o'r llwyfan. Y ddrama hanes yw'n hunig obaith hefyd i ddianc rhag tafodiaith. Pam na orffennodd Saunders Lewis ei *Blodeuwedd*?

Ystyried y beirniaid eto gyflwr y bywyd Cymreig sy mor llawn o ddrama, ac o chredant y gallant wneud yn well na'r rhai sydd heddiw'n ymgodymu â'r 'cawrfil anhywaith,' troent eu llaw feirniadol ati i greu'r ddrama fawr Gymraeg.

DIALECTS PROBLEM ON THE WELSH STAGE

✦

One result of our traditional kitchen-peasant drama is that we have no plays of youth, no youthful heroes and heroines. Our stage has been stolen for the conflicts of middle-age. There are young characters in most of the plays, but youth plays in Welsh drama the part that the butler and the parlour-maid play in West End society dramas: it fetches and carries the straggling ends of the plot, it opens and shuts the doors of opportunity so that elders may make their exits and their entrances.

Our drama, designed on village (i.e. chapel) life, excommunicated by the chapel, refuses, like the chapel, to recognize that youth, *in his own right*, must be able to strut his hour upon the stage. Perhaps it is because English plays, in the main, make the all-absorbing problems of youth the centre conflict on the stage that the youth of Wales prefers English to Welsh dramas (even in Ammanford, as Mr J. C. Griffiths-Jones showed) and not because they fail to understand the language.

The one-act student plays of Idwal Jones, the first two acts of *Ffarwel i Addysg* (Kate Roberts) – in the third act she introduced the adult conflict – and the Welsh children's hour gangster play, *Y Seren Ddu* (John Griffiths), are experiments in giving youth a square deal.

The need for realism in the peasant play has given dialect-speech a long innings. Sadly enough, at the moment when we should all strive to ensure the growth of a *national* drama movement, a strife between the merits of North and South dialect has arisen. (Similarly, well-intentioned remarks about the part played by the North in Drama League activities are dangerous!)

When stage and radio elect to make full use of plays the dialogue of which can be understood throughout the Principality, a national theatre may be ours. The work of the National Theatre, with *Pobun* and *Llwyfan y Byd*, is important in this connection, and so are plays by Cynan and Saunders Lewis and translations by Ifor Williams and Williams Parry and others.

In a bilingual drama-week the same people form, on one evening a Welsh audience, on another an English audience. The demand they make on the stage and their reaction to the dialogue is as different as one night is from the other. The Welsh play need only *amuse* in the sense that it engenders uncontrolled laughter: the English play must set an artistic problem. Welsh dialogue need only be farcically funny or tearfully sad; English dialogue has to be cleverly witty or poignantly dramatic. I am not sure whether this is snobbish imitation or true theatre discipline. But in any case, the writer of Welsh drama is hindered from putting substance in his dialogue or real drama in his plays.

YR EISTEDDFOD A'R DDRAMA

✦

A bod gofyn olrhain y mudiad drama Gymraeg fodern i un dyddiad arbennig, 1879 fyddai hwnnw. Y flwyddyn honno, yn Eisteddfod Genedlaethol y De yng Nghaerdydd, cynigiwyd gwobr am ddrama 'yn ymwneud â bywyd Cymreig.' Yn yr un flwyddyn, cynigiodd Eisteddfod Gadeiriol Eryri (Llanberis) wobr am 'y Chwareuaeth Gymreig orau yn ôl dull Shakespeare.' Beriah Evans a aeth â'r wobr yn y ddau le, â *Gwrthryfel Owain Glyndŵr*. Dyna'r ddrama Gymraeg gyntaf a gyfansoddwyd, ac actiwyd hi yn Llanberis yn 1881; ac aelodau Pwyllgor yr Eisteddfod oedd 'hogiau'r ddrama,' fel y gelwid yr actorion.

Bu farw Twm o'r Nant yn 1810, flwyddyn cyn sefydlu'r Methodist-iaid yn Gyfundeb ar wahân. Rhwng gwrthwynebiadau'r Methodistiaid a'r llenorion clasur yn niwedd y ddeunawfed ganrif, bu farw'r interliwd, a bu distawrwydd dramodol hyd nes bod y nofel wedi ennill parchus-rwydd, a dyfod dadleuon ac ymddiddanion wedi eu seilio ar yr Ysgrythur yn boblogaidd yn y cyfarfodydd llenyddol a'r Ysgol Sul, a chyhoeddi crynswth ohonynt rhwng 1850 ac 1880. Yn 1870, cyhoeddodd Beriah Evans nifer o ddramâu byrion i blant, ac actiwyd hwy yng Ngwynfe ac yn Llansamlet. Yn Aberffraw, 1849, gwobrwywyd cyfieithiad o *Henry IV* ac yn *Y Traethodydd* yn 1866 cyhoeddwyd cyfieithiad o *Julius Caesar*. Dyna dras y ddrama hyd nes i'r Eisteddfod, drigain mlynedd yn ôl i eleni, ddechrau cynnig gwobrwyon am ysgrifennu dramâu.

Dramâu yn ymwneud â hanes Cymru oedd y dramâu Cymraeg cyntaf – sail drama genedlaethol, drama yn cydnabod hawl cenedl arni. Dyma res o deitlau drama arobryn yr Eisteddfod hyd at ddechrau'r Rhyfel Mawr:

1884 (Lerpwl) *Gruffydd ab Cynan*
1886 (Caernarfon) *Buddug*
1888 (Wrecsam) *Y Mwnwr Cymreig*
1889 (Aberhonddu) *Rhamant Hanesyddol Fer*
1891 (Abertawe) *Traeth y Lafan*
1894 (Caernarfon) *Owain Tudur*
1897 (Casnewydd) *Cyflafan y Fenni*
1899 (Caerdydd) *Ifor Bach*
1900 (Lerpwl) *Yr Archesgob Williams*

1902 (Bangor) *Bywyd Cymreig yn y 18fed neu'r 19eg Ganrif*
1904 (Rhyl) *Rhys ab Tewdwr Mawr* a *The Banner of the Red Dragon*
1909 (Llundain) *Bywyd Cymreig yn yr Oes Hon*
1911 (Caerfyrddin) Tair Drama: *Bob Morgan, '68, Asgre Lân*
1912 (Wrecsam) *Owain Gwynedd*

Ni bu cystadlu yn 1885 (Aberdâr), 1887 (Llundain), 1892 (Rhyl), 1893 (Caerdydd), 1895 (Llanelli), 1898 (Ffestiniog), 1901 (Merthyr), 1903 (Llanelli), 1910 (Bae Colwyn), 1913 (Y Fenni). Ni chafwyd teilyngdod ar Rhys Goch Eryri (1890, Bangor), Unrhyw Destun (1896, Llandudno), Bywyd Cymdeithasol yn y Ddeunawfed Ganrif (1905, Aberpennar), Owain Lawgoch (Caernarfon, 1906), Dramawd yn ymwneud â Hanes Cymru (Llangollen, 1908). Gwobrwywyd tair drama fer yn Abertawe, 1907.

Yn Eisteddfod Bangor, 1902, dywedai Mr Lloyd George ei fod 'yn gobeithio gweled adfywiad i'r ddrama genedlaethol yng Nghymru . . . a cheid yn hanes Cymru ddigon o ddefnyddiau i chwaraeadau difyr ac addysgol'. Yn Eisteddfod Caernarfon, 1906, bwriedid chwarae'r ddrama orau yn y gystadleuaeth gyfansoddi, ond nid oedd neb yn deilwng, a chan hynny chwaraewyd *Caradog* Beriah yn y Pafiliwn – cyswllt actiol cyntaf yr Eisteddfod a'r ddrama. Adeg arwisgo Tywysog Cymru yng Nghaernarfon, 1911, chwaraewyd *Glyndŵr* Beriah, nos Lun yn y Pafiliwn, a nos Wener yn y Castell.

Mewn Cymraeg safonol ac nid mewn tafodiaith yr ysgrifennid y dramâu hanes, a'u diben oedd darlunio'r gorffennol ac nid ceisio portreadu na dehongli bywyd oes yr ysgrifenwyr.

Eithr yn nechrau'r ganrif newydd daeth newid. Eisoes pan oedd prinder dramâu hanes, chwaraeasid deialogau a chymeriadau Daniel Owen, mewn Cymraeg sathredig a golygfeydd realistig. Bu dylanwad Cymdeithas Dafydd ap Gwilym ac adrannau Cymraeg Prifysgol Cymru yn drwm ar bob cangen o'n llên, ac ar y to newydd o ddramawyr yn gymaint â neb. Daeth y ddrama yn rhan o lenyddiaeth golegol tan ddwylo D. T. Davies, J. O. Francis, R. G. Berry a W. J. Gruffydd. Dyma gyfnod dylanwad Ibsen ar theatr Lloegr, a dramawyr fel Galsworthy a Shaw, a thrwyddynt hwy daeth realaeth newydd i'r ddrama Gymraeg. Bellach, tafodiaith yw iaith y ddrama, beirniadaeth ar fywyd cyfoes yw ei hamcan, ceisio gosod ar lwyfan olygfa fel y mae hi mewn bywyd yw ei dull. Yr oedd cyflwr bywyd Cymru yn addas gyfleus i'r dramawyr newydd *iconoclast* hefyd, gan iddynt ddod yng nghyfnod y gwrthdaro rhwng dwy oes a dau draddodiad. Dyma gyfnod tranc Anghydffurfiaeth a chyffes ffydd, a dyfod agnosticiaeth a'r 'ddiwinyddiaeth newydd'; cyfnod marw Radicaliaeth a dyfod Sosialaeth; cyfnod difetha cymdeithas tyddynwyr-a-chrefftwyr gwledig, a chreu'r proletariat diwydiannol yn y Sowth.

Wrth gwrs, gwellhaodd techneg y dramawyr newydd lawer iawn o'i chymharu â thechneg y dramawyr hanes. Dywed D. T. Davies (*Welsh Outlook*, 1933) amdanynt: 'The authors revealed a closer acquaintance with the limitations of drama as a literary form, with the necessary conventions enforced upon it by the theatre.'

Cyn dyfod y Rhyfel, dygodd y Dadeni cymdeithasol cymhleth ar dechneg well eu ffrwyth. Nid oes raid ond enwi *Asgre Lân* (R. G. Berry, Eisteddfod Caernarfon, 1911), *Change* (J. O. Francis yng nghystadleuaeth Howard de Walden, 1912), *Ble Ma' Fa*? (D. T. Davies, Eisteddfod Prifysgol Cymru, 1913), *Beddau'r Proffwydi* (W. J. Gruffydd, Cymdeithas Gymraeg Coleg Caerdydd, 1913). Ni ellir llai na sylwi gymaint yw dylanwad addysg golegol ar y mudiad.

Yn Eisteddfod y Fenni, 1913, gwahoddodd Cymdeithas y Cymmrodorion Elphin a Llewelyn Williams i siarad ar y ddrama. Yno dadleuai Elphin, a enillasai wobrau'r Eisteddfod yn 1897, 1899 a 1900 am ddramâu hanesyddol bob tro, tros ddramâu cymdeithasol yn ymwneud â'r bywyd cyfoes. Dywedodd nad oedd dim yn y bywyd yn rhy ddistadl i'r dramäwr, a phroffwydodd y byddai esgobion, pregethwyr, blaenoriaid, aelodau Senedd ac ustusiaid heddwch, o anghenraid yn britho'r ddrama newydd. 'Gadewch inni ddechrau â'n cyfnod ein hunain, gan ddelio â'r hyn a wyddom, ac efallai y medrwn wedyn wneyd dramâu hanes. Dyna ffordd Ibsen . . . Mwyaf cartrefol fydd, agosaf i gyd y cyffwrdd stori'r ddrama ein calonnau.' A phan gofiwn i Eisteddfod Eryri, 1879, ofyn am 'y Chwareuaeth Gymreig oreu yn ôl dull Shakespeare', a bod Shakespeare a'r ddrama ramantaidd Saesneg wedi bod yn batrwm am chwarter canrif i'r ddrama hanes, sylweddolwn y pwyslais newydd pan ddywed Elphin fod y 'ddrama Shakespearaidd wedi ei hysgrifennu. Afraid i neb geisio efelychu Shakespeare.' Wrth orffen, dywedodd: 'Pan gyfyd y dramäwr o Gymro, ofnaf y bydd yn rhaid iddo wynebu'r un anhawsterau ag a ddaeth i ran Ibsen, a'r un elyniaeth hefyd.' Yr oedd Ibsen, a syniadaeth gymdeithasol Sosialaidd Shaw, wedi ennill bryd bechgyn y colegau ac wedi mynnu'r dydd ar y ddrama hanes. Nid Owen M. Edwards yn unig oedd yn dyheu am i'r ddrama 'ddod yn ei brethyn cartref, yn siarad Cymraeg, yn ddrych o fywyd hygar y Cymry'.

Gan hynny, pan gynigiodd yr Eisteddfod Genedlaethol am y tro cyntaf (Bangor, 1915) wobrau am actio, gofynnai 'am y perfformiad gorau o unrhyw ddrama Gymraeg yn dal cysylltiad uniongyrchol â'r bywyd Cymreig'. Nid rhyfedd i bum cwmni gystadlu ar *Beddau'r Proffwydi*, ac i honno ac *Asgre Lân* ymddangos yn y praw terfynol. Y mae teitlau'r dramâu eraill a berfformiwyd yn arwyddocaol. Nid yw dramâu hanes arobryn yr Eisteddfod i'w canfod, ond ceir dramâu disgrifiadol 'mewn brethyn cartre', fel *Rhys Lewis*, *Enoc Huws* a *Helyntion Teulu'r Hafod*, a dramâu diwygiadol fel *Stori'r Streic*, *Y Deffroad* ac *Endaf y Gwladgarwr*.

Daeth y Rhyfel â llif realaeth cryfach yn ei sgil. Tyfodd yr agnosticiaeth newydd a wawdiasai Anghydffurfiaeth, yn annuwiaeth. Cafwyd bod y gymdeithas urbanaidd broletaraidd, a fu'n clochdar ar fedd y gymdeithas wledig, ei hun yn gymdeithas o ddiweithdra diffrwyth. Disodlwyd Sosialaeth ddiwygiadol 1904 a ddisodlasai'r hen Radicaliaeth, gan Gomiwnyddiaeth Coleg Ruskin. O'r herwydd, bu raid i'r ddrama Gymraeg real, wrth geisio tynnu ffotograff o'r datblygiad hwn, ddatblygu'n orrealaeth aflednais.

Am na allodd y diwygwyr dramodol cynnar gymryd y cam rhesymegol hwn, a mentro ar ddisgrifio 'blaenoriaid' gwaith ac Undeb Llafur, neu Phariseaeth a budr-elwa llywodraeth leol, neu'r pydredd-enaid a ddaw o hir segurdod gorfod, tawsant â'u dramâu. Nid oes na thwf na newid yn *Gwerthoedd* D. T. Davies, o'i chymharu ag *Y Pwyllgor*, ond bod symud y 'gegin' yn grwn i'r tu hwnt i'r llen. Dichon bod *Y Ddraenen Wen* (1922) a *Gwyntoedd Croesion* (1922), gan R. G. Berry a J. O. Francis, yn eithriadau.

Eddyf Mr D. T. Davies (*Welsh Outlook*, 1933) ei fod yn ymwybod â'r broblem. 'Pre-war plays dealt with a state of Society that was well-set, and had been so for some time. Therefore social, political, moral, and religious values could be more easily assessed, and conveyed in terms of character and circumstances.' Yna, enwa Mr Davies res hir o'r elfennau rhwygol diorffwys a ddaeth wedi'r Rhyfel, ac meddai: 'Tremendous stuff all this for drama – but not just yet. It is seldom that an adequate form of art is produced while society is in a state of flux. The artist who is in the middle of it cannot but have impressions that are confused and fugitive – . . . The only possible way of dealing with this mess may be by such a hybrid form as *Cavalcade*.'

Ond lle ni allai efe na'i gyfoeswyr fentro, y mentrodd Ieuan Griffiths yn *Yr Oruwchwyliaeth Newydd*, a Jack Jones yn *Gwlad fy Nhadau*. Y mae perygl i lwyddiant Mr Jack Jones ar lwyfan Llundain beri i ddramawyr Cymru gredu mai ar ffordd realaeth y daw'r ddrama Gymraeg Genedlaethol, a chau eu llygaid i'r ffaith bod diddordeb un-llygeidiog yn y broletariaeth adrannol yn gwadu'r sail genedlaethol a sicrhawyd yn yr hen ddrama hanes. I'r mesur y disgynnodd y ddrama yn dafodieithol, y bodlonodd ar fod yn daleithiol. I'r mesur y llwyddodd i dynnu llun byw o un rhan o gymdeithas y caeodd ei llygaid ar genedl.

Ni buom heb rybudd. Yn Y Fenni, 1913, siaradodd Llewelyn Williams ar ôl Elphin. 'Nid wyf yn credu y crëir y ddrama Gymraeg wrth roi bywyd cyfoes mewn dull realistig ar lwyfan ein gwlad. Dim drama fyw o fywyd i mi . . . Rhaid iddi gael ei hysbrydoliaeth nid yn unig o fywyd y genedl heddiw, ond hefyd o ddraddodiadau a chwedloniaeth y gorffennol.' Ei awgrym cynnil yw mai swydd drama yw dehongli ac nid ail-gynhyrchu'r gorffennol, na thynnu llun statig o gymdeithas gyfoes. Iddo ef, swydd bardd yw swydd dramäwr, ac nid swydd cyfrifydd ffiguarau. A rhaid i'w awen 'ymwneud â'r pethau mwyaf hanfodol a berthyn i ni fel cenedl'.

Wrth ymdrin ag actio dramâu Bangor, 1915, dywed y beirniad: 'Clywsom rai pethau oedd yn peri poen i ni. Nid rhinwedd yw gwneud dyn meddw yn destun difyrrwch; nid oes angen dyblu a threblu geiriau a ystyrrir yn gyffredin yn drosedd ar chwaeth uchel.' Hola wedyn: 'A ydyw yn iawn darlunio cymeriadau pwdr a llygredig ar y llwyfan; a ydyw yn deg dewis cymeriadau eithriadol megis blaenoriaid diegwyddor?' Yna gobeithia am y ddrama 'y bydd iddi gael ei chadw ar linellau cywir fel y bydd ei dylanwad yn gryf i feithrin a dyrchafu llenyddiaeth, rhinwedd, a moes'. Cais gysur i'w enaid blin o fod yr actorion 'yn aelodau blaenllaw a dichlynaidd mewn gwahanol eglwysi. Yr oedd dau gwmni yn perthyn i'r Annibynwyr, dau i'r Methodistiaid, dau i'r Bedyddwyr, ac un i'r Eglwys Sefydledig, a gwelwn gyda phleser fod y gweinidogion yn cymryd diddordeb dwfn ynddynt.'

Cyn gynhared â hyn, sef ym mlynyddoedd llwyddiant bore realaeth, yr oedd ysgrifen ar y mur. Erbyn 1934, pan oedd realaeth yn ei anterth, pa ryfedd i'r proletariat *class-conscious* ystyried bod y ddrama gymdeithasol yn enllib ar ei dosbarth?

Dywedodd Mr D. T. Davies yn yr *Outlook* mai'r dryswch hwn oedd defnydd drama'r dyfodol, a'r eiliad nesaf, ar sail profiad deuddeng mlynedd o feirniadu cynhyrchion yr Eisteddfod, dywed: 'The post-war Welsh plays that have emerged successfully scarcely touch upon contemporary life.' A dyna arwydd cyfeiriad newydd i'r ddrama Gymraeg.

Daeth yn gyntaf wrthryfel yn erbyn tafodiaith. Pan drowyd gweithiau prif dderwydd realaeth, Ibsen, i'r Gymraeg, athrawon Cymraeg y colegau a'u trodd, a mynnu bathu Cymraeg llafar glân i'r llwyfan. Hynny a wnaeth Gwynn Jones â *Dychweledigion* ac Ifor Williams â *Tŷ Dol* – dramâu cymdeithasol Ibsen. Wrth droi *Yr Ymhonwyr*, un o ddramâu hanes Ibsen, i dafodiaith Cymry Lerpwl, yn hynny y methodd J. Glyn Davies. A dyma baradocs ein hymbalfalu.

Dychwelodd diddordeb yn y ddrama hanes. Yn aml ni allodd honno beidio â bod ond yn ddrama realistig ffals. Dywed yr Athro W. J. Gruffydd (*Llenor* 1923): 'Ond pan ddisgynno'r ddrama hanes i lefel ddi-urddas a chyffredin, fel y gwna *Owain Gwynedd*, cyll bob diddordeb . . . Rhyw fân gynllwyn a mân garuach a chusanu yw rhan fawr o'r ddrama.' Odid na syrthiodd Cynan i'r bai o israddoli ei arwr er cystal ei gynnig yn

Howel Harris. Gellid cyfrif *Y Ddraenen Wen* a *Gwyntoedd Croesion* fel dramâu gwlatgarol a lwyddodd yn nerth eu dehongliad o genedl yn hytrach nag fel dramâu realistig a fodlonai ar feirniadu adran o gymdeithas.

Cangen arall o'r diddordeb hwn yw dramâu pasiant fel *Howell of Gwent* (1932) a *Llywelyn ap Gruffudd* a berfformir ym mhafiliwn Eisteddfod Dinbych eleni [1939].

Ymgais at greu iaith safonol i'r llwyfan ac ymwrthod ag iaith sathredig yw un o'r pethau newydd yn *Gwaed yr Uchelwyr*, 1922 (Saunders Lewis). Gwnaeth ef hynny fel cyfieithydd hefyd, ond yn *Blodeuwedd* dofodd farddoniaeth Gymraeg i wasanaethu'r ddrama, ac yn bennaf oll, yn *Buchedd Garmon*, cafodd fesur a chynghanedd cerdd dafod draddodiadol yn hywedd i'r ddrama. Dichon pan ddelo'r ddrama genedlaethol y dihanga o hualau rhyddiaith i ryddid barddoniaeth gaeth, a chael lle yn llif dramâu clasurol Ewrop.

Ond nid yn yr iaith yn unig y dengys gwaith Mr Lewis ffordd dihangfa oddi wrth realaeth. Dywed yr Athro Gruffydd, wrth olygu *Gwaed yr Uchelwyr*, 'Yr hyn sy'n newydd ynddi ydyw'r ymgais i adael hen draddodiadau llwm a threuliedig "cegin y fferm". Nid tyddynwyr a thaeogion ydyw holl breswylwyr Cymru, a cham-gynrychioli'r wlad yw rhygnu drachefn a thrachefn ar dannau'r rhinweddau gwerinol.' Gwna bwynt pwysig arall hefyd wrth sôn am 'yr ymgais i droi oddi wrth y melodramatig sy'n gwallio'r awdur Cymreig dro ar ôl tro'. Ffrwyth diymod realaeth yw melodrama. Ebr beirniaid actio Bangor, 1915: 'Rhaid i ddramodwr ddewis pethau eithriadol, a chrynhoi a chryfhau ymddiddanion a digwyddiadau a chymeriadau . . . a dewis amgylchiadau cyffrous.' Nid oes gan dorf theatr ddiddordeb gwir yn niliwdra ei bywyd beunyddiol ei hun, a rhaid ei diddori â gormodiaethau gor-real – rhoi iddi nid y naturiol tybiedig, ond yr annaturiol melodramatig.

Yng nghystadleuaeth Caerdydd, 1938, y dramâu hanes unwaith eto oedd y lluosocaf, ac wrth eu beirniadu, dywedwyd mai'r 'cyfrwng anhawsaf i ddramâu hanes yw rhyddiaith. Haws eu sgrifennu ar fydr nag mewn prôs . . . Derbynnir annaturioldeb amlwg mydr . . . y cwbl a ofynnir yw bod y mydrydd yn fardd.'

Yn Eisteddfod Lerpwl, 1900, awgrymodd rhywun fod rhoi Coron yr Eisteddfod o dro i dro, am y ddrama. Petai rhoi'r Goron i'r ddrama yn gyfystyr â darganfod bardd o ddramäwr, a allai ddehongli'r 'pethau mwyaf hanfodol a berthyn i ni fel cenedl', yna dylid rhoi Coron pob Eisteddfod i hwnnw gan iddo lunio drama ein cenedl ni. Ond nid Coron nac Eisteddfod a'i crea, ond hiraeth ymwybodol yng nghalon pob mân-brentis yn ei ddydd – hiraeth a ŵyr am beth yr hiraetha.

DRAMA A BEIRNIADAETH LENYDDOL

✦

Er mwyn bod yn effeithiol mewn theatr y llunnir pob drama. Yn aml, ceir mathau o fwyniant theatr na byddai neb yn tybio o gwbl bod geiriau'n bwysig iddynt nac ynddynt; ceir hefyd ddramâu sy'n effeithiol dros dro mewn theatr, ac yna'n marw. Rhaid wrth sawl celfyddyd, ac yn bennaf ddoniau'r actor, i anadlu bywyd i ddeialog. Ni ellir beirniadu drama heb dalu sylw i'r theatr y lluniwyd hi erddi, ac y blodeua ynddi. Festri capel yw hynny i ni. I actorion mewn 'theatr' o flaen torf gyfoes y saernïwyd campweithiau drama pob oes. 'Ni lunnir comedïau ond i'w chwarae' ebr Molière.

Ond rhydd y 'ddrama-fawr' fwyniant mewn cell-fyfyr hefyd, mwyniant nas cyfyngir i un nos nac i un oes. Yn rhinwedd y cynllunio arni a graen ei harddull, y farddoniaeth sydd ynddi, ei hymresymu didwyll a dyfnder ei dealltwriaeth eneidegol, y mae hi'n llenyddiaeth. Er mwyn i ddrama fod yn dda rhaid iddi ddal prawf darllen beirniadus yn ogystal ag actio'n effeithiol.

Mentrais rywdro ddweud am y corff o ysgrifennu Cymraeg i theatr – sydd ac iddo oes o ddeng mlynedd a thrigain a 1911 yn rhaniad cyfleus ynddo – mai craidd ei wendid yw ei fod yn actio'n rhy dda ac yn darllen yn rhy wael. Byw'n orfoleddus tros nos mewn theatr y mae a threngi'n hir a nychus mewn cell-lyfrau. Nid yw'n llenyddiaeth.

Hyd y llynedd, pan roddwyd *Buchedd Garmon* yn destun Cymraeg am Dystysgrif Uwch, ni freuddwydiodd y Bwrdd Canol na'r Brifysgol gynnwys drama'n rhan o faes llafur llenyddiaeth Gymraeg. Y mae drama, o bob cyfnod, cyfoes ac arall, yn rhan o astudiaethau Saesneg, o'r Dystysgrif Gadael Ysgol i Radd Anrhydedd. Felly hefyd gydag astudio Ffrangeg yng Nghymru – heb sôn am Ffrainc. Y mae pob sgriblan geiriau, gwych a gwael, heblaw'r ddrama, yn cael ei fedyddio'n llenyddiaeth; awdlau hen a diweddar, telynegion doe a heddiw, traethodau, ysgrifau, storïau (heb warafun ond efallai'r bryddest eisteddfodol a'r ddrama); y cwbl yn ddeunydd beirniadaeth lenyddol i bob brid o addysg ysgol.

Ni ddaeth y ddrama Gymraeg eto'n deilwng o feirniadaeth lenyddol. Heblaw cyfres o erthyglau gan Mr D. R. Davies, Aberdâr, ni bu nemor ddim ysgrifennu ar ddrama yn *Y Llenor*. Cafwyd adolygiadau ysbeidiol iawn ar nifer bach rhyfeddol o ddramâu; cyhoeddwyd un neu ddwy ddrama fechan, a dwy ran gyntaf *Blodeuwedd* yn ein prif gylchgrawn llenyddol. Nid oes safon beirniadaeth lenyddol ar y ddrama yn ei gyfrolau. Wrth gwrs, cafwyd rhai erthyglau buddiol mewn cyfnodolion eraill – y *Welsh Outlook* yn arbennig. Nid wyf heb gofio ysgrifau Mr Saunders Lewis i bapur Saesneg yn 1919.

Y mae bod Miss Elspeth Evans wedi ysgrifennu cyfrol i Gyfres Pobun – *Drama yng Nghymru* – yn ddigon o reswm, efallai, nad yw'r Athro Thomas Parry yn cynnwys drama yn un o isadrannau ei lyfr ef, *Llenyddiaeth Cymru 1900–1945*. Nid yw ychwaith yn dweud cymaint â gair am gynhyrchion theatr neb o'r llenorion a enwir ganddo am waith arall – R. G. Berry, er enghraifft. Ni allaf ddychmygu llyfryn yn ymdrin â llenyddiaeth gyfoes Saesneg na byddai, o anghenraid, gangen ynddo i Lenyddiaeth Theatr, a thrafod ar lenorion nad ysgrifenasant ddim ond dramâu.

Go brin bod y rheswm a awgrymais yn ddigon o gwbl am nad oes sylw i waith-drama llenorion a enwir, na dim sylw i ddrama fel cangen o'n llên, ym mhennod olaf *Hanes Llenyddiaeth Gymraeg hyd 1900*. Sylwer ar y dyfyniad hwn o baragraff olaf yr Athro Parry:

> Fel yna, cyn diwedd y ganrif yr oedd rhwd blynyddoedd eisoes wedi ei dynnu oddi ar yr iaith Gymraeg, a'i gwneuthur yn offeryn addas i lenorion eang eu diwylliant draethu eu meddwl ynddi. Nid am iddynt gynhyrchu rhyddiaith lenyddol yn unig y mae pwysigrwydd yng ngwaith y dynion a ysgrifennai yn neng mlynedd olaf y ganrif. Gwnaethant gymwynas am-hrisiadwy *trwy ddarparu iaith a fai'n gymwys i ysgrifenwyr nofelau, storïau byrion ac ysgrifau ein canrif ni*. Cwbl annichon fuasai i neb ysgrifennu stori fer yn arddull lyffetheirus Owen Thomas. Yr oedd Daniel Owen wedi dangos y ffordd a'i cherdded yn gadarn . . .

Myfi sy'n italeiddio i ddangos mor gwbl annheilwng o'i galw'n llenyddiaeth yw'r ddrama yng ngolwg beirniaid llên. Nis enwir. Diddorol yw nodi mai ŵyr Owen Thomas yn niweddglo ei *Daniel Owen* a bwysleisiodd golli ohonom, yn hwnnw, 'y mwyaf oll o'r dramawyr diddrama', ac y cred Mr Saunders Lewis 'mai mewn drama yn hytrach nag mewn nofel yr hoffai ef heddiw greu ei gomedi gymdeithasol'. Ef hefyd a ddangosodd mai Pantycelyn a ystwythodd yr iaith i ddibenion llên fodern, gan gynnwys drama; ef a ymgodymodd yn ymwybodol â mynegiant theatr gan dyfu trwy ryddiaith lên-fryd a barddoniaeth ffurfiol drama Lloegr, i'r wers rydd: ym mhob rhagair i'w ddramâu y mae paragraff am iaith drama. Cyfeddyf Thomas Parry bwysigrwydd ei arbrofion mydryddol a'i rythm llafar fel ffurf i farddoniaeth ac fel anogaeth i feirdd Cymru. Awgrymir y byddai'r beirdd, o'r anogaeth, yn cywiro'u telynegrwydd: ni ddangosir mai llenyddiaeth theatr a allodd ddychwelyd rhethreg i gyfundrefn y beirdd.

Gellir dywedyd yn debyg am *Gwŷr Llên*, ysgrifau beirniadol ar weithiau deuddeg gŵr llên cyfoes, heb ysgrif ar un llenor a ysgrifennodd yn bennaf i'r theatr er bod yma ysgrifau ar wŷr ac ar waith na ellir, ond o ledu diffiniad 'llenor' a 'llên', yn deg eu cynnwys – yr olaf un yn flodeuglwm, er enghraifft. Nid wyf heb deimlo o ddarllen astudiaethau ar W. J. Gruffydd, T. Gwynn Jones a Saunders Lewis (i raddau llai) bod llên yn dal i fod yn gyfystyr â barddoniaeth, ac nad oes ffurf arall ar sgrifennu Cymraeg cyfuwch ei rin â phrydyddu. Er cystal y paragraffau ar ansawdd cynnwys *Hen Atgofion*, iswasanaethgar ydynt i brofi bod rhin y bardd gan W. J. Gruffydd – y gŵr a ddangosodd, mewn papur meistraidd i Gymdeithas y Cymrodorion, ei fod yn ymwybod â gofynion a gwerthoedd llên lafar a rhyddiaith. Gellid hefyd ddal bod *Beddau'r Proffwydi* wedi mynegi, gyda chas cyfiawn a grymus mewn rhyddiaith ddifefl, agwedd at y diddordeb yn y gymdeithas a gollwyd, a hynny nid 'ymhen blynyddoedd lawer ar ôl i'r mynegiant prydyddol ohono ymbrinhau'. Nid enwir y ddrama. Pan ddoir rywdro i feirniadu drama Cymru canfyddir, mi dybiaf, mai i T. Gwynn Jones y mae'n dyled fawr. Yn ei law, fel y dengys Miss Elspeth Evans, troes y ddrama hanes yn beth 'amgenach na chronicl o bob hanesyn'; cafodd gnewyllyn trasiedi yn 'ei ddewis o'r brawd aflwyddiannus . . . Dafydd – y brawd nad oedd ond y dim iddo fod yn arwr', ac ysgrifennodd farddoniaeth goeth i'r theatr pan oedd Cymraeg chwŷdd y beirdd a Chymraeg bratiog y ddrama frethyncartre yn llabyddio'r ddrama. Arloesodd â'r cynganeddion yn neialog Tir na n-Óg ac nid digon dweud 'fod mesurau'r gynghanedd yn briodol i ddrama . . . gerddorol megis Tir na n-Óg'. Ef hefyd a ailarbrofodd glymu canu a deialog i'r ddrama Gymraeg. Ond nid y cyfraniadau ymchwilgar hyn i dechneg drama sy bwysicaf. Dangosodd Emrys ap Iwan fod method ar sgrifennu pros, ac ar sgrifennu pros llafar (yn *Breuddwyd Pabydd*); disgybl ap Iwan yw Gwynn Jones. Dengys Geraint Bowen mai meistroli ffurf mynegiant a darganfod dulliau newyddion y bu. Oni bai am arbrofion Gwynn Jones byddai raid i'r theatr Gymraeg aros yn hwy nag hyd at hanner yr ugeinfed ganrif cyn ennill iddi ei hun fardd. Gwaith Gwynn Jones wrth ymgodymu â thechneg iaith, wrth garthu'r enaid o ddiffyg ffydd ac wrth ddarganfod problemau moesol cyfoes yn yr hen chwedloniaeth, a barodd i Mr Saunders Lewis allu osgoi prentisiaeth y tir diffaith y bu raid i Eliot ymdrybaeddu ynddo, a disgyn i aeddfedrwydd hafal i aeddfedrwydd *Lladd wrth yr Allor*. T. Gwynn Jones a fu'n trybaeddu; eraill a aeth i mewn i'w lafur. Ond nid yw'r astudiaeth fanwl arno yn awgrymu dim o'r ddyled hon – am nad yw drama, a'i beirniadaeth, hyd yma'n cyfrif. Cyffelyb trachefn am Saunders Lewis.

Er mor gyfoethog yr astudio arno, ac er iddo ef ddywedyd mai'r ddrama oedd ei gariad llenyddol cyntaf a'i fod, er i lafur gwleidyddol ei ddal am ddeuddeng mlynedd, yn falch o droi'n ôl ati, ni cheisir dangos mai ymgais at fynegi'n effeithiol ar lwyfan yw'r gyfres dramâu mewn pros a mydr; ni ddangosir mai *oherwydd mai dramäwr yw* y bu raid iddo ffrwyno'r *vers libre*; nid awgrymir mai *llenyddiaeth theatr* a roes gyfeiriad newydd chwyldroadol i farddoniaeth gyfoes.

Dyna ddigon am y tro i gynnal fy nadl nad yw'r ddrama Gymraeg wedi ei derbyn eto'n gyflawn aelod o'r seiat lenorion; na ddechreuwyd beirniadaeth lenyddol arni, na dangos iddi ddylanwadu ar ffurfiau llên arall na hi ei hun. Tri gosodiad trist arall i orffen. Cryfder dealltwriaeth W. J. Gruffydd yw ei wybodaeth o'r ganrif ddiwethaf, eto efe ei hun a ddywedodd mewn trafodaeth radio ar ddrama Gymraeg diwedd y ganrif: 'Nid wyf i mor hyddysg yn y maes hwn ag y dylai Athro Llenyddiaeth Gymraeg fod.' Ar gyfer yr un gyfres trafodaethau dywedodd D. T. Davies yntau wrthyf: 'Trueni mawr y mudiad drama yw na *fagodd ef feirniaid* heblaw y rheiny sydd ei hunain yn ceisio sgrifennu drama.' Ac yn drydydd, unig ffordd beirniadu cynhyrchion drama'r Eisteddfod Genedlaethol yw mewn cell trwy ddarllen sgriptiau – heb fod ar gyfyl theatr o gwbl; mewn gwlad lle nad yw drama'n llenyddiaeth, lle nad oes beirniaid llenyddol arni. Hwn yw paradocs tristaf ein theatr.

BEIRDD I'R THEATR

✦

Lladd wrth yr Allor. Cyfieithiad i'r Gymraeg o *Murder in the Cathedral* (T. S. Eliot), gan Thomas Parry.

Hen Ŵr y Mynydd. Drama Farddonol, gan Cynan, seiliedig ar *The Old Man of the Mountains*, gan Norman Nicholson. Llyfrau'r Dryw. 6s. yr un.

Bob tro y bu theatr yn Ewrop bu iddi, yn ddi-fwlch, feirdd. Bob tro y bu i'r theatr honno fawredd, bu iddi brifeirdd a barddoniaeth fawr. Pan ddiddoro beirdd ynddi, bydd yn y theatr gynnydd; pan ballo'n diddordeb, clafychu y bydd hithau. Rhyddieithol yw theatr ryddiaith bob tro.

Bob tro hefyd y daw adfywiad theatr y mae a fynno angen crefyddol ac angen cenedlaethol â hynny. Yn Iwerddon, Yeats rhagor Synge, yn Lloegr, Eliot rhagor Maugham, a rydd bwysigrwydd i theatr yr ugeinfed ganrif, am fod i'w theatr hwy swydd grefyddol tu mewn i ffrâm cenedl, ac i'r swydd honno un unig offeryn wedi ei brofi'n addas – barddoniaeth.

Mor drawiadol debyg i brofiad theatr Ewrop yw profiad y can mlynedd byr diwethaf yn theatr Cymru. Yn hanner cyntaf y bedwaredd ganrif ar bymtheg ymegnïodd Cymru i fod eilchwyl yn genedl. Yna, trwy ei hanghydffurfiaeth a'i chrefydd, y bathwyd hi'n genedl. Rhaid oedd i'r genedl newydd hon ailddysgu ei haddysg grefyddol, a cheisio cymodi â'i gorffennol yn fframwaith diwydiannol rhyddfrydiaeth y dydd. Hynny sy'n esbonio'r dadleuon, y dramâu dirwest. Hynny oedd swydd grefyddol ei dramâu hanes. Pan ofynnwyd yn 1879 am chwaraeawd 'yn null Shakespeare', y mae'n arwyddocaol mai drama-gronicl am arwr a ddaeth yn batrwm deng mlynedd ar hugain i'r theatr. I'r graddau y methodd hi gymodi'r genedl newydd â'r hen y methodd hi greu drama genedlaethol i'r genedl gyfan, ac yr ymollyngodd i ddrama daleithiol, a drama dosbarth, wrth batrwm Seisnig a dirywiedig o'r Ibsen-pros lleiaf pwysig.

Fel y mae'n dueddu gennym, nyni pob oes bresennol, ddiystyru a dirmygu gweithgareddau'r oes a fu'n union o'n blaen, felly heddiw ni thelir sylw dyladwy i'r ddrama hanesyddol-farddonol sy 'nghlwm ag enwau fel Beriah, Elphin, Pedr Hir a T. Gwynn Jones. Ond daw ei thro i'w darganfod a'i mesur a'i gwerthfawrogi. Y mae arni gamp. Neu o leiaf y mae iddi bwysigrwydd wrth fesur hanes llenyddiaeth, a llenyddiaeth-theatr, hanner cyntaf yr ugeinfed ganrif.

Awgrymaf ddwy gainc o bwysigrwydd:

(i) Ebr Thomas Parry, ym mharagraff olaf *Hanes Llenyddiaeth Gymraeg hyd 1900*, am 'y dynion a ysgrifennai yn neng mlynedd olaf y ganrif. Gwnaethant gymwynas amhrisiadwy trwy ddarparu iaith a fai'n gymwys i ysgrifenwyr nofelau, storïau byrion ac ysgrifau ein canrif ni.' Nid yw ef yn enwi drama o gwbl, 'a chanu rhydd Elfed, awdlau a thelynegion John Morris-Jones, a rhyddiaith Owen Edwards ac Emrys ap Iwan' yw'r cerrig sarn allan o'r gors iddo. Eithr odid nad oes le blaen i lenyddiaeth *lafar* y theatr, a'r ymbalfalu tuag ati, yn y gymwynas amhrisiadwy hon.

'Bardd y bedwaredd ganrif ar bymtheg yw'r Dr T. Gwynn Jones,' fel y dangosodd Gwenallt Jones ac y cytuna Thomas Parry (*Llenyddiaeth Cymru 1900–1945*, t. 16). Ef hefyd yw arbrofwr mawr geirfa a chystrawen a mesurau cerdd dafod. Defnyddiodd y mesur diodl fel ei gyfoeswyr i sgrifennu dialog i'r llwyfan; mentrodd goethder ymadrodd oes y tywysogion i gyfoethogi iaith lafar y theatr cyn tro'r ganrif, a byth er hynny nid arhosodd, nac yn ei gyfieithiadau o glasuron drama, nac yn ei ddramâu ei hun, nac yn ei gerddi, nes cyrraedd llithrigrwydd gwyddonol-fanwl geirfa 'Cynddilig' a meistrolaeth mesurau newyddion hyd at 'y wers rydd'. Cynneddf arno oedd bod ganddo *stori i'w hadrodd* bron fel canu baled: at hynny y mae ganddo oriel a ffigurau mawrion trasiedi o Ddafydd ap Gruffudd hyd Gynddilig. Pair Aneirin Talfan Davies i rywun ddweud yn ei raglen arbennig ar Eliot (Rhag. 1946): 'Dych chi ddim wedi sylwi mai delio â chymeriadau y mae Eliot yn y rhan fwyaf o'i gerddi? . . . dyna sy'n eich taro ar unwaith – enwau llu o gymeriadau . . . ac y mae Thomas á Becket yn yr olyniaeth yma' (*Eliot, Pwshcin a Poe*, [1948] t. 44). Mor wir am Gwynn Jones, yntau fel Eliot yn bwrw prentisiaeth hirfaith at ysgrifennu drama fawr nas ysgrifennodd ef. Eithr y cyneddfau hyn ar ganu theatr diwedd y ganrif sy'n brudio bod ein theatr Gymraeg ni heddiw yn adennill y blaen ar y nofel fel cyfrwng mynegiant seicolegol-fanwl – blaenoriaeth a gipiodd y nofel yng Nghymru fel yn Ewrop am ysbaid byr oddi ar y theatr, ac y methodd ei phros hithau â'i chynnal yn hir yn unman.

Disgybl Emrys ap Iwan, y gŵr o bawb a oedd yn gwbl ymwybodol o'r angen am lenyddiaeth lafar (gweler *Breuddwyd Pabydd wrth ei Ewyllys*), yw Gwynn Jones, ac ef yn bennaf sydd wedi galluogi ein theatr ni i feddiannu *Hen Ŵr y Mynydd* a *Lladd wrth yr Allor*.

(ii) Enillasai Elphin yn yr Eisteddfod Genedlaethol droeon am ysgrifennu drama hanes farddonol. Bu yntau fel Gwynn Jones tan gyfaredd Edgar Allan Poe, a'i gyfieithu i Gymraeg. Poe 'a geisiodd lunio barddoniaeth fel miwsig . . . nid ystyr y geiriau oedd yn bwysig, ond seiniau'r llafariaid a'r cytseiniaid a'r argraff a adawent ar deimlad ac ysbryd y darllenwyr,' medd Gwenallt Jones (*Llên Cymru*, Cyf. 1, Rhif 1, t. 13). Dengys Aneirin Talfan Davies i adwaith Poe yn erbyn realaeth wyddonol wyro yn Gymraeg i fod yn adwaith yn erbyn crefydd biwritanaidd; i'r grefydd y gwŷdd a'r gog honno (na fynnai 'ffugio duwiau ar lun dynol fodau', ond a ddymunai ganu cân y wawr a'r sêr a'r blodau, ac a alawai'r bore fel ehedydd a chwynfannu efo'r eos) brofi'n grefydd drist ac yn ganu hiraeth ac angau. Dyfynna Poe: 'Melancholy is thus the most legitimate of poetic tones' (*Eliot, P. P.*, tt. 64–6).

Ac ebr Thomas Parry am W. J. Gruffydd, lladmerydd terfynol y bedwaredd ganrif ar bymtheg:

> sylfaen ei holl ganu yw ei deimlad . . . fe ddewis y mesur a'r arddull a wedda i'w deimlad ef ar y pryd . . . Gall deimlo tuag at bobl a phethau Llanddeiniolen, ac y maent yn ei gerddi. Ond nid peth i deimlo amdano yw cenedl y Cymry, ond peth i'w drafod yn ystyriol a beirniadol . . . peth i'w achub trwy ddulliau gwleidyddol . . . Nid beirniadu cymdeithas a fyn ef mewn barddoniaeth, ond croniclo'i deimladau, a'i hysgrifennu, chwedl yntau, 'i'm boddhau fy hun'. (*Ll.G. 1900–1945*, tt. 25–7)

Dadansoddwr miniog *Y Llenor*, ac nid bardd teimladwy y cerddi, yw'r dramäwr yn W. J. Gruffydd – a dyna golled y theatr Gymraeg.

Ebr Gwyn Jones amdano'i hun: 'Cyfieithais gerddi eraill o waith Poe, yn fy ienctid . . . Nid oeddwn fodlon arnynt bellach, ac yr oedd rhamantuster Poe wedi fy ngadael erbyn hynny, a llafur Daniel Rees wedi peri imi ddysgu Eidaleg a throi i ddarllen Dante' (*Eliot, P. P.*, t. 63). Bu Elphin yn ysgrifennu dramâu barddonol, yn ysgrifennu cerddi didactig: bu W. J. Gruffydd yn fardd cymeriadau Llanddeiniolen, ac yr oedd y ddau'n ymwybod â rhin llafariaid a chytseiniaid a miwsig sain lafar barddoniaeth. Eithr yn lle cefnu ar ramantuster, canlynasant ar ei ôl nes tlodi'r theatr ag athrawiaeth-ddrama Elphin, ac ag ymarfer W. J. Gruffydd, a ganiataodd i deimladrwydd ei ganu ymsuro'n bros dadleugar ac yn fynegiant pamffled 'gwleidyddol' ar lun drama. Pe digwyddasai iddynt fod wedi dod â'u canu didactig, eu teimladrwydd a'u beirniadaeth gymdeithasol gyda'i gilydd i'r theatr (a'u hudo gan Molière yn lle Ibsen, dyweder), yna dôi inni ddechneg y gomedi farddonol, abl i ddychan, a gwatwar a chwerthin am ben natur ysgafala dyn a'i gymdeithas. Byddai gan Gynan gynsail i orffen gwaith ar *Hen Ŵr y Mynydd*. Cawsai barddoniaeth ynddynt hwythau (fel yn Gwyn Jones) swydd a diben amgenach na phruddglwyf preifat y telynegu a'r sonedu; method drama, a barddoniaeth ddidactig a 'gwaith' i'w wneud, a achubai ein canu rhag diletantiaeth unigolaidd y delyneg – ac a dafolai ychydig ar ddylanwadau drwg John Morris-Jones.

Gŵr yw Thomas Parry nad ymollyngodd i delynegu a sonedu fwy na mwy, un a fodlonodd ar saernïo un awdl, ar destun a wahoddai driniaeth

delyneglyd breifat, yn wrthrychol, gan fynnu cyffredinolrwydd i'w
thema; a beirniad cyfanrwydd ein llên – bardd wedi iddo dyfu a allodd
amgyffred Eliot ac yna'i wisgo mewn Cymraeg rhywiog meistr cerdd
dafod, gan fentro cwpledi odledig yn ogystal â chynghanedd, a rhythmau
ffasiynol y ddrama fydr bresennol a phros. 'Oherwydd trwy hynny y
mae'r dramäwr yn ei osod ei hun yn ôl yn llif ein traddodiad, a thrwy
hynny yn cyfoethogi cynnwys ei ddrama,' medd y sgript radio am Eliot.

Heblaw gallu datrys problem iaith llên lafar y mae barddoniaeth hefyd
yn cyfoethogi cynnwys drama. Wrth sôn am waith Christopher Fry,
dywaid y *Radio Times* heddiw (Ebrill 14, 1950):

> The English theatre is no longer dominated by the teacup comedy, or the
> who-dun-it thriller or the stark drama of the Manchester School in which
> the curtain almost invariably was on a dirty Lancashire kitchen with father
> on the dole, the son in jail, the daughter gone to the bad, and the mother
> ironing shirts to keep the home together.

A chaniatáu daearyddiaeth wahanol, dyna ddisgrifio cors anobaith drama
Cymru hefyd hyd at ddyfod beirdd drachefn i'r theatr. Ond (tan ddylan-
wad dadl a gwaith Saunders Lewis efallai) daethpwyd i gredu, yng
Nghymru, mai'r ddrama hanes neu chwedl yw unig gyfrwng y bardd i
orchfygu'r theatr. *Lladd wrth yr Allor* a drosir, ac nid *Family Reunion* neu
waith diweddarach Eliot. Teg dadlau, serch hynny, na bydd bardd yr
ugeinfed ganrif wedi meddiannu'r theatr nac wedi ailfywiogi bardd-
oniaeth, nac wedi rhoi gwaith teilwng i iaith i'w chadw'n fyw, oni
lwyddo'r bardd i ganu'r gomedi gyfoes, i gymryd sylw o'r deunydd
gwyryfol newydd y daeth Ibsen, yn ei bros, ag ef i theatr Ewrop. Rhaid
i'r ddrama fydr ymgodymu ag 'achub' Ibsen ar ei dir dewisol ef – sef y
gymdeithas werinol ddi-arwyr, cymdeithas dyn-bach y dosbarth canol y
gwthiwyd ef i ganol llwyfan bywyd yn y ganrif ddiwethaf a hon.

Mentraf gredu bod Cynan wedi ei baratoi yn arbennig i'r galw hwn.
Ebr Thomas Parry amdano: 'Gwrthryfelodd Cynan yn ei gerddi . . . ac y
mae'r bryddest yn gondemniad miniog' ar elfennau yn y gymdeithas.
'Awen delynegol yw ei eiddo ef, a bardd ydyw a fendithiwyd â rhyw
ryfedd ras i ganu'n llithrig heb fynd yn rhigymaidd' (*Ll.G. 1900–1945*,
tt. 35–6). Y mae ei bryddestau yn adrodd storïau, y mae ei awdl ar fesur y
gellir ei estyn, ei grychu a'i ystumio i greu miwsig; arbrofodd gyda'i
ddrama hanes, canodd *Lili'r Grog* i'r radio. Ganddo ef y mae'r offer i daflu
codwm â'r gomedi-gegin mewn barddoniaeth.

Ond yn *Hen Ŵr y Mynydd* collodd ei gyfle. Canodd 'y rhannau bardd-
onol megis o newydd yn Gymraeg' ac nid cyfieithu, gan 'ychwanegu ein
Cynganeddion Cymraeg . . . lle galwai'r angerdd am hynny'. Wrth

lwyddiant pendant y rhannau hynny yr wyf i'n mesur fy siom iddo yntau, wrth 'dynnu a rhoi yn rhediad y stori', ddewis creu comedi tyddynwyr cefn gwlad yn ôl y patrwm pros y mae eraill llai abl yn abl iddo. Gallasai Cynan greu comedi gefn-gwlad *wahanol* (ac nid yn unig wneud gwaith cystal â'r rhelyw ohonom) — o'r tyddynwyr yn ogystal ag o'r teipiau anterliwd, y Drwg yn Ahab a'r Da yn Elias y Thesbiad — a'r mesur Tri-Thrawiad yn ei glust, Syr Tom Tell Truth (y gwelais ef yn ei ddeall mewn ynganiad actio) yn ei brofiad, a chynllun Nicholson ganddo i gwpláu'n Anterliwd gyflawn fodern, nid i'w haneru â drama â'i brethyn-cartre wedi llwydo a mynd yn garpiog.

Ond y mae Cynan arall llai ffodus na'r bardd — y gŵr a fu amser hir wrthi'n darlithio am ddrama, yn dysgu dosbarthiadau, yn cynhyrchu'r 'ddrama Gymraeg', gan ei berswadio'i hun fod llunio fframiau pren, a chynllunio goleuadau lliw, troi a sefyll, a chamu a mingamu yn y moddau ffasiynol-dros-dro, yn gyfystyr â dysgu creu drama. Cyn y daw graen ar ddrama Cymru rhaid dad-ddysgu y cwbl oll y buwyd yn eu llafurus feistroli ers deugain mlynedd, oherwydd rhan o'r ddrama ryddiaith lyffetheirus ydyw. Y Cynan rhyddieithol hwn (y gorau gŵr ohonom, bid siŵr), a faglodd y bardd, ac a fyrhaodd gam y ddrama fydr.

Mor rhwydd yw dweud wrth arall beth y dylai fod wedi ei wneud. Wrth Gynan y dylai fod wedi sgrifennu'r anterliwd grefyddol fodern farddonol fawr; ac wrth Thomas Parry y dylai un ai beidio â throi 'Saeson' Eliot yn 'Brydeinwyr' drama Gymraeg neu fod wedi dewis cyfieithu ddrama lai cenedlaethol Seisnig. Chwarae peryglus yw 'cyf-addasu' gan nad oes derfyn iddo, ac y mae un frawddeg Thomas Parry yn newid cymaint â holl greadigaeth Cynan ar y naill awdur gwreiddiol fel y llall. Pan droir campwaith Eliot i ieithoedd Ewrop, ond odid nad erys yr ymadrodd 'Saeson ydym ni', gan wybod y gall torf theatr dramor tros dro ei throsglwyddo ei hun i naws Seisnig problem fyd-eang Eliot, ond ar ôl pryder beirniadol dwys penderfynodd y Cymro na ellir bellach gael gan ddorf theatr Gymraeg synio amdani ei hun fel cenedl ar wahân: byddai cael ei chyfarch o'r llwyfan (a'i gorfodi i dderbyn cyfrifoldeb gyda'r milwyr) â'r ymadrodd 'Saeson ydym ni' yn cythruddo'i theimlad sentimental a distrywio'r amcan dramatig. Felly rhaid fu mentro ar y term an-Seisnig (nad yw mewn dim barddoniaeth Saesneg), cyn gobeithio i'r ddrama gyffwrdd â ni, nyni a beidiodd â bod yn genedl Gymraeg, na allwn fod yn genedl Saesneg, ac y mae'n rhaid arnom fod gan hynny yn rhanbarthol ein henaid, yn 'Brydeinig' ein teithi.

A dyna sialens y dydd i Thomas Parry ac i Gynan ddyfod ohonynt yn feirdd cyfan i'r theatr Gymraeg gan gynnig i'r genedl ddrama a fydd ar ddwy lefel yn ddrama genedlaethol — a fydd yn gosod y genedl ar wahân, yn genedl gyfan Gymraeg ar un lefel, ac ar y llall a fydd yn canu'r bywyd

Cymraeg rhagor y rhanbarthaeth a'r ddosbarthaeth sydd wedi goroesi yn ein theatr. Beirdd mawr, wedi eu paratoi'n addas, fel y ddeuwr hyn, yw angen theatr Cymru yn wyneb ail hanner y ganrif hon. Bu farw o ddiffrwythder bob drama ond drama'r beirdd.

SAUNDERS LEWIS A'R DDRAMA GYMRAEG

✦

O na fedrwn i greu ffurf newydd . . . anelu at symylrwydd mawr yn y cyflwyno, a rhoi heibio'r holl ffwdan a'r cais at realaeth. Dymunwn ddwyn yr actorion yn nes lawer at y gynulleidfa a gwneud y cwbl yn agos atom ac eto'n simbolig.

Micheal MacLiammour
(S.L. yn ei godi i'r *Faner*, Hyd. 11, 1947)

Dangosodd inni nad oes dim newydd dan haul yn yr ystyr o fod heb ddim tebyg iddo o'r blaen. Y mae popeth gwirioneddol newydd yn hanfodol hen . . . mewn traddodiad y mae hedyn pob newyddwch.

Tom Parry
(yn y *Western Mail*, wrth adolygu *Buchedd Garmon*)

Ni wn pryd na sut y deffrôdd diddordeb Saunders Lewis mewn drama. Go brin bod dim o'i waith yn uniongyrchol hunangofiannol. Eddyf mai'r ddrama oedd ei ddiddordeb cyntaf cyn iddo'i rhoi heibio er mwyn gwaith cenedlaetholdeb,[1] mai ar ôl 1918 y dechreuodd fynd i Baris a'r theatr yno, a chawn ef yn 1919 yn mesur cynnyrch y ddrama Gymraeg mewn erthyglau'n trafod Wythnos Ddrama Gymraeg gyntaf Abertawe.[2] Tynnir sylw ynddynt, dro a thro, at angen llefaru cywir, a cheinder ymadrodd ar dafod ac yn llenyddiaeth drama; at gyfyngder gorwelion y ddrama fel ffurf lenyddol a chrefft lwyfan. 'Yr oedd munudau wrth wrando y teimlech gywilydd; yr oedd fel petai'r chwaryddion hyn yr oedd iaith gwareiddiad ganddynt heb ddim o gynildeb gweddus y moesau gwâr.' Cwbl anghrintach yw i *Ephraim Harris* oherwydd meistrolaeth ar grefft geiriau a chynildeb mynegi. Cymharu'r awdur â Synge a Congreve y mae wrth ddweud am ei 'iaith wedi ei meddiannu, ei dofi, ei chymell i'w diben, heb air nac ystum segur'. Daeth yn ffasiwn gennym ganmol y corff o ddrama 'newydd' a ymddangosodd rhwng 1911 a 1918, a rhyfedd (ar y cyntaf) yw cael Saunders Lewis yn collfarnu crefft a symbyliad artistig y mudiad, oni bo i un 'artist lunio un peth perffaith yn llwyddiant pendant diamodol' i'r ysgol gyfan.

---

[1] *Y Faner*, Hydref 11, 1947.
[2] *Cambrian Daily Leader*, Hydref 20–5, 1919.

Beirniadu ysgol o feddwl y mae'r erthyglau hyn a'u tebyg yn y *Welsh Outlook*, ac nid y manion mynd-a-dod a elwir mor ddiystyr yn dechneg ysgrifennu drama. O ymhyfrydu yn theatrau Llundain dysgasai'r gwŷr ifainc a oedd newydd adael colegau y triciau'n weddol. Dysgasai awduron y ddrama hanes – rhwng 1880 a 1911 – hwy eisoes. Bwlch ym meirn-iadaeth Saunders Lewis yw na sylwodd ar ddatblygiad Beriah Evans ac Elphin fel beirdd-ddramawyr: ni chawsant gan neb y sylw a haeddant.

Gyda thro'r ganrif daethai Ibsen a'i ddisgyblion Saesneg yn ffasiwn theatrau Lloegr. Honno, drama oganu'r gymdeithas gyfoes, a welai'r Cymry meddylgar, pan oedd y bywyd Cymreig yntau yn galw am ei ddychanu. Cymdeithas gymharol sefydlog ydoedd, ond bod arwyddion gwegian arni – a phan fo cymdeithas a fu'n solet yn dechrau malurio y daw'r dramawyr beirniadus. 'Yr oedd y Gymru gyfoes yn caethiwo'r diddordeb, cenedl fach gymdogol yn newid hen lampau am rai newydd – a'r dramawyr eiddgar yn cymryd nodiadau.'[3] Ac ebr Saunders Lewis:[4] 'daeth y ddrama nid yn gymaint am fod arnynt awydd am ffurf newydd ar gelfyddyd a mynegiant ag am fod arnynt angen cyfrwng newydd y gallent drwyddo gyhoeddi eu diffyg amynedd a'u diflastod at anweddeidd-dra ein cyfnod ni.' Yn y dramâu oll ceir 'yr un gri am garthu'r bywyd crefyddol, yr un atgasedd at ragrith, yr un adyn, yr un plot. Rhinweddau dadl yw'r elfennau amlycaf. Â chlyfrwch eu heiriol enillasant eu hachos. Ond yn y theatr gellwch ennill eich achos *a cholli eich drama*.'

Yn 1913 y bywyd cyfoes oedd y deunydd, goganu a beirniadu oedd y method, ac Ibsen oedd y patrwm. 'Dylai bywyd beunyddiol y Celt roi i'r ddrama gyfle di-ben-draw. Ni all dim fod yn rhy gysegredig na dim yn rhy gyffredin . . . rhaid llunio'r ddrama fyw o ddefnydd byw . . . Gedwch inni ddechrau gyda'n cyfnod ni ein hunain . . . Hon oedd ffordd Ibsen,' ebr Elphin,[5] ond dadleuai Llewelyn Williams:

na ellir codi'r ddrama Gymraeg trwy gyflwyno'n realistaidd fywyd modern y dywysogaeth – cysgod gwan o'r ddrama Saesneg mewn gwisg Gymraeg . . . Rhaid i'r ddrama Gymraeg dynnu ei hysbrydiaeth o draddodiadau a chwedloniaeth y gorffennol. Rhaid iddi ddehongli'r peth sydd fywiol yn ein hoedl a'n chwedl.[6]

Ar Elphin y gwrandawyd. Mewn beirniadaeth ar ffrwyth y gwrando hwnnw ailosod dadl Llewelyn Williams a wnaeth Saunders Lewis gan awgrymu ffyrdd ymwared.

3   *Welsh Outlook*, 1919, J. O. Francis (tud. 158).
4   *Cambrian Daily Leader*, Hydref 2, 1918.
5   *Eisteddfod Transactions*, 1913 (Y Fenni).
6   Ibid.

Dengys fod y dramâu yn disgrifio moesau pentre. 'Ond mwy yw bywyd pentre na moesau (manners). Y mae'n cynnwys atgofion a thraddodiadau, cân a dawns a mud chwarae. Rhaid bod ynddo ramant, y marchogion, y fynachlog, dewiniaeth, y tylwyth teg, a phob hen-hen chwarae dyn,' *dramatis personae* cwbl wahanol i esgobion, offeiriaid, pregethwyr a diaconiaid, beirdd a cherddorion, ustusiaid heddwch, aelodau senedd a chynghorwyr lleol rhestr Elphin. Er bod pasiantau llys a dinas yn rhy gostus i'w hefelychu,

> gallai theatr a fo dlawd, fel trwy drugaredd y bydd raid i'n theatr ni fod, gynnig troi'n ôl at basiant syml miraglau'r Oesoedd Canol. Yn ein plith ni'n arbennig y mae tir bras i adfywio barddoniaeth, simbolaeth, a thegwch syml yr hen chwarae, ei lymder a'i ymatal, rhinweddau yr ŷm ni'n brin arswydus ynddynt.[7]

Dangosodd hefyd nad 'drama werin', fel y credid, mo'r peth.[8]

> Y mae barddoniaeth werin yn llawn o ffydd a chariad pobl wledig. Ynddo trig ysbrydion a llofruddion a llawer creadigaeth oruwch-naturiol a *bizarre*. Ceidw marchogion meirw oed â rhianedd byw, a beddau yw'r gweläu priodas . . . Ni ellir y myfyrdodau a'r teimladau manylgraff na diflannol dymherau'r meddwl, mewn llên werin, ond gall drama gelfyddyd, drama ag iddi ddiben bwriadol, gynnwys o'i mewn y rhinweddau gwerin, a gwneud mwy.

A gallai dyn o athrylith grefyddol y mae pob bryn yn Galfaria iddo, sy'n adnabod y bywyd llwyd dau-ddwbl, yr ymostwng, yr angau – fel W. J. Gruffydd, sy'n craffu'n rhy unplyg ar y dwyfol yn y natur ddynol i sgrifennu'n dda y ddrama broblem gymdeithasol – fod wedi llunio'r Firagl am y bywyd gwerin oni bai iddo ddewis symbolaeth dila'r gyfundrefn gymdeithasol gan ildio'r mireinder i ddiffeithwch o natur ddrwg ac oferedd areithio. O fyfyrio ar y ddrama gelfyddyd sy'n cynnwys o'i mewn rinweddau drama werin, cesglir nad yr

> angen presennol oedd rhyw Ibsen lleol, ond gŵr o ansawdd Molière. Y mae'r blaenor yn destun comedi y dylai fod iddi ddoniolwch hael gormodedd; yn ei dipyn rhwysg plwyfol, ei angerdd cyfyng, ei falchder a'i bwysigrwydd pitw, ac mewn dwsin a mwy o rinweddau hoffus, efe, heb ddwywaith, yw penllanw donioldeb y bedwaredd ganrif ar bymtheg. Malvolio yw.[9]

[7] *Cambrian Daily Leader*, Hydref 20–5, 1919.
[8] *Welsh Outlook*, Cyf.VII, 1920 (tud. 67).
[9] *Cambrian Daily Leader*, Hydref 2, 1918.

Gall bardd y dwyster crefyddol, a bardd llawenydd ac ysgafnder dynol, goncro'r theatr o ddelweddu'r Pridd, Angau, gobaith a goruchafiaeth, neu o fynegi hoffused ein gwendidau dynol-ddoniol.

Ceir hefyd yn yr erthyglau amlinelliad o'r theatr sy'n eisiau. Hen ffermdy mwyn cysgodol heb seddau sefydlog a llwyfan isel gan fod llwyfan uchel yn dieithrio cymdogaeth y chwaryddion.

> Ac ni ofidiwn ormod bod yr wynebau mewn peth cysgodion canys tybiaf mai dawn bennaf actio yw ystum rhithmig a llefaru cain. Felly cawn weld pa mor ofynnol i actio da a mwyniant theatr yw gwrthglawdd o oleuadau, a baich o arferion. Pe chwareuid darnau ffals, di-chwaeth, mewn theatr syml, agos, arswydem rhag eu hafledneisrwydd a'u diffyg ymatal llygrol.

Ni ellir dramäwr o ddyn talentog, hoff o'r ddrama, a bod yr amseroedd heb hynawsedd a'r theatr yn benchwiban.

Yn 1919 ymarfer cyntaf prentisiaid mewn ysgrifennu, a deunydd i gwmnïau ifainc hogi eu dannedd, oedd y ddrama Gymraeg oblegid (ac yntau'n dyfynnu Yeats) 'oni bo gan ŵr saernïaeth gain nid oes ganddo ddrama, ac oni bo gan ŵr iaith firain, rymus, breifat iddo'i hun, nid oes ganddo lenyddiaeth'. Oferedd yw bod *rhaid* i'r dramäwr gael ei ddeunydd a'i gyffro yn nigwyddiadau'r dydd 'ag amser a thragwyddoldeb a nefoedd a daear ac uffern ganddo i'w treisio'.

Dyna grynhoi a chyfieithu erthyglau 1919–20 ar gyflwr a chyfle'r ddrama Gymraeg yn ôl un a oedd yn barod i ymgodymu â'r sialens. Sut y llwyddodd? Y mae i fesur wrthynt *The Eve of Saint John* (1921), *Gwaed yr Uchelwyr* (1922), *Doctor er ei Waethaf* (1924), *Buchedd Garmon* a *Mair Fadlen* (1937), *Amlyn ac Amig* (1940), a *Blodeuwedd* (1922–48).

Chwilio 'p'odd y galla'i ddweud sydd ynw' i' y mae'r gwaith dramodol hwn. Mewn pump rhagair tynnir sylw pendant at iaith a method mynegiant.

Dywed awdur *The Eve of Saint John*: 'Ceisiais gyfleu mewn Saesneg rithmau ac idiomau'r Gymraeg.' Eddyf hylltra iaith yr ardaloedd a Seisnigwyd, ond mewn mannau nas halogwyd 'erys iaith Gymraeg sy'n hyfrydwch gan ei rhithmau cyhyrog a'i throsiadau byw. Clywais fugeiliaid yng ngheginau tefyrn pentrefi anghysbell yn defnyddio geiriau ac ymadroddion a oedd yn gyffredin ym marddoniaeth Gymraeg yr ail ganrif ar bymtheg.' Bai ei ymgais, medd ef, yw dwyn ar gof yn or-aml gonfensiwn yr Eingl-Geltiaid ond 'o osod y broblem fel hyn dichon y daw arall i'w datrys'. Ni ddaeth ond J. O. Francis, a throes tafod yr Eingl-Gymry yn barodi ar erchylltod iaith lafar Morgannwg. Ni allai'r cyfrwng roi'r urddas gofynnol i iaith theatr.

Ystyrier tynged Synge, seren wib theatr y bedwaredd ganrif ar

bymtheg, yntau, ar Ynysoedd Aran, wedi darganfod iaith-werin lawn o
ias awenyddol. Ond er gwaethaf ei hwyl delynegol, iaith-werin i guddio
realaeth gyntefig, hagr, anifeilaidd ddigon ydyw. Peth cain ond peth
cyfyng yw celfyddyd werin, peth syml, ffres a gwirion, annigon i gelf-
yddyd ymwybodol. Bu'n ddigonol i fynegi cylch cyfyng y cymeriad
tyddynol a'r cyffro elfennol, ond yn *Deirdre*, drama o'r tu allan i faes cul ei
ddarganfod cyntaf, pallodd yr iaith yn union i'r graddau y mae ei
phertrwydd gwerin yn annigonol i ganu'r gwŷn yng ngwaed uchelwyr.
Gwelodd Synge, yr artist o Baris, hynny, ac yn gelfydd wyrthiol tynnodd
wawdlun, yn Christy Mahon, o'i ieithwedd ei hun: distyllodd ei gor-
bertrwydd yn ormodedd cynnil, a barn Synge ar y cwbl yw 'there's a
great gap between a gallus story and a dirty deed' (Pegeen). Ni bu i
arddull 'werin', a chwbl leol Synge, ddim dylanwad ar y theatr Saesneg.
Am resymau cyffelyb ni byddai datblygu ieithwedd *The Eve of Saint John*,
mewn Saesneg a Chymraeg, ond arllwys dŵr o lestr ar flodyn gwyw, a
holl feysydd hysb llenyddiaeth drama i'w plannu, a'u dyfrhau â dŵr dilyw
barddoniaeth. Ond, yng ngeiriau ola'r rhagair: 'Prif swydd drama yw
llefaru. Gan hynny onid yw'r iaith yn goeth, ag iddi arwyddocâd, yn beth
personol, yn nerthol, bydd drama farw . . .'

Rhagair *Doctor er ei Waethaf* sy'n egluro iaith honno a *Gwaed yr
Uchelwyr*, dwy ddrama bros Gymraeg. Dengys nad yw Cymraeg llyfr yn
gymwys i ddrama, 'ond tasg y dramäydd yw sgrifennu Cymraeg *llenyddol*
nad yw ddim yn Gymraeg llyfr. Canys y mae llenyddiaeth yn cynnwys
mwy na llyfrau.' Cymraeg llenyddol mewn drama yw hwnnw sy'n
perthyn trwy draddodiad i Gymru gyfan, sy'n cadw ar ffurfiau tradd-
odiadol, sy'n esmwyth ac yn effeithiol i glust Cymro diwylliedig.

Darganfu Saunders Lewis (fel y dangosais i Synge ddarganfod) na allai
iaith leol, er cyfoethoced o newydd fo pan dynno felyster a nerth o
ffynnon ffres, byth fynegi mwy na'r plwyfoldeb a'r taeogrwydd a oedd
wedi hen ymgordeddu yn y ddrama 'werinol'. Prif swydd drama o hyd
yw llefaru, ond bellach rhaid i'r mynegiant ar glust *ddiwylliedig* fod yn
esmwyth gan ffurfiau traddodiadol i Gymru gyfan. Y mae iaith leol –
tafodiaith – yn lleoli, cyfyngu, ac yng Nghymru yn creu cymeriadau
taeog, canys i ni canlyniad chwalu undod mynegiant gwâr y genedl gyfan
yw ymfalurio'n dafodieithoedd, a mesur o'n hanurddas yw'n 'siroldeb'
a'n tafodau-plwyf. Esgus i bobl ddiog, ddi-ddawn, ddidraddodiad tros
ysgrifennu'n llac yw cwyno yn erbyn iaith lenyddol a fydd 'yn gystal
offeryn ag unrhyw iaith yn Ewrop pan ddelo'r dramäydd mawr'. I roi yn
y ddrama Gymraeg gyffredinolrwydd profiad calon dyn, i 'adael hen
draddodiadau llwm a threuliedig cegin y fferm'[10] ac i ganfod 'nad

---

[10]   *Y Llenor*, Haf 1922, W. J. G. yn adolygu *Gwaed yr Uchelwyr*.

tyddynwyr a thaeogion yw holl breswylwyr Cymru',[11] i allu dadansoddi gwaed uchelwyr bydd raid 'ymwrthod ag iaith lafar sathredig a cheisio llunio iaith safonol lenyddol fel offeryn i'r ddrama'.[12]

Pam y dewisodd Saunders Lewis gyfieithu Molière i'r Gymraeg? Yr ail ganrif ar bymtheg oedd canrif fawr llenyddiaeth drama Ffrainc. 'Nid oes ac ni bu theatr i'w chymharu,' ebr Chesterfield wrth ei fab. Rhwng trasiedi rethregol arwrol Corneille yn soniarus ganmol *honneur* a *gloire* a thrasiedi gyfrinachol Racine a blysiau tymhestlog plant dynion yn eu boddi daw Molière, o'r dosbarth canol, gydag awyr iach y wlad a chymeriadau'r wlad, mewn comedi ystwyth i chwerthin am ben cymeriad od y gŵr anghymdeithasol mewn cymdeithas, gyda chwerthin llawen-garedig y *joie* diderfyn sy'n rhedeg trwy gymdeithas gyfan-lawn. Hawdd dychmygu Saunders Lewis yn ymson:

> Y mae fy nghyd-ddramawyr yn null Ibsen a Thwm o'r Nant yn chwyrnu a bytheirio – ac yn lladd drama. Gwell gennyf innau ddull chwerthingar Molière, ac os wyf i mewn drama 'i ddysgu, helpu, diddanu a pherffeithio gwŷr fy ngwlad ymhob dim a fo golud iddynt' fel y gofyn Cyfres y Werin gennyf, yna, â'r gymdeithas Gymreig eto'n weddol fodern, cyfieithu Molière yw fy swydd. Ond nid y campweithiau aeddfed mawrion eto; gwell dechrau lle dechreuodd Molière, gyda'r pantomîm, neu'r pantomîm â'r cymeriad at drechu'r digwydd yn troi'n gomedi. 'I gynulleidfaoedd tebyg ac mewn amgylchiadau nid mor annhebyg y chwaraeai Molière a'i gwmni yn rhan gyntaf eu gyrfa.'[13] Wedyn daw, fe ddaw ail Ddaniel Owen na fydd ddi-ddrama, canys 'mi gredaf mai mewn drama yr hoffai ef heddiw greu ei gomedïau cymdeithas'; oni chreodd yntau'r Capten Trefor yn gawr o 'gymeriad y gellid yn briodol ei gymharu â chymeriadau mwyaf Molière, gyda'i egni dychrynllyd, ei sobrwydd anfeddwol, a'i fôr o dafod, a'i siarad-usrwydd crefyddol yn rhemp ysblennydd-gelwyddog'.[14]

(Y mae'r darn isod o gyfraniad W. J. Gruffydd i drafodaeth radio[15] yn bwysig a diddorol yma:

> yr hyn a feddyliaf yw egin gwan drama frodorol hollol Gymreig – egin na chaniatawyd iddo ddatblygu am ein bod oll yn rhy gynddeiriog o *superior*, a hefyd am ein bod ar ormod o frys. Yr oeddym yn chwennych (tua 1906–10) cael drama 'deilwng' – dyna'r gair mawr y pryd hynny, ac nid oedd gennym amser i aros i'r ddrama gynhenid Gymreig dyfu'n rhywbeth

---

[11] Ibid.
[12] Ibid.
[13] *Y Faner*, Medi 13, 1947.
[14] *Daniel Owen*, tud. 44.
[15] Mawrth 1947.

teilwng, ac nid oedd dim amdani ond 'sathru'r egin mân i lawr', a cheisio efelychu safonau Lloegr a gwledydd eraill. Beth oedd y ddrama gynhenid hon? Ar ôl dweud cymaint â hynyna amdani dylwn yn sicr allu enwi rhes o ddramâu. Ond na; unig gynrychiolwyr y ddrama hon oedd y dramâu a seiliwyd ar *Rhys Lewis* ac *Enoc Huws*, ond yr wyf yn dal eto fod yn y rhain rywbeth yn perthyn i ni ein hunain fel cenedl, ac mai trueni oedd ei golli.)

Ond rhoddwyd heibio'r pros er i Saunders Lewis ganfod wrth astudio arddull Pantycelyn (1925–7) 'iaith lenyddol gymysg y gellir ynddi drin bywyd unigolion a dilyn troion chwimaf y meddwl'. Hi yw iaith Daniel Owen, 'a mawr yw dyled y ddrama iddi'. Ei phros hi hefyd yw metel tawdd *Monica*; ond yn union cyn sgrifennu'r nofel honno, pan fynnai'r dramäwr 'adnabod dirgel ffyrdd temtasiynau, chwilio allan walau tywyll cnawd a chwant' ysgrifennodd ddwyran gyntaf *Blodeuwedd* (1923–5) ym mydr y mesur diodl.

Yn oesau aur theatr Ewrop barddoniaeth ddramatig fu cyfrwng drama ac hyd yn oed yn y bedwaredd ganrif ar bymtheg, cyfnod sefydlogi *demos* y dosbarth canol, cyfnod gosod awdurdod gwyddoniaeth ar ein meddyliau, ni fu bwlch yn y traddodiad – Goethe, Grillparzer, Hebbel, Ibsen ei hun hefyd, Yeats, Hofmannsthal, Cocteau, ie, ac awen ddi-fydr Tsiecof a Synge – hyd at dreisio'r theatr trachefn gan ganu aeddfed Eliot.

Perffeithiasai Ibsen ei grefft mewn drama hanes a chwedl mewn mydr. Â'i dechneg ar ei hanterth, a drama ar drai, a gwynt beirniadaeth yn nithio cymdeithas, bu rhan *leiaf* gwerthfawr ei waith – y ddrama ddadl mewn pros – yn dywysoges theatr Ewrop. Cafodd meistr galluog iawn ddylanwad adwythig dros ben.

Cywirdeb ymarweddiad mewn cymdeithas yw nod-angen y ddrama ddadl. Rhaid, er mwyn 'cywirdeb' fel cywirdeb ffotograff, anwesu realaeth, copïo natur – a dyna ddileu dychymyg awenyddol: selwloid fydd conglfaen yr adeilad theatraidd. 'A bod i'r ddrama lwyfan gyfle i fyw o gwbl nid trwy geisio gwneud y peth y mae'r sinema'n ei wneud yn well y bydd hynny,'[16] ebr Somerset Maugham. 'Troes drama i gyfeiriad ffals pan barodd y galw am realaeth iddi roi heibio addurn mydr . . . Ni allaf ond mynegi fy marn y bydd y ddrama bros wedi marw cyn bo hir.'

Mewn rhan ei gariad at draddodiad Ewropeaidd drama, ac mewn rhan ei gas at gulni'r ddrama ddadl ac anallu pros i iawn-fynegi eneideg a droes Saunders Lewis at farddoniaeth theatr. Ond am ddwy flynedd ar hugain cefnodd ar y mesur diodl; bu hanner hynny cyn arbrofi mynegiant mydrol arall. Dywaid yn y Rhagair i *Buchedd Garmon*: 'anfodlonais ar y

---

[16]   Mary Lewis a'i dyfynnodd mewn trafodaeth radio, Mawrth 1947.

mesur diodl fel cyfrwng y ddrama heddiw.' Ond teg dal mai'r mesur a
flinodd ar brentis o farchog a'i daflu.

Cymerais ddeugain llinell yn Act I (*Llenor* 1923) gan ddechrau gyda
'*Blod*: A'th fonedd a'th draddodiad, moesau da dy deulu . . .' a chael yr
acen yn disgyn yn gwbl brennaidd er angerddoled y testun. Am bob un
ymadrodd gafaelgar fel 'cawod fêl fy ngwallt', 'corn a seiniodd yn fy
mron', 'fy insel ar y min', ceir dau ymadrodd llwydaidd fel 'gwyllt
ryferthwy cusanau', 'syched yn fy enaid', 'sagrafen serch', 'tragwyddol
gariad', ac weithiau drosiad cymysg fel 'câr a chyfaill a chywely yn
ganllaw oes'. Ceir ffurfiau 'llyfr' fel 'a'i cudd' ac ansoddeiriau, naw waith
o'r pymtheg, o flaen yr enw, nifer ohonynt yn ddianghenraid (gwyllt
ryferthwy), neu'n farw (trist gaethiwed), neu'n segur-grand (hynafiaid
gwiw). Nid barddoniaeth lenyddol, nid iaith i'w llefaru mewn theatr fel
mesur diodl Shakespeare a Jonson mo hyn, a Saunders Lewis yw'r cyntaf
i arddel hynny, canys yn y ddrama argraffedig dilewyd pob un bron o'r
pethau hyn. Gall a fynno gymharu, a gweld troi ansoddeiriau'n enwau a
berfau, eu gweld yn newid lle, neu'n diflannu. Ar ôl arbrofi *Buchedd
Garmon* ac *Amlyn ac Amig* y bu'r newid, ac ar ôl darganfod bod 'Williams
yn feistr mawr ar dechneg canu rhydd . . . gellir dysgu egwyddorion y
mesurau rhyddion yn unig o astudio ei waith ef.' Digrif yn wyneb myd-
ryddiaeth y *Blodeuwedd* cynnar yw darllen: 'Ys gwir bod beirdd a
beirniaid hyd heddiw yng Nghymru, a rhai ohonynt yn wŷr o bwysau,
yn cyfrif sillafau mewn canu rhydd.'

Wedi iddo 'werthfawrogi priodolrwydd technegol' Pantycelyn, ac ar ôl
dau 'arbraw mewn *vers libre* i ddrama siarad naturiol' sy'n 'dibynnu ar
fesurau traddodiadol er mwyn sicrhau elfen gref o ddisgyblaeth' ac sy'n
'cadw trefn naturiol y frawddeg lafar', penderfynodd Saunders Lewis mai
'barddoniaeth sgwrs yw barddoniaeth drama'. Y mae i'r term *sgwrs* ystyr
ychwanegol bellach a dangoswyd bod ieithoedd arbennig i lenyddiaeth
lafar mewn ysgrif-siarad a barddoniaeth theatr.[17] Rhaid cymharu *Blod-
euwedd* yn *Y Llenor* ac yn y gyfrol i ddeall defnydd Saunders Lewis o'r
moddau llafar, a'i dwf yntau. Wele enghreifftiau. Aeth brawddegau
negyddol fel 'Nid oes yng Ngwynedd ŵr mor druan â mi' yn ''Chei di
ddim yng Ngwynedd . . .' gan negyddu â'r gair *dim* heb y negydd *ni*. Ond
nid yw'r arfer yn gwbl gyson: ceir yn yr araith nesaf 'nid oes ar y ddaear
ŵr mor druan . . .' 'Er mwyn dilyn arfer gwlad ac er mwyn eglurder . . .
arferai ragenw ar ôl berf,' ebr Ap Iwan: felly yma. Aeth 'oni chwalwyd ei
dyfeision? . . . Hi'n rhoi tynged arnat na chaut arfau, minnau'n peri
dy wisgo . . . Hithau'n dy dynghedu na chaut fyth wraig . . .' yn 'Fe
chwalwyd ei dyfeisiau, ond do? . . . Hi'n rhoi tynged arnat na *chaut ti* fyth

---

17   Darlith Alun Llywelyn-Williams i'r Cymmrodorion, Pen-y-bont, Awst 1948 (i'w chyhoeddi).

arfau, minnau'n peri dy *wisgo di* . . . Hithau'n dy dynghedu na *chaut ti* fyth wraig . . .' Diddorol fai dilyn proses symleiddio ar eirfa fel troi 'y wraig wympaf' yn 'y forwyn lanaf' a dileu cyfeiriadau amherthnasol fel 'byddai'n glod i Franwen ac i Riannon' gan nad ydym gyfarwydd â'n chwedloniaeth. Bu newid hefyd gan y gall gormodedd a gormodiaith beri anghysur i un-mewn-torf theatr lle na therfid mwyniant unigolyn-gyda-nofel. Cymharer diwedd Act I yn y ddau argraffiad.

O batrymu'r iaith ar iaith sgwrs gellid disgwyl ffurfiau gwahanol i'r berfau a'r arddodiaid. Hynny a geir ym mhros *Y Doctor*: 'Ydych chi'n barod, syr? Syr, mae'n dda iawn gen i'ch gweld chi . . . 'Wn i ddim yn y byd sut y daeth y syniad iddyn nhw.' Nis ceir yn *Blodeuwedd*. Ni cheir symleiddio'r negyddol a'r cwestiwn yn *Buchedd Garmon* ond pan fo tlodion o'u cymharu â gwŷr-llys – y plentyn, y fam, yr efrydd – yn sgwrsio. (Y mae milwr yn *Blodeuwedd* yn dweud 'nhw'.) Yn *Amlyn ac Amig* nid yw na ffŵl na phorthor yn agosáu at iaith sgwrs; yn wir, y gwrthwyneb sy amlycaf – â'r isaf yn llefaru cystrawen llyfr (yn y pwyntiau hyn), gofyn angerdd ac urddas gynghanedd lawn ac odl gyson fel yn areithiau Raffael, neu Amig wedi'r wyrth. Ai gormod awgrymu mai gosodiadau digwestiwn yw myfyrdod y ddwy ddrama radio tra mai amau ac ymholi yw naws bryd *Blodeuwedd* – mai comedïau gorfoledd gorchfygu yw'r ddwy a thrasiedi colledigaeth yw'r llall?

'Mydryddiaeth oedd yr unig gyfrwng i ddrama fel hon' â ffigurau hanesyddol yn brif gymeriadau ynddi. 'Y cyfrwng anhawsaf i ddrama hanes yw rhyddiaith. Haws ei hysgrifennu ar fydr nag mewn prôs,' meddai'n ddiweddarach.[18] Rhoi rheswm nad yw reswm tros farddoniaeth yn y theatr yw dweud bod hynny'n haws. 'Yn ddiau y mae'n anodd bob amser greu llenyddiaeth, ac ni ddylai fod yn ddim haws mewn drama.'[19] Nid am ei bod yn haws y defnyddir barddoniaeth i'r theatr ond am mai hwnnw yw'r unig gyfrwng boddhaol i'w hamcanion hi. Rhaid i gymeriadau drama wrth astudiaeth eneidegol fanwl. Gallodd y nofel fanteisio ar gynnydd diddordeb Ewrop mewn eneideg: ni allodd drama. Treisio'r realistig i'w dibenion trwy ystwytho confensiynau adrodd stori, nid eu diystyru, a wnaeth y nofel. Ond yn ei chais i gopïo natur mewn ymadrodd a chynllun, diystyru a chefnu ar gonfensiynau traddodiadol y theatr a wnaeth y ddrama realistig – ymwrthod â mydr, ymson, areithiau meithion rhethregol ac apêl orchestraidd miwsig barddoniaeth i deimlad hŷn na rheswm: rhwystro cyflead eneidegol praff a manwl. Ni bu Ibsen heb ganfod y ddeucorn, ac ymroi i greu iddo'i hun dechneg y cywasgu atgofiol, gan ddechrau ei ddrama ar ddiwedd y digwyddiadau sy'n achos

---

[18]   Beirniadaethau [Eisteddfod Genedlaethol] Caerdydd, 1938 (tud. 164).
[19]   Rhagair *Doctor Er Ei Waethaf* (tud. 36).

i'r cyffro. Llwyddodd yn wyrthiol, a methu droeon, nid gan mor anodd y dasg ond am fod y ffrâm yn amhosibl o haearnaidd. O wadu monopoli realaeth a chroesawu rhyddid y confensiynau traddodiadol daw cyfle eneidegol barddoniaeth i'r theatr, a synhwyrol i Saunders Lewis yw dilyn rhediad y 'chwedlau' gan newid mor ychydig ag a fodlonai ofynion theatr; ond nid wyf heb deimlo y byddai ei ddramâu ar ennill pe defnyddiasai'n fentrusach ddarganfod mawr technegol Ibsen.

★ ★ ★

Gellid rhannu dramâu Saunders Lewis (fel y cerddi) rhwng Byd a Betws. Goruchafiaeth pechod sydd yn *The Eve of Saint John* a *Blodeuwedd* (a *Mair Fadlen*); mawl am oruchafiaeth ar bechod sydd yn *Gwaed yr Uchelwyr, Buchedd Garmon* ac *Amlyn ac Amig*. Gellid 'trasiedi' ar y naill ddosbarth a 'comedi' ar y llall. Agweddau ar yr un 'pechod' yw rhan helaeth ei fyfyrdod. Ceir ef yn ei astudiaeth o *Theomemphus* ac yn *Monica*, a chrynhoir ef i epigram John Morgan:[20] 'Ni wiw disgwyl nofio i borthladd gwynfyd tragwyddol hyd genlli o ddifyrrwch cnawdol.'

Yn *The Eve of Saint John* dywaid Harri, â swildod llencyndod: 'often I've thought how it would be to be kissing a girl the sort you are, and to feel her hair loose about me (cawod fêl fy ngwallt) . . . But it's always *to myself* I'd be making pictures on that kind.' Rhydd hithau ddisgrifiad o gariad ei dychymyg:

> Don't I see him plain before me the *moment I shut my eyes*. A strong man with a beard would blunt the edge of a new scythe, and great muscles to his chest, and it rough and hairy . . . Not a sorrowful thin shadow the way you are . . . What comfort is there in a farm and house and animals and I to be going to bed every night with a meagre ghost the sort you are?

Ac ar nos ŵyl Ifan bydd Megan yn ymhyfrydu gwerthu ei henaid i'r Gŵr Drwg am flys ei serch. O'i dadrithio ganol nos deil i wrthod cadernid cymdeithasol priodas ddi-serch: 'I'll be going . . . and taking the gift the devil has sent me . . .' Drama ysgafn-lawen ei direidi, ac ynddi wŷn gwaed ifanc blysig yn gwrthod symbolau sefydlogrwydd – ffarm a gwartheg blith a gwaddol o flancedi: deialog lawn o ofnadwyon llencyndod a gwerthu enaid i gythraul – wrth batrwm diniwed chwedl gefn gwlad, bid siŵr; ond eisoes y mae difyrrwch cnawdol serch rhamantus yn goleddfu at sarnu cadernid cymdeithas, y briodas sy'n ffarmio gwlad, yn magu teulu.

Un adolygiad[21] a welais i o *Gwaed yr Uchelwyr* – gwerthfawrogiad

20   *Y Llenor*, Gwanwyn 1922.
21   *Y Llenor*, Haf 1922.

haelfrydig o'i newydd-deb, gan fanylu ar y drydedd act. 'Dadl fedrus iawn ydyw rhwng dau gariad, Arthur a Luned, ar gwestiwn Balchder personol a Chariad.' Awgryma W. J. Gruffydd y dylid rhidyllu dadleuon Luned: ond nid *'noblesse oblige* gwŷr yr adweithiad', nid 'yr hyn a elwir *honour* gan y Saeson' yw testun y ddrama. Yn Ffrainc yn yr ail ganrif ar bymtheg y chwiliwyd fanylaf erioed i gymhellion y natur ddynol. Yno, diben athroniaeth, llên a chelfyddyd oedd astudio Dyn, ei natur a'i nwydau a'i odrwydd. Wedi chwalfa'r Rhyfeloedd Crefydd daeth Corneille i gymell gweithredu *honneur* a *gloire* a'r 'rhinwedd yn y balchder aristocrataidd' yn foddion i osod trefn foesol ar anhrefn y chwantau. Ni all ond Anrhydedd a Balchder 'aristocrataidd' roddi'r unrhyw drefn ar anhrefn nwydau di-ffrwyn *laissez-faire* ein hoes ninnau.

Damweiniol yw bod cymryd landlordiaeth yn hoel i'r digwydd – cymryd deunydd ei gyd-ddramawyr a wnaeth. Nid brwydr dyn, tan arfau llyfr-nodiadau cymdeithas Fabius, i *ddiwygio* landlordiaeth yw'r diddordeb. Gwŷr *alltud* yr ail ganrif ar bymtheg yw'r hynafiaid y mae eu gwaed mor bwysig. I ddeall Luned yn gwahaniaethu rhwng *ffoi* a bod yn *alltud* astudier Pennod XII, *Ysgrifau Dydd Mercher*. Yn y ddrama clywir swn meirch, ac ebr Luned: 'Sawdwyr yn dyfod yma ar gais y Stiward. Dyna pam y rhaid i mi fynd o'm gwlad. Mynd *fel alltud* a wnaf, *nid dianc* . . . Ni wnaf i gartref arall mewn un man o'r byd . . .'

Beirniada W. J. Gruffydd dechneg yr olygfa: 'Daw'r symudiadau geiriol llonydd ar ddiwedd yr act olaf; dylid dadlau'r pwnc sylfaenol ymhell cyn diwedd y chwarae . . .' Mentraf anghytuno. Gosodwyd telerau'r dewis i Luned, a chymhlethu arnynt yn nechrau'r act. Unig obaith cael aros yn Isallt yw perthynas cariad personol Luned (y ferch) ac Arthur (mab yr Yswain). O losgi teisi'r stiward daw posibilrwydd enbydrwydd bywyd i Roland (y tad): 'gellir crogi dyn am hynny'. Dadleua Lowri'n rhesymol gall, fel mam a phriod, y gafael a roisai priodas iddynt, mor annwyl Isallt a bro y bu hynafiaid yn dywysogion ynddi – 'nid bywyd un dyn ond bywyd teulu sy'n dy ddwylo di heno' – a gwir gariad Luned ac Arthur. Casglwyd dyletswydd i enw, i aelwyd, i rieni ac i gariad ei gwaed ei hun i'w herbyn, heblaw pan ddangoso Arthur na fygythir bywyd Roland ond y bydd raid diymod gilio o Isallt. 'Diolch i Dduw,' medd hi, 'am fy rhyddhau oddi wrth demtasiwn, oddi wrth faich na fedrwn i mo'i ddal. Yr wyf i'n ddynes rydd yr awr hon, *yn rhydd i ddewis* fy mywyd fy hun.' Petai problem gymdeithasol landlordiaeth ynddi ei hun yn unig fyrdwn y ddrama, yma y gorffennai'r chwarae gyda chylch priodas.

Y broblem honno yw cnewyllyn *Llanbryn-mair* (Rhys Evans), a sgrifennwyd yr un flwyddyn, a myfyrdod ar ddaeogrwydd cynffonnwr y stiward yw ei grym. Nid damwain meddwdod ond bwriad maleisus a syched am dir yw craidd y darlun meistrolgar. Ond yn *Gwaed yr Uchelwyr* nid myfyr ar daeogrwydd mân-feddwon mewn gwrthgyferbyniad i foesau da uchelwyr a welir: os taeogrwydd, Lowri yn ei gofal am gronglwyd, a'i gobaith mewn priodas fantais, yw'r symbol cywir o'n cymdeithas daeog ni sydd ym mhob anadliad yn prynu diogelwch. Pe rhoid taeogrwydd y cynffonnwr yng nghanol y ddrama hon symudai oddi ar ei hechel: pwyslais cyfeiliant sydd i is-blot y taeogrwydd damweiniol, fel y deellir nad oes ond ympryd enaid a all symud cythraul taeogrwydd crafangllyd o ganol ein byd modern ni.

Wedi i'r berw cymdeithasol lonyddu y cyfyd y wir sialens, a Luned yn rhydd oddi wrth demtasiwn allanol, yn rhydd i ddewis rhwng cariad purlan llencyndod a 'chariad Duw', yn *rhydd i ddewis 'dawn diweirdeb'*. Felly, pan ddeil Arthur ei fod yntau'n barod i gefnu ar ei etifeddiaeth a ffoi at well siawns i drin serch, dywaid Luned: ''Does gan fy nghariad i ddim hawl ar fy mywyd. Yr wyt ti'n rhoi pris mawr ar fywyd. 'Chaiff bywyd ddim gormesu arnaf i; mi fyddaf yn lleian i'm gwlad, heb frad-ychu. *Cariad yw'r gelyn.* Os *diengi* di o'r anawsterau hyn yr wyt tithau'n siŵr o deimlo dy fod ti wedi bradychu dy gyfrifoldeb.' Yn y gwrthod tawel, y dewis didoli oddi wrth y cenedlaethau, yn nannedd hawl cariad y gall anghyfrifoldeb moesol lechu ynddo, y gwelir rhesymeg lem ail i sgrifenwyr Ffrainc yr ail ganrif ar bymtheg yn gosod trefn ar y chwantau. Nid diwygiadoldeb gwleidyddol ond lleiandod ewyllys sydd ddigon. Hwn yw terfyn technegol-gywir y ddrama.

Ebr Kate Roberts: 'Dengys awdur *Blodeuwedd* mai canlyniad ei chreu o flodeuyn oedd tynged flin y wraig honno. Dynes heb dras ydoedd, ac felly heb deulu, heb gymdeithas . . .'[22] Gwir. Ond symbol o ieuengrwydd neu lencyndod yw'r geni o flodyn. Ym mhros Gwydion, sy'n rhoi elfennau'r chwedl i'r dorf, 'codi o'r blodau' yw'r gair. Dal ysbryd rhwng y dail a gosod *cadwynau'r* cnawd ar un y mae henwr cwrtais yn dweud bod peraroglau'r Mai o'i hamgylch, ac na wywodd blodau'i gwedd, yw cam Gwydion. 'Bydd *ifanc* byth,' medd ef. Gronw wrth holi sy'n dweud *creu*, a'r ateb a gafodd ganddi hi yw cymhariaeth rhyngddi hi, rosyn y byd, a blodau-llestr mewn dŵr, hi 'heb un elfen garedig *i'm cadw yn ifanc*'. ('O fy mhriodas anhapus sydd wedi fy ysbeilio i o holl bleserau fy ieuengtyd,' ebr Martha yn *Ductor Nuptiarum*.) A dyna a wnaeth Gwydion a Llew, treisio llencyndod amharod i briodas sedêt, dal enaid y gwanwyn yn noeth *fel blodau'r* wawr, a'r gwlith heb sychu ar y bronnau diwair, gwisgo'r noethni â chusanau, ac â breichiau trachwantus ieuenctid ei chaethiwo'n wraig cyn bod yn ferch, dwyn ffrwyth cyn i'r blodau flaguro – dihuno blys llencyndod heb allu ei ddiwallu gan lanc nas gwnaed i'w

---

22 *Y Faner*, Medi 21, 1947.

garu, na ddewisai fyw yn ôl oriogrwydd merch, ac na châi ganddi ond harddwch lloer ddihitio. Gwyddai Llew y nos enbyd, y rhyferthwy storm; a'r dawnsio yn y ddrycin yw ysbryd y fforest wedi ei reibio a'i glymu'n declyn i dwyllo ffawd, i roddi plant, i sefydlu llinach. Gwyddai Blodeuwedd hefyd awydd dianc o wely ei gŵr gan iddi brofi gwin Annwn; ond er ei syched, cadw'r cawg tan glo nes dyfod awr ei dewis i *ddrachtio cwpan serch.* Gwefusau cochion, blysiog, brwysg a gadd 'yfed trachwantau natur' gyda hi, a Gronw a gadd 'weld ei geni' i ryferthwy serch. Mae ofn y trachwant, fel ystorom wyllt yn gyrru tan ei chnawd, yn taflu cysgodion: 'Mi wn yn f'esgyrn na ddaw da . . . Nid oes imi ddim un cynefin yn holl ffyrdd dynion. Nid oes dim un bedd a berthyn imi, ac mae'r byd yn oer, yn estron imi heb na chwlwm câr na chwlwm cenedl. *Dyna sut yr ofnaf.*' Cymharer *Monica*: 'Ymguddiodd yn ei disgwyliad . . . ymbellhaodd mewn mudandod oddi wrth ei theulu . . . Deallai y deuai munud y byddai raid iddi hithau weithredu, a'i rhoi ei hun yn offeryn cyflym, cymwys a llwyr i'w thynged . . . a throes ei thawelwch yn y tŷ yn beth byw gelynol . . .'[23] Noder amserau'r berfau.

'Hanfod serch rhamantus yw'r syniad bod gwerth serch ynddo'i hun. Cnawdol yw . . . nid yw'n gymdeithasol na moesol. Nid yw'n amodol. Yn hytrach y mae'n ddiamod, yn wynfyd digonol, annibynnol, a'i gyfiawnhad ynddo'i hun.'[24] Serch ieuenctid chwyrn sydd yn anghofio pob rhyw ddeddf a holl ffyddlondeb bonedd fel na ŵyr urddas nac anrhydedd y daliwyd Gronw ganddo. Caiff, gyda pherygl ac unigedd rhyddid, feddwi ei synhwyrau â'i gwallt a'i bronnau – 'a'r eiliad fydd ei nefoedd'.

'O ganlyniadau echryslon sydd yn dyfod o briodi o wŷn natur, o serch at lendid . . . casineb, cynnenau, tor priodasau ac, o bosibl, mwrddrad yn y diwedd,' ebr Martha. Cyflymder diymdroi i adrodd stori'r lladd, ond arafu o fwriad i gryfhau cymeriad Llew, rhoi iddo ddiben a phwrpas glân briodas yn erbyn anghyfrifoldeb gwŷn natur. Bu'n dyheu am lwyr-feddiannu ieuenctid merch y blodau, dysgu'r ffordd heibio i'r petalau oll, ond calon rew'n cynhyrfu serch diffrwyth na châi wraig na magu mab a fu iddo; heb fedru caru ac ennyn cariad, bod heb wybod serch yw ei dynged. Y mae amodau i'w gariad ef. A *serch* yn marw fel ieuenctid tyf *cariad* fel derwen a thano codir cartref, teulu; bydd yn addysg gwerin a magwrfa llwyth. Ymbilia hi arno i edrych arni er ei mwyn ei hun a dweud: 'Tydi yw fy nigon i,' ond myn yntau ganu i'w etifedd: bod yn iach yw gweld mab rhwng ei braich a'i bron, bod yn dad teulu, yn rhoddwr bywyd i'r cenedlaethau. Y mae iddo etifedd, mab brwd ei gusanau, heliwr yn ei asbri!

---

[23] *Monica* (tud. 36).
[24] *Williams Pantycelyn* (tud. 161–2).

Tybiasai'r ddau gariad bod eu cyrff yn ddihysbydd, a chwarae yn nwyfiant campau cariad yn ddiddiwedd. 'Mor hir bu'r flwyddyn hon, mor fyr y byw sy'n awr o'm blaen,' ebr Gronw. (Medd Martha hithau: 'A phan dreuliem ni ddiwrnod neu ddau heb weld ein gilydd, ni a fyddem yn ennyn yn danllwyth o chwant i ddyfod ynghyd drachefn; ac mi feddyliais mai felly y parhâi hi byth.') Ond yn sydyn blinodd Gronw: 'Heddiw daeth bollt i'm taro a deffrois.' Yn gywrain sicr arweinir at y didwylliad: gwawd y Penteulu a'i saeth-ateb i Flodeuwedd am Ronw'n gaethwas gwraig; gorchmynion cwta, trefnus hwnnw sydd unwaith eto'n sgwrs milwr nid bregliach marchetos; ei ofal tros Benllyn; troi brawddeg a'i gosod ar arall dafod megis 'a rhyddid yn y warthol', 'mor hir y buost ti cyn gweld fy meddwl', 'ar draws ei gelain ef' ac eco chwyrn 'na chyffwrdd â mi wraig'; yr awgrymiadau cynnil fel ''Rwy'n cofio gormod' hyd at 'mae gwenwyn dy gusanau yn fy ngwaed. I beth y bydda i byw? I brofi am oes a brofais eisoes, y syrffed sy'n y cnawd.' (Felly Monica: 'Felly'n ddisyfyd, mewn eiliad, y mae'r cnawd yn ein bradychu a'n llorio. Felly yr edrychai ef ar ei hymdrech i fod yn feistres iddo, i roi i'w synhwyrau eu gwala a'u gweddill o fwynhad. Myfyriai (hi) ar y gair a deall fod blinder serch a'i syrffed wedi gwreiddio ynddo ef hefyd.')[25]

Ni ellir cynnal y gaer; ni fyn Gronw ddwyn dialedd a difa tref ei dad trwy ymladd ym Mhenllyn na thrwy fod 'ym mreichiau gwraig ar ffo rhag ofn' yn Nyfed; myn aros i dalu dyled i Lew 'heb ofyn meichiau neb'. Erys Blodeuwedd gydag ef gan obeithio mai marw ym mreichiau'i gilydd yw'r rhyddid a gais. Diwedd sy'n addo parhad twymyn serch rhamantus yw hynny, dychmygu tragwyddoldeb i'r syrffed sy'n y cnawd. Y mae'r chwedl, a chrebwyll crefyddol a chlasurol Saunders Lewis, yn gwahardd iddo roi iddynt ddiwedd Romeo a Juliet, neu Drystan ac Esyllt Wagner, neu Deirdre Synge (nid Yeats). Nid anllad llencyndod Gronw; pechu o'i ewyllys a wnaeth. Ddwywaith dyngedfennol rhoddwyd iddo *ddewis*, gair nas cysylltir â Blodeuwedd. Ddwywaith *wrth ffarwelio* y mae'n cofio bore oes, a gair olaf Gwydion amdano cyn ei ddedfrydu yw 'adwaen ei dad'. Bradychu cyfrifoldeb a hawl y gaer ar fin y llyn a wnaeth: cydnabod hynny, a *dewis derbyn y gosb* yw ei unig ryddid. Ond tynged, nid dewis, a gysylltir â Blodeuwedd, derbyn 'rhaid' nid cosb y mae: 'Cei fynd yn rhydd gennyf i,' medd Llew, sydd â'r hawl i gosbi, ond 'Dos i'r tywyllwch at y tylluanod,' ebr Gwydion, lladmerydd tynged.

Pensaernïwyd *Blodeuwedd* cyn ymroi i astudio *Theomemphus* a'r *Ductor Nuptiarum*, cyn sgrifennu *Monica*. Yn *Gwaed yr Uchelwyr* trodd arswyd yn ogoniant dawn diweirdeb 'eunuchiaid a wnaethant eu hunain felly er mwyn teyrnas nefoedd'; ond yn *Blodeuwedd* troes hunanfoddhad yn chwerwder y 'tri llyffant uffernol a ddaeth allan o safn y wraig' – a throdd yr eirfa liwus, yr ansoddeiriau aeddfed, y symbolau ieuengrwydd, y paragraffau afradus-hoenus, yn osodiadau byrion anfaethus, yn eiriau dig a dial a marw. I nwydau'r serch rhamantus, lle yr amlhaodd pechod, un gras sydd, sef 'parchu gwrda a roir i gosb marwolaeth'.

Rhwng deubrawf, wedi tân Llŷn, y lluniwyd *Buchedd Garmon*. A glywodd araith Emrys Wledig (a pha glust Gymraeg nas clywodd? – 'Gwinllan a roddwyd i'm gofal yw Cymru fy ngwlad') ni fethodd deimlo'r gwasgu hwnnw er mai am ddrama ar oes y saint y gofynesid. Y mae'r 'hanes' yn gwarantu clymu cadw'r ffin a chadw'r ffydd, achub rhag gwyll-iaid a rhag heresi Pelagius. '*Salve*, amddiffynydd ein gwlad, *salve*, am-ddiffynydd yr eglwys, gwledig ac esgob': byd a betws.

A heddwch Rhufain yn darfod, yr Eglwys, etifedd ei thegwch a'i dysg, a allai'n unig achub peth ar adeiladu, sgrifennu, athroniaeth, gwyddon-iaeth, a'r celfau, dysg y Groegiaid. I'r Eglwys yr oedd dau elyn a allai beryglu dyfodol Ewrop, sef yr Heresïau o'i mewn a'r Barbariaid am ffiniau'r Ymerodraeth. Perygl yr heresïau oedd rhwygo undod Cred, creu mân-gylchoedd trwy wyrdroi corff Athrawiaeth Gatholig y dibynnai bywyd gwâr arno. Un o'r ddwy brif heresi oedd dysg Pelagius a geisiai resymoli Prynedigaeth gan wadu'r pechod gwreiddiol a dal bod dyn ynddo'i hun yn dda, neu'n tyfu ar berffeithrwydd: 'eithr ennill, *ohono'i hun*, ei nefoedd ei hun, mewn hunanfoddhad diysgog'.

'Undod yw gwledydd Cred, cyd-ddinasyddion Rhufain a chaethion Crist' yn gyntaf, yna wedyn cenhadon o Wlad y Brythoniaid. Unwedd yw trefn yr achub: wedi i'r drwg a oedd dan gorun Pelagius dewi â'i sôn, wedi'r uno ym mhriodas yr Aberth, wedi'r wyrth ar y lleiaf un, y daw 'goleuni i oleuo'r cenhedloedd', a buddugoliaeth yr Aleliwia. Gosod trefn foesol y Betws ar y Byd. '"Swydd prydydd yw moli." Gweithred gymdeithasol yw moliant, teyrnged nid i'r unigolyn ond i'r bywyd a'r moesau a ymglymo o'i gwmpas, arwydd o ffydd mewn gwareiddiad ac arwydd o ffydd mewn bywyd.'[26] Hynny'n unig a rydd ystyr ddidwyll i araith olaf Garmon, ac i'r salm o fawl yw'r ddrama i gyd.

Ond cyn gorffen sefyll prawf yr ysgrifennodd Saunders Lewis: 'Canys arnom ni disgynnodd . . . dydd y ddeublyg amddifyn, dydd adeiladu'r Gristnogaeth a chadw'r ffin. A pha fodd y gwarchedwir y ddinas?' Yn dryfrith trwy ei ysgrifau ef ceir disgrifiadau o Ewrop fodern, a Chymru'n rhan ynddi. O'r Dadeni Dysg a'r 'tywysog' Machiavelaidd, heibio i Descartes a Rousseau, heibio i Newton a'r mesuronwyr mawr, at gym-deithaseg *laissez-faire* a *Das Kapital*, at fywydeg dyddiau Darwin ac eneideg

---

[26] *Williams Pantycelyn* (tud.19).

y ganrif hon, ym mhob cangen o ddychymyg dyn, sylweddolwyd goruchafiaeth Pelagius. Ar ei heresi y sylfaenwyd y byd modern – hunanddigonoldeb dyn, a'i allu, o'r hadau daioni sydd ynddo, i dyfu tuag at berffeithrwydd, i ddarostwng byd a threisio nefoedd. Wedi gorhoian cyntaf yr 'hunanfoddhad diysgog' daw'n ddi-ffael, ar bob colfen o'n bod, flinder a syrffed; torcalon a hunanladdiad i ddyn ac i gymdeithas. Pelagiaeth yw'r ysgogiad meddwl a bair y trais ar y naill law a'r diymadferthwch ar y llall, sy'n llygru bywyd Cymru heddiw. Cyn cadw'r ffin – a symbol o hynny, megis coelcerth, oedd mater yr *assize* – rhaid gosod trefn foesol ar y nwydau, 'codi Haul Cyfiawnder uwchben tywyllwch plant dynion'. Yn Llys Caernarfon hyn a ddywedwyd:[27] 'fe welwn lywodraethau yn ymhonni eu bod uwchlaw deddf foesol Duw . . . Y mae'r llywodraethau hyn yn hawlio hollalluogrwydd diamod a diderfynau . . . Di-orseddiad Duw yw hyn . . . Dyma wadu Duw, a gwadu deddf foesol Duw . . . Yr ydym ni'n herio'r fateroliaeth hon.'

Dewisodd Saunders Lewis gysylltu stori *Amlyn ac Amig* wrth y Geni, ac yn naws y Nadolig y gorffennwyd hi. Plethir pob awgrym, pob tro ymadrodd, pob symbol, â llawenydd a thristwch y wledd a'r cwbl yn rhagbaratoi i'r Wyrth: y marw o hyd cyn cyrraedd paradwys, ac Amlyn 'a'i weddi tros ei ysgwydd' am Iddo gadw'r plant 'y nos hon ac yn awr angau' a Belisent mor siŵr y 'bydd difyr deffro yfory i wyrth y geni'. Mor gadarn y sefydlogir y llw, mor gywir mewn cerdd fawl yw'r canu i grair y Normaniaid, i'r fodrwyog ei thresi, ac i'r tlodion difeius, a'r caroli hyd at *venite adoremus Dominum*. Mor gadarn yr adeiledir y cyfan. Ac Amig wahanglwyf wrth y drws y mae'n curo fel curo angau ei hun, ond ni ddwg Crist i neb dristwch y nos hon os i'w enw y credwch. Mor araf ond diwrthdro y tyf areithiau Amlyn yn y drydedd act o 'gad iddynt gysgu' heibio i 'buont goch eu gwala gynnau' at angerdd 'digon o offrwm a roddais i i Dduw' at enbydrwydd 'diawl a'th dago di wraig' a'r cablu creulon – y cwbl fel untôn cnul, mor fesuredig, mor ddi-ddianc, mor gynyddol, mor derfynol. 'Y mae'r cwbl o'r ddrama'n digwydd rhwng noswyl a bore': nid heb bwrpas y defnyddiasai'r Groegiaid y tri undod, y trefnodd y clasurwyr hwynt trachefn, a Shakespeare yn eu defnyddio ar begwn ei dwf, ac Ibsen yntau. Fel gwead dramatig dengys *Amlyn ac Amig* Saunders Lewis yn ei gryfder llawn.

Sylwodd Saunders Lewis ar stori Abasis, y dyn cyffredin a gafodd yn ei lencyndod dröedigaeth a'i gwnaeth yn aelod hapus mewn cymdeithas. 'Carodd ferch, priododd, gwnaeth ei ran mewn bywyd. Y mae'n gwbl fel pawb arall.'[28] Disgrifia Pantycelyn ef 'heb rwystr heb wrthnebiad ond

[27] *Paham y Llosgasom yr Ysgol Fomio* (tud. 18).
[28] *Williams Pantycelyn* (tud. 138–9).

hwylus wastad lyfn a gorfoleddus daith, yn ddiyeithr ddyn i alar yn ddiyeithr ddyn i ffydd'. Hwnnw yw Amlyn dechrau'r ddrama y gellid dweud amdano 'mae mil yn dy ryfeddu, does fawr yn dy gashau', ei fuchedd 'yn grwn, yn ddigon, heb arni dolc na breg'. Doedd 'neb yn gweld ei fai'. Am Abasis y dywedir 'ac enw gŵr ddaeth arno, fe gollodd enw sant': felly Amlyn yn 'rhy fras ei fyd, yntau'n rhy gadarn gyda'i wraig a'i feibion' ac arno arwydd 'archoll a fai'n erchyll fyth, sef colli bod yn sant'.

Achubwyd Theomemphus rhag ffawd Abasis, ond 'anobaith yw ffos olaf balchder dyn; troes i ddamnio Duw' â 'chabledd ar ôl cabledd, sgrech yn erbyn gras'. Amlyn yntau, bu yn y Purdan. Aeth y byd yn dom, a'i ysguboriau'n llawn o gydau mwg, 'dan felltith y farn y dyrchefais i gledd'. Enbyd yw Duw wrth greu sant. Galw ar Theomemphus i roi heibio Philomela, ar Amlyn i ladd ei blant – y llaw a'r llygad deau. A 'rhodio fel un a wêl, a gwybod nos y deillion yw bywyd beunyddiol ffydd' – 'rhoi fy mhwys ar Dduw na'm gedy Ef fi'n anrhaith i Ddiawl', gwrando 'llais yn y nos a bydd dŵr yn win neu fara'n gnawd' a 'goleuni sydd yn rhannu cymylau'r nos yn ddau'. Cyndyn-ddynol fu ymbil Amig â Raffael, a'r ddadl rhwng y ddau ffrind. Mor gyndyn i ymostwng yw'r galon.

Yn *Monica* dywedir:[29] 'Buasai byw bellach yn ddigon hir i wybod mai cymeriad dyn yw'r hyn a wna ef o'i lencyndod.' Ffurfiwyd syniadau Rhys Lewis yntau tra yr oedd yn sêt y cloc: 'erys profiadau llanc yn iau anorfod'.[30] Llw marchog ar y creiriau a ddysgasai Amlyn yn llanc: byth nid anghofir y llw – honno'n dal petai anwir y nef. Nid cyfeillgarwch nac ufudd-dod i angel a barodd wyrth. Gwyrth lai trwsio cnawd Amig (rhyfedd fel y defnyddia'r awdur y wyrth lai'n llinell bwyslais tan y wyrth fwy!) a'r fwy, rhoi enw sant i Amlyn. 'Does dim fod is yr wybren mewn cariad ac mewn bri o fewn i'r serch na'r galon i daflo â Thydi' oedd darganfod Theomemphus cyn i Bantycelyn allu dweud 'yn Ei fynwes mae fy naear i a'm nef'. 'Trefn achub dyn yw rhoi iddo garwr fel y deuo ef allan o'i Narsisaeth, a'i droi at wrthrych a fodlona ei holl natur.'[31] Profiad Amlyn yntau yw 'Ffiaidd gennyf fi fy hun. Gwewyr gwaeth na marwolaeth fu Ei eni'n fy nghalon i. Dowch, dilynwn y plant tua'r preseb, a'u dodi wrth droed y Forwyn, yn aur ac yn thus a myr.' Cerddodd ffordd yr uno.

★ ★ ★

[29] *Monica* (tud. 115).
[30] Williams Pantycelyn (tud. 156).
[31] Williams Pantycelyn (tud. 130).

Cenfydd pob adolygwr 'newydd-deb' yng ngwaith Saunders Lewis. Yn gynnar iawn canfu W. J. Gruffydd[32] mai gŵr yw 'sy'n ddigon dewr i wrthsefyll ffasiynau meddwl ei oes – yr hyn sy'n llawer anos na gwrthsefyll pechodau'r oes'.

'Swydd prydydd yw moli . . . i ddigrifhau' – moli'r patrwm perffaith yr ymgeisia bywyd tuag ato, moli trefn yn y greadigaeth ac unoliaeth cymdeithas, moli sy'n deillio o foli Duw yn ben. 'Ni ddyly prydydd oganu', sef llusgo damwain a drwg i'r Realiti perffaith sy'n sylfaen ffydd y Cristion. 'Mor wahanol yw'r syniad i bob syniad a ffynna heddiw. Gellir dweud am y ddrama Gymraeg yr awr hon mai ei bwriad hi yw diddanu trwy feirniadu a thorri i lawr.'[33] Ffrwyth yr athrawiaeth rwygol sy'n gosod dyn yn echel Bod yw 'byd didrefn, byd o unigolion, byd heb unoliaeth cymdeithas na chredu nac athroniaeth'.[34] 'Rhaid i ninnau ymdrechu am drefn a chyfanrwydd a synthesis mewn bywyd, symud mewn dau fyd a'u hadnabod yn un, a sylfaenu ein gwaith yn y ddau ynghyd.'[35] Ymgyrraedd at y llawnder hwn, y gamp foesol hon, yn y theatr, y bu Saunders Lewis. Dyna'i newydd-deb.

Nid rhyfedd gweld tebygrwydd ynddo i T. S. Eliot. Dau fardd o Gristnogion Catholig rhwng y rhyfeloedd ydynt; sy'n deall nad oes, mewn theatr, gyfrwng eneidegol addas namyn barddoniaeth. 'Â beirdd pob gwlad yn ceisio dwyn y sigl canu yn nes at y sigl siarad,'[36] archwiliodd y ddau (i ddibenion actio) yr iaith lafar i'w cerdd dafod, gan ymryddhau oddi wrth farddoniaeth llyfr. Pwysig iddynt yw'r gorffennol a chonfensiynau cyn-Ibsen drama glasurol Ewrop. Codasant eu storïau a'u cymeriadau o hanes a chwedl. Bu'r ddau'n feirniaid cyn ymroi i greu. Ond damweiniol yw'r tebygrwydd – y mae'r gwahaniaethau rhyngddynt yn sylfaenol.

Nid ysgrifenasai'r Cymro draethodau na llyfrau ar y syniad o farddoniaeth i'r theatr nac astudiaethau ar feirdd drama. Yr hyn sydd ganddo yw nodiadau ar gorff o ddrama Gymraeg a'i ymateb yntau iddo, mewn erthyglau papur ceiniog. Dechreuodd gydag arferion ei gyd-Gymry – pros a darn o gymdeithaseg eu tadau – a'i orfodi at farddoniaeth. Ymgodymodd â'u cyfyngiadau, wedyn gobeithio mai gyda'r radio yr oedd gobaith drama ar fydr, a bod yn falch troi'n ôl *at y llwyfan*. Dichon bod y fantais ganddo ef mewn gwlad hesb o 'draddodiad' drama, gyfoethog o draddodiad barddoniaeth a chrefydd sy'n rhoi iddo gyfundrefn o symbolau a chefndir o deimlad. Gan fod drama farddonol – drama symbolig – yn dibynnu ar addoli ac addolwyr, a'r 'holl amodau

32 *Y Llenor*, Haf 1922.
33 *Williams Pantycelyn* (tud. 17–18).
34 Ibid. (tud. 231).
35 Ibid. (tud. 236).
36 Beirniadaethau [Eisteddfod Genedlaethol] Pen-y-bont, 1948 (Waldo Williams).

anhepgor gennym ni, y mae bywyd i farddoniaeth yn y ddrama Gymraeg, a chyfle eithriadol'.[37]

Gan na bu i Saunders Lewis gerddi telynegol sy'n paratoi'r ffordd i farddoniaeth drama, nid oes ganddo gymeriadau a hanner-gymeriadau fel Prufrock, Sweeney a *The Hollow Men* gan Eliot – sgerbydau'r gymdeithas negyddol farw. Achubwyd Saunders Lewis rhag ymchwil chwerw canu Eliot hyd at *Ash Wednesday*; fel gwyrth (o ran ei ganu) disgynnodd y tu draw i'r Tir Diffaith, fel nad oes hyd yn oed yn *Blodeuwedd* mo'r arswyd at eneidiau chwâl mewn byd chwilfriw, ond barnu pechod wrth sicrwydd ffydd, mewn arddull uniongyrchol foel-bendant, nid y cyfochredd nerfus sy'n plygu'n ôl arno'i hun gan Eliot. Lleisiau i demtasiynau real Becket yw Temtwyr y naill, gwendidau y gŵyr enaid ei arwr am eu gafael arno; nid oes awgrym bod temtio na Garmon na Phaulinus nac Emrys, ac nid yw Cythreuliaid y llall namyn awyrgylch y bydd i Garmon godi yn wyrth i'w wasgar – symbol o dynged arswydion real Pelagiaeth a Brithwyr. Nid cysgod o orchest fwy yw corawdau Eliot ond method i bontio rhwng gwacter a gwagedd y Tir Diffaith a'r sicrwydd a ddaeth trwy ddioddefaint ac mewn profiad ysbrydol. Nid oes eisiau'r bont ar y Cymro ac ni cheir y corawdau, ond ceir caroli a moliannu'r Nadolig a'r Pasg. (Er bod corau yn nrama Groeg nid oes yn nrama glasur Ffrainc.)

Fel y mae barddoniaeth yn help i roi ar gyffredinedd stori bapur-newydd gyffredinolrwydd gwaith celfyddyd y mae gweld cymeriadau'n dywysogion yn help i gyfan-weld natur Dyn. A ddigwyddo i dywysog, nid i unigolyn ond i gymdeithas y digwydd. Ond gyda dyfod y byd modern daeth llwyddiant y dosbarth canol. Yn y nofel rhagor y ddrama y portreedir ef gliriaf. Pan fo yntau'n malurio, pan fo eisiau ei oganu ac nid ei foli, ceir ef mewn drama, ac ergydion Ibsen a siglodd seiliau'r gymdeithas *bourgeois*. Gydag *etifeddion* yr uchelwyr – i'w canmol – dosbarth uchaf gwerin wledig Cymru, y cychwynnodd Saunders Lewis, a chilio o'u byd rhy agos-real at dywysogion hud a hanes. Gyda Becket y cychwynnodd drama Eliot a thyfu at *The Family Reunion*. Â dawn bardd o Gristion rhoes i'r dosbarth canol cyfoes Seisnig gyffredinolrwydd dynoliaeth. *Troes theatr bros Ibsen yn theatr bardd.* Cafodd help nad yw wrth law'r Cymro – cyfiaith yw haen uchaf y dosbarth canol Seisnig, ac aristocratiaid diddosbarth heb arnynt angen chwysu na gofidio am fara-a-chaws, fel y gall eu heneidiau dyfu neu grebachu heb ystyried damweiniau allanol. O'u dihatru o'r lleol cyfyng llwyddodd y Sais i ddyrchafu cymdogaeth gyfoes yn farddoniaeth grefyddol fawr i'r theatr. Anos fyddai tasg y Cymro pe gwelai gyfle i wisgo barddoniaeth athrylith grefyddol am ei 'werin' ddiddosbarth gyfoes ef – pe derbyniai

[37] *Y Faner*, Medi 13, 1947.

ddyfod Ibsen â *maes llafur* newydd i'r theatr. Gall eto fod, i ferched
trafferthus ein cymoedd tan gwmwl, werth ysbrydol mewn dewis
lleiandod; y mae serch cnawdol rhamantus o hyd yn anrheithio bywyd
swbwrbia (fel yn *Monica*); gŵyr gwleidydd a diwygiwr mawr ein dydd,
rhagor na neb arall, fod Pelagiaeth yn anuno Cymru; ond odid na chanfu
mab i weinidog Anghydffurfiol falchder ysbrydol yng nghapeli ei
lencyndod. Nid yw'r gomedi gymdeithasol sylwgar-fanwl yn null
Molière wedi ei hysgrifennu; nid yw Malvolio'r blaenor ymhlith y
dramatis personae. Am hynny ni phrofwyd 'mor ddianghenraid oedd y blys
Seisnig am ddynwared natur ar y llwyfan' na chwblhau concwest y theatr
i farddoniaeth grefyddol symbolig.

POET'S VIEW

✦

Wales's radio caters for two languages, English and Welsh. Its programmes and personnel are therefore open to two fires of criticism. But there has frequently been courageous experiment in broadcasting from Wales. A current fortnightly series of Welsh poetry readings is particularly adventurous. Mr Aneirin Talfan has made Welsh listeners expect as much from him.

Since October 3, five long poems have already been spoken and at least three more are scheduled. According to the *Radio Times* poets had been commissioned to write original long poems that could be spoken by different voices. They were expressly to keep the listener in mind. Each poem must be of contemporary significance.

To publish poetry today is almost impossible. Apprentice poets who have proved their worth by winning National Eisteddfod awards for long poems have to subside into short lyrical forms suitable for periodicals or become silent.

The radio experiment succeeds if only by correcting the glut of Welsh lyricism and re-establishing the long poem which turns the poet's mind from his introverted self to an objective description and analysis of contemporary tendencies.

It has been claimed, especially in the field of poetic drama, that in Wales there still is a delight in listening to spoken verse. Welsh choral verse-speaking has become an independent art form.

The modern poet must master the machines of the twentieth century. He must subdue the mike. As the sixteenth century-stage evolved its giant Shakespeare, so radio today must produce microphone poets of stature.

The direct impact and immediate contact with the mind of ordinary people that the new medium demands will in turn reduce the dread of 'modernist' poetry. As the public becomes progressively less literate and book-literature dwindles, spoken-literature must be re-established. Aural poetry must take the place of musical poetry. For poetry the world must have.

The politician, the preacher, the propagandist gets a constant hearing; it would be good to hear the poet discussing the modern world, and good to give heed to the prophetic words.

The Wales programme director should be generously thanked for sponsoring an experiment of such great purport. A fare of Third Programme stature, broadcast on our mixed-fare wavelength, compliments the Welsh listener too. As the Eisteddfod is still the national holiday of common folk so radio is their evening's entertainment.

Six of the eight poets commissioned have captured primary Eisteddfod awards for long poems, some of them more than once. Not more than three are under middle age, two are senators in Welsh letters.

There are among them ministers of religion, school and university teachers, and a journalist. Five are university graduates; five live in South Wales. Thus they are a cross-section of the community that is Welsh-speaking, though non-blackcoated poets could have added lusture to the panel.

The titles of the poems heard suggest a morbid interest in mortality. Of the two youngest, Rhydwen Williams writes 'The Song of Death' and Gwyn Griffiths 'The Flowers of the Grave'. Gwilym R. Jones describes 'The Atom Factory', and T. H. Parry-Williams writes of bones, but his are only 'The Bones of Contention'.

Each line in J. M. Edwards's description of his native Cardiganshire village is replete with *hiraeth*, a longing for the life that used to be. The brook keeps on going, keeps on coming, having gone before you came, still coming when you have gone.

The carpenter remarks in a glorious love-poem to his craft that the end of iron and of oak is rust and worm; and the end of man is dust and a wooden plank. It is a village that has died, for the treachery of the world blows like a sly breeze across the frontier, and the loveliness that was is withered.

Rhydwen Williams, in an 'In Memoriam', questions the meaning of life and doubts the hereafter. Patterned deliberately as Spender in a similar mood, each poetic image is desolate of hope. Before Life had sown its seed within the soldier, Death had come to gather its harvest.

Human life is the cigar in the mouth of Death, and the polished star is but a hole in the night. The up-ending of images turns even the comfort of Scripture upside down, for 'this is a faithful saying and worthy of all rejection'. The lips that once knew Paternosters are now the nests of worms. Yet his is only half a poem. The meagre last canto suggests a vision of life.

Gwilym R. Jones, the journalist, interviews the personnel of an atom factory. The scientist must first perfect the bomb that exterminates all potential enemies, before atom energy may be harnessed to human welfare.

The telephonist daydreams of cinema love before the inevitable descent to the empty tavern of death. The pendulum of dread and the dragging feet of death on the floors of our delight frightens the clerk. The canteen hand sees the all-present ambulance.

The workman at the bench recalls Munich and Belsen, the lampshades made of human skins and soap of human fat. But these horrors cannot return. Is he not making the bomb to destroy the dread memory of them?

Then someone blunders and the journalist reports: 'Between one and two this morning the Samson of the West pulled his atomic temple about his ears.' Bold, direct narrative.

Egyptian images and folklore, a welcome influence upon our too anglicized Welsh poetry, illustrate Gwyn Griffiths's poem of death – the death of his native land.

His irony is biting and epigrammatic. The kids in the County School master all languages, all but their mother tongue. We shall be American-ized, and scholars, antiquarians, linguists, St Faganists will be charmed with the fossil that once was Wales.

Yet with the help of his Egyptology, this poet can see through the night that covers the world a new day on the path of heroism and self-abnegation. Flowers of sacrifice must be placed on the tomb of a dead today.

T. H. Parry-Williams stages a brisk discussion between John and Jack. John sees the nation (or race), the language and the land (or soil) of Wales as evidence of our distinct existence as a people. Jack pours scientific scorn and double-doubt upon his too facile argument.

The poet himself, in this poem as is usual with him, qualifies, exempts and puts in brackets. There is no finality to the debate. The three witnesses jointly testify that there is an element of truth in both parties. They can take no side, for there is always a 'Yes' and a 'No' in the affairs of man.

This agnostic fair-mindedness is yet again a poem of death (or at least, of non-life).

Yes, death is the substance of Welsh modern poetry. The poets view the world through a death's-head's empty eye-socket.

But it is brilliant writing. Death is decorated, desolation is bedecked with wreaths of art. The form is modern in all the poems, the idiom that of the spoken word: and Parry-Williams, the oldest of those so far heard, is the most modern of them all, as he has always been in all his former work.

The poet reduces the radio citadel. Welsh radio verse is alive in form, even though in content death has still its sting and the grave its victory.

Gweithiau Creadigol

Y LLYSFAM

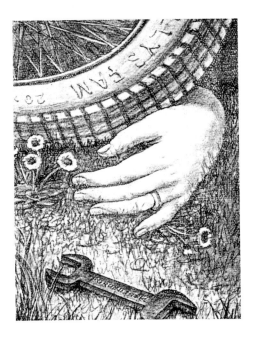

Hawdd deall, er mor ddigysur fu hynny i mi, pam y dewisodd Glyn fi i dderbyn ei gyfrinach. O'r adeg pan oeddem yn Ysgol Ganol Tre Fawn, buom yn gyfeillion agos. Wrth rodianna fin hwyr ac ar y Sadyrnau, deuthum i wybod yn weddol fanwl am yr amgylchiadau pan briododd ei dad eilwaith. Synnais lawer wrth weled i fachgen un ar bymtheg oed ddigio i'r byw oherwydd y briodas.

Yr oedd Tomos Jones, tad Glyn, y flwyddyn cyn iddo gymryd ail wraig, wedi gwneuthur ei orau glas i brynu fferm – un a fyddai'n ddigon o faint i'w gynnal ef a'i deulu, sef Glyn a'i chwaer a'u modryb, chwaer eu mam, a'u magodd o'r dydd y collasant eu mam yn rhai bach, bach.

Chwe blwydd oedd Glyn pan fu farw'i fam, a bu ei dad am y deng mlynedd nesaf yn gweithio yn y de, a dod yn ôl bob gwyliau i hau neu fedi fel y byddai'r tymor. Os yw diwrnod lladd moch adeg Nadolig, a dyddiau hau tatw y Pasg, neu adeg cwteru'r cae gwair pan fo streic yn arwyddion llawenydd, nid oedd brinder hapusrwydd yn y Gors Wen.

Methodd Tomos Jones daro ar fferm a ryngai ei fodd, er iddo gynnig ar sawl un yn arwerth stad Y Fawnog tua diwedd y rhyfel.

Bu tipyn o syndod pan ddeallwyd ymhen blwyddyn ei fod wedi priodi'n sydyn yn y de, a'i fod yn bwriadu troi'r Gors Wen heibio, a symud i fyw rywle yng Nghwm Afan. Gadawyd Glyn yn Ysgol Ganol Tre Fawn, a phryd hynny y deellais beth ar ei ddicter at ei lysfam.

Priododd Tomos Jones heb yn wybod i neb yn y wlad. Rhyw ffrindiau o'r de a hysbysodd hynny wedi'r gwledda. Yr oedd hynny'n dramgwydd i deulu mam Glyn, ac yn enwedig i'w fodryb.

Nid rhyfedd i'r ddau deulu gymryd ochrau, ac o dipyn i beth fynd yn benben, a dywedyd pethau cas am ei gilydd. Ond Glyn ei hun a roddodd imi'r eglurhad gorau ar weithred ryfedd ei dad.

Mynnai Glyn mai awydd oedd arno i beidio â pheri poen i deulu ei wraig gyntaf a dolurio'i blant. Gohirio, a gohirio wedyn, nes iddi fynd yn rhy hwyr, yna gohirio o bwrpas. Yr oedd yr ofn meddylgar hwn yn elfen yng nghymeriad Glyn, mi wn; at hynny, tuedd i adael tan yfory y peth anodd, anghysurus. Felly'r aeth o ddrwg i waeth yn y Gors Wen.

Nodwedd arall yn y tad a'r mab oedd pendantrwydd a drôi'n ystyfnig-rwydd noeth o'i wrthwynebu. Pan suddodd atgasedd i enaid pawb o'r cylch, penderfynodd Tomos Jones y gorfyddai ar Glyn hefyd i'w ganlyn i'r de, a'i roi i weithio tan y ddaear ar hanner ei gwrs ysgol.

Yr oedd glowyr y pryd hynny'n ennill yn dda; gwerthasid y Gors Wen am geiniog weddol, ac y mae'n debyg i Tomos Jones gael 'hen hosan' burion gyda'i wraig hefyd. Odid nad oedd aur coch yn lliwio peth ar ei resymu am gael y crwtyn i'r pwll.

Trychineb fyddai iddo gael ei ffordd, am na fu disgleiriach disgybl yn ysgol Tre Fawn erioed, bron: ond pallu gwrando ar ymbil ysgolfeistr a phawb arall a wnâi Tomos Jones. Aeth y dyn cryf yn benstiff: collodd gydymdeimlad ei ardal. Cadwodd ei fodryb Glyn yn yr ysgol â'i phres ei hun.

Awgrymodd teulu'r tad ei bod hi wedi gwlana'n hael yn y Gors Wen; haerai hithau na chawsai ddimai o gyflog tra fu yno'n helpu codi'r plant. Cyn symud dim, aethpwyd trwy bopeth a feddai, a bu rhaid i'r ddwy ochr lofnodi papurau i gadw'r heddwch. Hyhi a roes ei gyfle i Glyn, a chyda hi y cartrefodd yntau wedi iddi symud i'r Rhondda i fyw. Aeth ei chwaer at deulu cefnog yng Nghaerdydd, ac yn y diwedd priodi yn y teulu hwnnw.

Ond wedi'r cwbl, nid wrth ei dad y digiodd Glyn yn gymaint. 'Y fenyw fach', ebe fe, 'sy wrth wraidd y cyfan.' Nid oedd wedi ei gweld hyd yn hyn. Rhyw gefnder a'i disgrifiodd iddo wedi i hwnnw ei gweld yn y Barri. Twmpath, a chasgen, a thwten, oedd ei eiriau. Clywais am yr hwyl a fu wrth lunio delw ohoni i'r dychymyg.

'Ma' fe'n gorfod 'i chodi hi i iste yn y sêt yn y capel dy' Sul'; a'r 'fenyw fach' fu hi i bawb wedyn. Y mae'n wir mai corpws lled anniben a di-lun oedd ganddi, ac nid oedd hynny'n help iddi gyda Glyn. Yr oedd rheswm arall tros iddo ddigio wth y fenyw fach.

Wedi'r briodas, bu digon o waith yn y Gors Wen i drefnu'r ocsiwn. Un o'r gorchwylion oedd torri egin tatw yn y sgubor, ac wrth wneuthur hynny daeth Glyn o hyd i lythyr ym mhoced cot ei dad.

Oddi wrth y fenyw fach yr oedd. Credai Glyn fod ganddo hawl ar ysglyfaeth felly, a darllenodd ef. Digiodd i graidd ei enaid at ei gynnwys. Nid oedd dim byd ynddo ond ychydig gyfarwyddiadau ynglŷn â pha ddodrefn o'r Gors Wen i'w dwyn gydag ef, a pheth i'w roddi ar ocsiwn.

Gwelais ef. Soniai am gadw'r ford fach gron, a'r cloc, ond am werthu'r ford fawr, am fod un felly yn barod ganddynt. Digon syml a didram-gwydd! Hynny a laddodd enaid Glyn.

'Dynes ddierth yn 'i lordio-hi ar bethe 'nghartre i, ar bethe Mam.' Pan soniai am hyn yn unig y clywais i ef yn ei galw hi 'yr hen ddiawl bach salw'.

Hyn oedd arwydd rhwygo'i gartref, arwydd newid byd, o fywyd cynefin gwlad i fywyd dieithr tref. Hi yn y llythyr syml hwn a roes orch-ymyn i ddiwreiddio Glyn: ac am iddo ddeall hynny yn nhywyll-leoedd ei enaid dwfn, digiodd hyd y byw ati.

Wrth gwrs, cydnebydd pawb sy'n ei gofio mai'r symud hwn oedd y peth gorau a ddigwyddodd iddo eirioed. Ysgyrnygodd ei ddannedd ar y byd, ac aeth o ysgoloriaeth i ysgoloriaeth, o Dre Fawn i Goleg y Brif-ysgol, o radd i anrhydedd, a chreu o'r diwedd lên sy'n gwefreiddio byd.

Pe cofiasech, wrth ddarllen ei waith, ei drychineb ef ei hun, can-fyddech nad rhyfedd fod gwenwyn ymhlêth â'i athrylith. Ped arosasai yn y Gors Wen, enillasai le iddo'i hun yng nghyrddau cystadlu capel ac eisteddfod tref, ond fe gollasai'r ddisgyblaeth chwyrn a'r ing celfyddgar sy'n peri bod troi ei ddramâu a'i nofelau i ieithoedd Ewrob gyfan heddiw.

Yn unigedd ei enaid arhosodd dig, gan fagu'n glwrnyn ynddo. Daeth dicter at ei lysfam drosto fel tarth trwm Tachwedd. Wedi ei hangau hi, pan dynnodd i mewn iddo'i hun, meddyliais amdano fel un ar goll mewn niwl – mwg yn codi o uffern ei galon ef ei hun.

Y mae'r ddrama olaf a sgrifennodd cyn ei farw yn gyforiog – yn dorrog – o gyffesion am erchylltra ei gorff lluddedig a'i galon glwyfus. Nis cyhoeddwyd eto.

Pan oedd ar ei wely ac yn gwybod agosáu'r diwedd, treuliais bryn-hawn poenus gydag ef, yn gwrando ar waelodion ei gyfrinach. Gofynnais ganddo dewi, ond mynnai siarad.

'Edrych yma, Idwal,' ebr ef, 'ma'n rhaid i fi weud wrth rywun. Dw i ddim wedi gneud hyd 'n hyn. Ma' fe'n gwasgu arna i. Wyt ti'n fodlon gwrando?' Ni allwn lai, o'i glywed.

'Wrth gwrs, Glyn bach, os wyt ti'n moyn i fi.'

'Odw. Ma' fe'n gwasgu arna i.'

'Ond ma' pawb yn gwbod ma' anffawd o'dd e. Ma' pawb yn cyd-ymdeimlo â thi. Darllen y llythyron gest ti ar y pryd. Do's dim isie i ti fecso o gwbl.'

'Do's dim ots gen i beth ma' pobol yn feddwl,' oedd ei ateb; 'ma' dedfryd y cwest yn ddigon clir. Anffawd o'dd e. Nid hynny sy'n fy mlino i.'

'Wel, os wyt ti'n gwbod ma' anffawd o'dd e, pwy isie iti flino sy? Tro i orwedd yn dawel nawr, a phaid â meddwl dim amdano.'

'Ie . . . ond Idwal . . . nid dyna'r gwir i gyd . . .'

'Beth wyt ti'n feddwl?' A chefais berfedd ei ofnau ganddo.

Cyffesodd drachefn mor gas oedd ei lysfam ganddo. Ni soniwyd am hynny yn y cwest. Gwyddai pawb ddäed y bu ef i'w dad wedi i hwnnw, fel cynifer eraill, golli ei waith.

Nid ar olwg y gwelid y gwirionedd aflan ychwaith, gan fod Glyn yn ŵr bonheddig ac yn gallu ymddwyn yn weddaidd at y fenyw fach pan ddigwyddai hithau a'i dad alw. Nid dicter dialgar, taeogaidd, yn bodloni ar fân anghysuron, a'i ddaliai; yn nwfn ei fod yr ydoedd, yn llunio osgo'i feddwl.

Digwyddodd hi a'i dad alw y diwrnod enbyd hwnnw, wedi croesi o'r naill gwm i'r llall mewn bws: cawsant gymaint croeso nes ei gadael yn rhy hwyr, ac i'r bws olaf ddychwelyd hebddynt. Nid oedd wahaniaeth mawr am hynny, gan fod beic modur gyda Glyn ac un arall gyda Bob, priod ei chwaer. Soniwyd yn gynnar y prynhawn y gellid mynd â'r bobl ddieithr yn ôl yn y rheiny.

Swper a llawenydd wrth brofocio am y ddau gerbyd. Hwn oedd y tro cyntaf i'r fenyw fach weld dodrefn cartref Dilys wedi i honno briodi. Plesiwyd hi gymaint â'r croeso nes iddi awgrymu o'i gwirfodd y dylsai peiriant gwnïo'i mam fod gyda Dilys: gellid dod ag ef yn ôl yn y cerbyd wrth ochr y beic wedi hebrwng y ddau adref.

Cychwynnodd y ddau feic, Tomos Jones wrth ochr Bob yn y peiriant cyntaf, a'r fenyw fach tan ofal Glyn yn canlyn. Mynd yn hwylus trwy strydoedd cul, anhrefnus, prysur, y Rhondda, a hithau'n canmol yn awr ac eilwaith ddäed y gyrru, a rhyfeddu am y siwrne gyntaf hon mewn motor beic.

Taro ar yr 'Hewl Newydd' sy'n dirwyn tros Fwlch-y-clawdd o'r Rhondda i Gwm Ogwr. Gwn innau gyfaredd y ffordd hon, am i minnau ei moduro droeon, gynt a chwedi: ond cofiaf hi heno'n well, am wn i, o ddisgrifiad Glyn ohoni, ac o'r siwrne seithug trosti.

Ni bu perffeithiach peirianwaith ar greu heol erioed. Gall beic fynd tros bob modfedd ohoni 'ar y top', gan esmwythed yr esgyn o Gwm Parc i'r Bwlch. Ond y mae'r tynnu'n ddigon, serch hynny, i beri bod y peiriant yn penderfynu llwyddo, yn ymegnïo'n ffres gyda phob llathen: y mae'r rhiw o'i flaen yn effeithio ar y beic yr un ffordd yn union ag ar geffyl ysgafn o flaen trol.

Y mae'r tresi'n dynion, a diben di-ildio i bob ergyd a rydd y pistwn – a miwsig y peiriant fel canu cerddorfa tan ofal arweinydd meistrolgar, yn gyson, yn esmwyth, yn bendant. Y mae'r nodyn diwethaf yn wahanol i'r un o'i flaen, a gŵyr y marchog y bydd yr ergyd nesaf yn newydd sbon.

Yng ngolau dydd deellir, o daflu cipolwg yn ôl, ein bod yn dringo'n lled serth, er nad yw'r ffordd o'n blaen, ar olwg, yn codi dim. Wedi nos, dim ond dygn benderfyniad sŵn y peiriant a'i mynâg. Ni wn am lais huotlach na sŵn peiriant beic modur yn nannedd rhiw lefel.

Ar i fyny'n gyson hyd y tro cyntaf i'r dde, lle rhaid gofalu cadw'n ddigon pell mas rhag arafu, ac i fyny wedyn bwt yn sythach, gan ofni gorfod 'newid'. Sibrwd cefnogaeth a geiriau caredig yng nghlust y beic; hwnnw'n ymegnïo'n fwyfwy; cyrraedd, wrth gofleidio'r llethr chwith, fan gwastatach mewn pryd, a'r beic yn ei adfeddiannu ei hun ac yn anadlu'n ysgafnach erbyn dod i'r tro crwn nesaf.

Tro i'r chwith sydd yma, lle mae golwg ar greigiau danheddog yn cwympo'n slip i'r dolau isod. Rhaid cau'r throtl beth cyn cymryd y tro, rhag i'r seidcar ein taflu'n grwn dros y dibyn. Ond ar hanner y tro, agor allan drachefn i'r beic gael llond ei ysgyfaint o egni ffres i glirio'r cribyn.

Gwasgu i'r dde ychydig a dringo esmwyth, twym i'r ddwygoes, hyd at y groesffordd ar y Bwlch. Aros yno i'r beic gael ei wynt, ac i farchog edrych tros ymyl y frest ar y ffordd wen yn dirwyn i fyny.

Y ffordd y daethom hyd-ddi wrth ein traed isod, y rhesi di-dor o dai draw, y ffordd fawr, y ffordd drên, yr afon – tair o nadredd disglair os bydd haul, clwstwr o sêr efallai, neu wynder rhesi o gopâu pinnau-bach mewn papur, wedi bo machlud.

Arhosodd yr orymdaith fechan ar y groesffordd. Erbyn hynny roedd atgasedd at ei lysfam wedi ymgordeddu ym meddwl Glyn. Peiriant ei feic modur a'i plethodd yn ei enaid, ebr ef. Y beic wrth ddringo yn tynnu, tynnu; teimlo'r gwynfyd a ddaw o drafod peiriant, o sibrwd cymhellion wrtho fel wrth beth byw; ergyd cyson ar ôl ergyd cyson; deall y sicrwydd moethus sydd wrth gornelu'n lân, a hen bethau'n newyddion yng ngoleuni'r lampau; a'r beic yn curo, curo; tynnu, curo, taro. Rhythm taer y curo'n nyddu cân, a'r gân yn troi'n eiriau.

'Cyfrinach peiriannau, cyfrinach peiriannau, cyfrinach peiriannau.' Y rhythm yn dal, a'r gair yn newid. Y beic yn dringo, a'r rhythm hefyd yn newid.

'Yr hen fenyw fach, yr hen fenyw fach.' Dringo eto, a'r gynghanedd yn cynyddu.

'Yr hen fenyw fach, yr hen gythrel bach, 'rhen gythrel bach slei, 'rhen gythrel bach slei.' Troi i'r chwith, heibio i'r creigiau ac wrth ben y waun isod.

'Lawr tros y dibyn, lawr tros y dibyn, 'rhen gythrel bach slei, lawr tros y dibyn, myn diawl i 'na bert, myn diawl i 'na bert, lawr tros y dibyn, myn diawl i 'na bert.'

Erbyn taro'r hytir union olaf cyn sefyll y beic, yr oedd y peiriant yn dyfal sibrwd cymhellion, a Glyn yn gwrando. Yr oedd y gân yn un anthem gref i'w glyw.

'Cyfrinach peiriannau, yr hen gythrel bach, lawr dros y dibyn, myn diawl i 'na bert. Myn diawl i 'na bert.'

Aros, ac edrych yn ôl. Distawrwydd gwag ennyd, heb na'r beic na neb yn siarad. Yna pawb yn canmol y dringo, yn clebran am wrhydri'r ddau beiriant, yn tynnu sylw at y dref islaw. Wedi hynny sôn am ffordd Cwm Ogwr o'u blaen, ac Aberafan trwy'r graig a naddwyd, i'r dde. Y tri yn mwynhau mwg baco yn awel y nos ddiwybed: y beic yn ddistaw a'r gyfrinach yn angof. Distawrwydd. Paratoi i gychwyn. Saif y manylion yn bendant–gwta ar y cof.

Dringo y mae'r heol am ysbaid nes ei hymestyn ei hun ar y cefn corslyd am filltir hir, wastad cyn dechrau disgyn hwnt i'r Gaer, ac i lawr i Flaengwynfi ar y gwaelod. Dirwyna i lawr fel y dirwynodd i fyny – tro crwn i'r chwith, yna tro byr annisgwyl i'r chwith tan glogwyn, ac yn ôl ar gylch i'r dde.

Y mae milltir esmwyth o ddisgyn wedyn. Wedi clirio'r gwastad ar y cefn moel byddis bob amser yn cau'r throtl ac yn rhedeg ar y brêc. Nid oes berygl o gwbl ond cadw'r beic tan law, heb adael iddo garlamu dim. Y mae'r distawrwydd cymhedrol yn amheuthun wedi sŵn y dringo, a gellir siarad â'r neb fo yn y seidcar.

'Dyma'r tro cynta', ebe'r fenyw fach, 'imi fod mewn beic erioed. On'd yw hi'n ffein?' Cydsyniai Glyn â hi gan gadw'i lygaid ar y ffordd o'i flaen.

'Ma' byd arnoch chi, a chreadur fel hwn wrth law beunydd.'

'Pam na fynnwch chi un? Mi dale ichi.'

'A Tomos heb waith! 'Allwn i ddim â fforddio dim byd.'

'Twt, ma' digon o hosan gyda chi. Car bach.' Mynnai Glyn na chofiasai ddim am gyfrinach y peiriant gan esmwythed y rhedeg.

'Ie,' ebe hithau, 'car bach fydde ore. Bydde'n haws siarad.'

Yr oedd golau coch y beic arall ar y tro olaf ar fynd o'r golwg.

'Ma'n nhw'n mynd yn grand, on'd odyn nhw?'

'Odyn.'

'Ry'n ninne'n mynd yn neis hefyd, Glyn. Ma' hi'n werth bod yn un o'r rhein.'

A dyna'i geiriau olaf.

Ni wyddai Glyn ddim rhagor am a fu, ond ar y tro chwithig tan y clogwyn y digwyddodd. Yr oedd y peiriant yn rhedeg yn rhydd.

'Ai'r tro oedd yn rhy fyr iti?' meddwn.

'Wn i ddim. Do'n i ddim yn mynd yn gyflym o gwbl.'

'A deimlaist ti fraich y beic yn dal ochr y seidcar, 'te?'

'Naddo, wy ddim yn meddwl.'

Ond y mae'n amlwg bod y seidcar, sydd bob amser am gyflymu ar ori-waered, wedi bwrw'r beic dros yr heol. Gall fod Glyn wedi dal ei droed yn rhy dynn ar y brêc dipyn yn rhy sydyn a chynyddu tuedd y seidcar.

Tros y clawdd isel ac i lawr y llethr ar y dde'r aeth y beic yn bendra-mwnwgl. Pan ddeallodd Tomos Jones a Bob fod rhywbeth o'i le, daethant yn ôl a chael Glyn yn sypyn swrth ar y glas y tu hwnt i'r clawdd, wedi ei fwrw o'r cyfryw yn gryno ddigon, a daeth ato'i hun ar unwaith. Ond yr oedd hi, y fenyw fach, tan gorff y motor beic, yn gorff hefyd, yn is i lawr.

'Wedi dal ergyd ar 'i gwegil,' ebe'r meddygon.

Pan orffennodd Glyn yr hanes, nid oedd gennyf ddim ond gofyn 'Pam wyt ti'n blino? Ellit ti ddim help o gwbl.'

'Ar fy llw, na allwn ddim,' meddai, 'ond wedyn . . .'

A daliai i bwysleisio fel y plethodd cyfrinach peiriant y beic modur i'w ymwybod wrth ddringo o Gwm Parc.

'Paid â gwirioni,' meddwn innau.

Hynny oedd y cyngor olaf y gallwn ei roi iddo cyn ymadael. Ond yr oedd yn ddigon hawdd canfod bod poen corff a chlefyd enaid yn cyflym ddifa'i einioes.

Ni welais ef yn fyw wedyn, ond cefais un llythyr oddi wrtho.

'Yr wyt ti wedi ymwneud â'r feddyleg newydd. Ateb y gwir. A wyt ti'n meddwl y gall mai cyfrinach y beic modur a'm hysodd heb yn wybod i mi fy hun a'm gwnuethur yn llof . . .?'

Ni fentrodd orffen y gair, ond dywedai yn is i lawr, 'Fel wyt ti'n gwybod, Idwal, yr oeddwn i'n ddig iddi!'

Atebais mewn geiriau plaen, ond y peth nesaf a glywais i oedd ei fod yntau wedi darfod ar ôl cystudd caled iawn.

Darllenais ei ddrama olaf ddyddiau'r angladd. Ni wn a gyhoeddir hi byth. Dinoethodd ynddi ei enaid ei hun – ac y mae hi'n greulon: yn ofnadwy o greulon, yn gwasgu dyn i'r llawr.

'NUNC DIMITTIS . . .'

✦

Rhad ynot Ti oedd caniatáu
penllanw serch i ni ill dau.

Rho, cyn i'r llanw dreio dim,
drugaredd fawr yr angau im.

Cans ofnaf lai ei ddirfawr fraw
nag oer anwybod am a ddaw,

A'r gwybod siŵr bod gaeaf du
yng nghroth pob perffaith haf a fu.

Gad imi heno brofi rhin
marwolaeth, tra bo gwin yn win;

Rhag i waelodion llestri'r wledd
droi'n chwerwach ing nag ing y bedd.

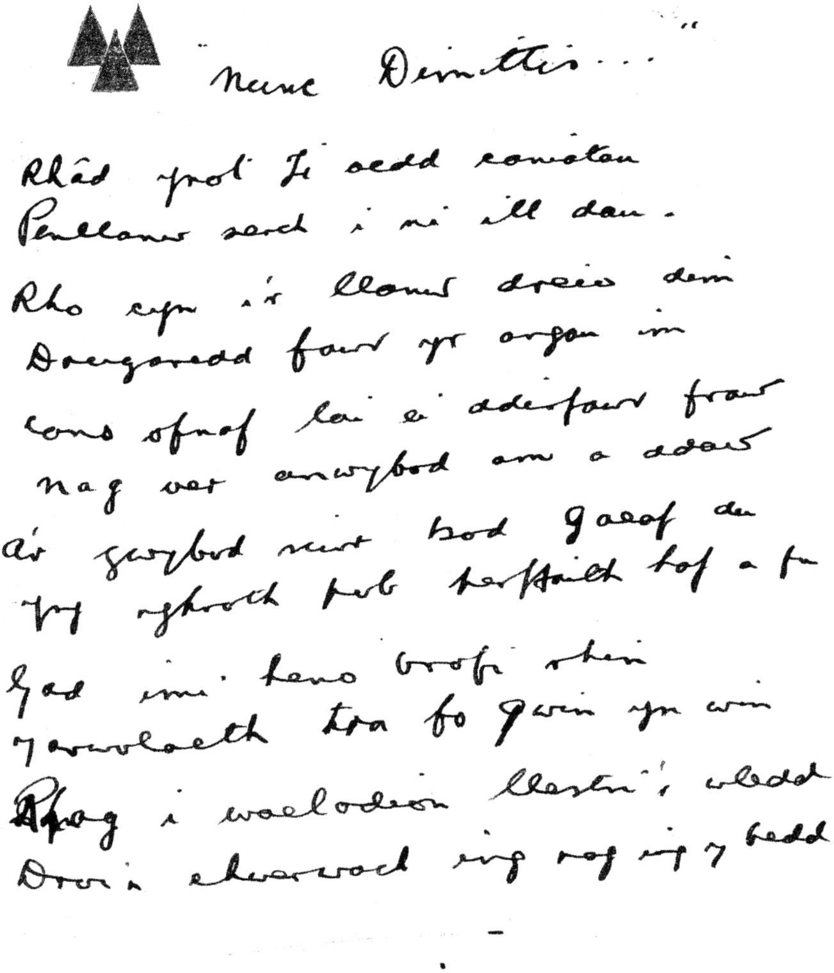

"Nunc Dimittis..."

Rhâd ynot Ti oedd cawodau
Penllanw serch i ni ill dau.

Rho cyn i'r llanw droi [illegible]
Dangnefedd fawr yr angau im

Cans ofnaf lai a adewais fraw
Nag oer anwybod am a ddaw

A'r gwybod mai bod gaeaf du
Yng nghroth pob perffaith haf a fu

Gad imi heno brofi o'r hen
[illegible] tra bo gwin yn win

Rhag i waelodion llestri'r wledd
Droi'n chwerwach cyn rhof i'r bedd

Llawysgrif yr awdur

'LE BON DIEU EST MORT'

✦

Fy enaid proletaraidd, llawenhâ:
bu farw Duw, hyn yw'r 'newyddion da'.

Fe drodd y rhod o'th ffafar, nid wyt dlawd:
bu farw Duw; daeth dyn i ddyn yn frawd.

Ond iti dderbyn angau Duw rhag llaw,
ti fydd etifedd 'da y byd a ddaw'.

★ ★ ★

Cred gelwydd yr ugeinfed ganrif hon:
bu farw Duw, daeth annuw newydd sbon.

Ddydd angau Duw, gwnaeth Comiwnyddion call
yr annuw'n dduw, a saint o blant y fall.

Trwy gredu-dim ond credu-duw a ddaeth,
cei heddiw Ganaan, gwlad y mêl a'r llaeth.

Mae addewidion yn 'newyddion da':
fy enaid proletaraidd, na thristâ.

SACRAMENT

✦

Gwir gnawd, gwir waed, yw bara a gwin
I'r Saint a wŷr eu rhyfedd rin;

Gwir fara bywyd yw a chnawd,
Gwir win ei gwaed, ein henaid tlawd;

Wrth fwrdd ei chnawd – a'i gwaed yn rhad
Dewisaf ddisgwyl fy iachâd

A chaf, fel hwythau, brofi rhin
Y cnawd a'r gwaed, y bara a'r gwin.

Llawysgrif yr awdur

O BRIDD Y DDAEAR

✦

Am it o bridd ein llunio ni
Daeth dydd ein dial arnat Ti;

Creasom ninnau yn ein tro
Well duw o aur a phlwm a glo;

A heddiw pridd y ddaear fras
Sy'n eistedd ar orseddfainc gras;

Daeth dydd ein dial arnat Ti
Am it o bridd ein llunio ni.

Llawysgrif Mair Kitchener Davies

CWM GLO

✦

Gwelsom y Dwyfol Grochenydd
A'i Olwyn gan ddagrau yn llaith.
Cynan

I
S.M.P.
a ddododd fy nhroed ar lwybr llenyddiaeth;
ac i
Gymdeithas y Ddrama Gymraeg, Abertawe,
a berfformiodd *Cwm Glo* am y tro cyntaf,
Chwefror 7, 1935

CYMERIADAU

Morgan Lewis	Goruchwyliwr gwaith glo, tan ei 40 oed.
Bet Lewis	Ei chwaer, tua 27 oed.
Idwal	Glöwr; cariad Bet, tua 30 oed.
Dai Dafis	Glöwr, canol oed.
Mrs Davies	Ei wraig, tua'r un oed.
Marged	Eu merch, 15 oed.
Richard Ifans	Glöwr, hen ŵr.
Bob	Crwtyn o löwr.

LLEOEDD AC AMSERAU

YR ACT GYNTAF
Golygfa 1: Partin tan-ddaear. Amser brecwast.
Golygfa 2: Cegin tŷ glöwr. Yn hwyrach yr un bore.

YR AIL ACT
Golygfa: Gardd o flaen tŷ'r goruchwyliwr. Canol haf ymhen tair blynedd.

Y DRYDEDD ACT
Golygfa 1: Heol fawr o flaen tŷ'r goruchwyliwr. Hwyr o Hydref ymhen blwyddyn.
Golygfa 2: Cegin tŷ glöwr (fel yn Act 1.2). Ymhen pythefnos.

NODIAD – Unrhyw gwm diwydiannol yn ne Cymru yw 'Cwm Glo', a gall y chwarae ddigwydd rywbryd ar ôl hanner olaf y *nineteen-twenties*.

YR ACT GYNTAF

GOLYGFA 1

Partin tan-ddaear. Amser brecwast.

Pethau a ddigwydd bob dydd, ym mhob 'Cwm Glo' yn y Sowth, yw defnydd y chwarae hwn. Y cwbl a ofynnir yw cyfnod o bedair blynedd, i hadau'r ddwy olygfa gyntaf brifio: aeddfedant i'w priod ffrwyth yn ddiymod.

Pan gyfyd y llen y mae'r llwyfan mewn tywyllwch a llwch glo mân, ond bod un lamp glöwr, sydd yn hongian ar bostyn yn agos i ganol y llwyfan, yn creu cylch clir o olau, fel gnotai, am ben y glöwr hwnnw. Wrth i'r llygaid gynefino â'r tywyllwch gallwn ninnau amgyffred yn well mai partin tan-ddaear sydd o'n blaen a bod pâr o reilffyrdd gloyw yn rhedeg ar draws y llwyfan o'r chwith uchaf i'r dde isaf. Rhed ohonynt ddeubar arall i mewn tua'r ffas sydd yn rhywle ar y dde.

Cliria'r llwch a gwelwn mai DAI DAFIS, *gŵr ar ei ganol oed, sydd yn eistedd wrth droed y coler coed, a'i fod yn bwyta ac yn ceisio darllen papur yr un pryd.*

Heb godi ei ben o'r papur, estyn ei law i'r tomi bocs ac at y jac bob yn ail, ac ni newidia ei osgo ddim pan glywn ninnau ei lais:

DAI:
   Hei, dere mlaen, Dic. I bwy ti'n gweithio 'te? Mae hi'n bryd bwyd. Teilwng i'r gweithwr ei fwyd. Dere o'na, Bob; gad y bocs 'na i fod nawr.

BOB (*o'r twnnel uchaf*):
   Reit! Rwy'n dod, nawr.

(*Ymhen ennyd daw* RICHARD IFANS *o'r twnnel isaf. Gŵr tua 60 oed yw, a chanddo wyneb rhadlon, pryfoclyd bron. Gwisg ei got amdano wrth ddod ymlaen. Daw* IDWAL, *bachgen ifanc tua 30 oed, o'r un man ag ef, ond try yn ei ôl i dynnu ei got oddi ar hoelen mewn coler arall a'i thaflu tros ei ysgwyddau. Daw* BOB, *crwtyn 16 oed, o'r twnnel uchaf ac â ar ei union i'r man lle y mae* DAI *a* DIC *yn eistedd.*)

DIC (*wrth gerdded ymlaen*):
   Mae hast arnat ti bore 'ma o's e ddim? (*Tyn ei watch o'i boced.*) Pum munud i naw yw hi nawr; am naw rŷm ni'n arfer brecwasta. Mwy o hast i lanw dy grombil, spo, nag i lanw glo heddi 'to. (*Eistedd, ac wrth i* BOB *gyrraedd atynt*): Ti, boi bach, sy'n codi glo i chi'ch dou, iefe? (*Wrth fod* BOB *yn paratoi i eistedd atelir ef a'i gael ar ei ddeulin. Saif* IDWAL *wrth y coler â'i gefn at y lleill.*) Dere, gofyn fendith, 'ngwas i. (*Cyfyd* DIC *ei law ar osgo cyhoeddi bendith, a thry* DAI *ddalen o'i bapur yn ddigon stwrllyd.*)

BOB (*yn syml*):

'O Arglwydd, bendithia ein bwyd, i'n cadw yn fyw, i'th wasanaethu Di, er mwyn Iesu Grist. Amen.'

DAI:

Du' cato pawb, Dic, rwyt ti wrth dy fodd yn twyllo'r plant 'ma. Be well mae neb o ofyn bendith, leicwn i wbod? Nid bod gwahaniaeth gen i, wada di bant. Ond mi fydde'n well iti adel y crwtyn 'na i roi ei fwyd yn ei grombil na throi am bwytu i ofyn bendith. Dwy i na Idwal byth yn gofyn bendith, a dŷm ni ddim wedi trengi yto, e Id?

DIC:

Does dim llawer o wahaniaeth gen i beth ych chwi'ch dou yn gredu, ond mi all mwy o flas fod ar fara menyn dim ond gweud thenciw amdano fe, ond gall e, Bob?

BOB:

Siŵr o fod. Oni bai fod rhywbeth yn hynny fuase mo mam wedi trafferthu i'n dysgu ni i ofyn bendith, na dweud pader o ran hynny. A dyw Dic Evans ddim yn ddigon o ffŵl i wneud hynny am gymaint o flynyddoedd os nad oes dim byd yn hynny. Pam na wnei di ddiolch am y bendithion 'ma, Id?

IDWAL (*wrth eistedd*):

Dwn i ddim wir, Bob, ond mwya i gyd ddarllena i, ac y meddylia i, lleia i gyd y galla i weld bod gyda Duw – serch pwy neu beth yw hwnnw – ddim byd i wneud ag e. Os gweithia i i gael cyflog mi ga i frecwast heb help neb. Os na cha i gyflog mi ga i drengi, rwy'n ofni, heb i neb weld fy ngholli i.

DIC (*yn bwriadu esbonio*):

Ond Idwal, yn siŵr i ti . . .

IDWAL (*yn torri arno*):

A oes rhywbeth yn y papur 'na Dai? Welais i ddim papur neithiwr, na dim o hanes y pleidleisio ar oriau gwaith ffatrïoedd gwlân. Beth ddigwyddodd?

BOB (*yn chwerthin*):

Dyw Dai ddim yn hitio dim am senedd na pholitics na fotio, nac am oriau gwaith neb arall, nac am Ragluniaeth na Duw chwaith. Gest ti lwc ar dy geffyl ddoe Dai?

DAI (*yn codi ei ben o'r papur*):

E? O do, was; do, do; os wyt ti am wybod; 10 to 1, 'machan i. A mae gen i geffyl heddi 'ed; snip 20 to 1. (*Sylwa, trwy daro'i law yng ngwaelod ei focs ac edrych, fod hwnnw yn wag. Cymer lwnc hir o'i jac, ac yna plyg i weld bocs* BOB.) Be sy gen ti bore 'ma? Sandwitsh wy, myn diawl i. He, he, he, fyti di mo rheina i gyd. Gad weld . . . (*Estyn ei ddwrn crebachlyd a thyn o'r bocs ddwy dafell, a chymryd dwy gegaid heb aros.*)

BOB:

Hei, rho nhw nôl. I fi rhoth mam nhw, nid i ti.

DAI:

Cer i grafu. (*Cymer ddwy gegaid arall.*) He, he, he.

DIC (*wrth* BOB):

Gad y ffŵl i fod. Mae e mor ddigywilydd â mochyn. Wel'di, mae gen i afal i ti. (*Rhydd un iddo.*) A fyti di un, Id? (*Teifl un i hwnnw.*) Cymer.

BOB:

Thenciw.

IDWAL:

Diolch. (*Gyda'i gilydd.*)

DIC:

Mi ddylai fod yn gas gan dy galon di, Dai.

DAI (*yn fawreddog*):

Ie, falle; ond does dim wel'di. Gwrando Id, beth well wyt ti o foddrach am lywodraeth ac oriau gwaith! Oes swllt gyda thi? Rho fe i fi i roi ar Lucky Jim. Sure snip, 20 to 1.

DIC:

Os yw'r gêm yna'n talu cystal i ti, pam wyt ti mor ddwl â dod lawr fan hyn? Mae'n dda bod y bois 'ma'n gallach na thi. (*Try at* IDWAL.) Ar y radio neithiwr roedd e'n dweud i'r llywodraeth gario, a bod y bil yn saff hyd y committee stage.

IDWAL:

Good. Rwy'n gobeithio . . .

DAI (*fel pe heb glywed na* DIC *nac* IDWAL):

Dyma gyfle dy fywyd i ti. Ceffyl first class! (*Yn darllen o'r papur*): 'This gallop goes to show that Lucky Jim is now back on his best.' Gordon Doni sy ar ei gefen e hefyd. 'He went right away and finished ten lengths in front of Opojac.' A dyna i ti frid, 'machan i. Pedigri! Does dim ceffyl gwell nag e leni. A mi ges i'r tip o'r reit fan, mei boi. Good Luck oedd ei fam e, a Jim Crow oedd ei dad. Roedd Lucky Star a Starlight yn perthyn iddo ar un ochr, a My Jim a Croc Crow yn ei waed e ar yr ochr arall. Oes swllt gyda . . . Bah!!

(*Sylwa nad yw* IDWAL *ddim yn gwrando arno. Y mae hwnnw, tra bu* DAI *yn clebran, wedi tynnu sialc o'i boced, ac ar focs glo yn ei law wedi torri diagram theorem Pythagoras. Edrydd y theorem wrtho'i hun gan ddilyn y llinellau, weithiau â'i fys trwy'r awyr, weithiau â'r sialc ar y diagram. Croesa* BOB *ato, a sylwi yn ddistaw arno. Pan wêl ei fod yn methu mynd ymlaen, ar yr un munud ag y bydd* DAI *yn gofyn am y swllt, gofyn iddo*):

BOB:

Beth wyt ti'n wneud? Dangos hi i fi.

IDWAL:

Dwyt ti ddim yn gwybod digon o Geometry i ddilyn hon, mae arna i ofn. Mae hi'n un o'r rhai anodda sy gen i i'w gwneud. Pythagoras Theorem.

BOB:

Rhywbeth am area'r sgwars 'na yw hi, iefe ddim?

IDWAL:

Ie, wyt ti'n gweld y right-angle triangle 'na?

BOB:

Triangle ABC. Odw. (*Enwer y llythrennau bob tro yn Saesneg.*)

IDWAL:

Rwy i i brofi bod y sgwâr ar yr ochr hir 'na – AC yr hypotenuse, wel'di e? Sgwâr ACDE yr un area yn gywir â'r ddau sgwâr ar AB a BC gyda'i gilydd. The square on AC equals the sum of the squares on the other two sides.

BOB (*yn dilyn y diagram â'i fys*):

ACDE yr un area yn gywir â ABFG plus BCHK.

IDWAL:

Ie. Dyna fe.

DAI:

Dyna ffŵl wyt ti'n cabarddylu dy ben gyda hen ddwli fel'na.

IDWAL:

O ca dy sŵn. Meindia dy fusnes. Cer mlaen â'th geffylau.

DIC:

Gad lonydd iddyn nhw, Dai. Mae Idwal eisiau'r pethau 'ma erbyn ei sertifficet. Wyt ti'n gwybod ei fod e'n mynd i eiste ei ecsam yr haf 'ma? Be' dda yw stwff fel'na, leiciwn i wybod. Dwli pen hewl.

IDWAL:

Prove that the square on AC equals the sum of the squares on the other two sides.

BOB:

Ie, ond sut?

IDWAL:

O'n rhwydd. From B drop a perpendicular on AC cutting AC . . .

DAI (*gan blygu yn codi dyrnaid o lo mân gwlyb a'i daflu yn fflachter ar draws y diagram*):

Damo chi . . . He, he, he. Dyna spwylo'ch sport chi nawr, ta beth.

DIC (*wrth* IDWAL, *sy'n codi ac yn bygwth* DAI):

Gad 'na fe, Id, y mochyn dienaid sut ag yw e. Der', byta dy fwyd. Does gyda ni ddim gormod o amser i gael . . . Ac rwyt ti'n cael blas ar y taclau 'na! Fuodd gen i ddim diddordeb ynddyn nhw arioed . . . 'Na fe, (IDWAL *wedi eistedd, mewn cywilydd at* DAI, *a rhyfeddod at ddoethineb* DIC) cwpla dy fwyd.

BOB (*yn torri'r tawelwch digysur*):

Wel, wir, brecwast go brin sy gen i heddi a ffido Dai a chwbwl.

DIC:

Hy, ie wir, 'ngwas i; ond mi fydd bola Dai'n rhy dynn i blygu, mi alli fentro. Hwde (*estyn gylffyn o fara cyrens iddo*), cymer y bara cyrens 'ma, alla i ddim ei gwpla fe.

DAI:

Be gythraul sy'n bod arnat ti? Fe allai dyn feddwl mai ti sy'n 'y nhalu i. (*Rhydd ei hun yn esmwyth fel i gysgu sbel.*) Rwy'n gwneud digon am yr arian rwy'n gael, myn asen i. Be well mae neb o chwysu'i enaid maes. Nhw (*gan bwyntio at y twnnel ar y chwith uchaf*) fydd yn cael y proffits i gyd, ac wfft faint o waith maen nhw'n wneud. Mae Dai yn gwybod digon o bolitics heb weirles na dim i ddeall cymaint â hynny, ta beth. Mi ddes i maes o'r ffas 'na bum munud o'ch blaen chi, a nawr rwy'n cael sbel fach, tra bo chi'ch tri'n cwpla. A falle bydd 'y ngharre i wedi torri, neu rywbeth, pan fyddwch chi'n mynd nôl – a mi ga innau'r minimwm ddydd Gwener. Faint mwy gei di, a faint mwy geith Id, ar ôl iddo gabarddylu ei ben?

IDWAL:

Roedd hynna yn ôl reit nôl yn 1919, ond fe gei di dy ddal mor wir â'th fod ti'n fyw.

BOB:

A mi ga innau'r hewl wedyn . . .

DAI:

'Y nal! Gyda phwy? Pwy sy'n mynd i'n nal i? Pwy sy'n mynd i wybod 'mod i wedi cael pum munud fach cyn brecwast? (*Dengys y lleill eu diflastod.*) Un peth leiciwn i nawr fyddai pinshed fach o faco. (*Tyn focs gwag o'i boced.*) Oes pinshed fach gen ti, Dic?

DIC:

Oes thenciw. (*Ond nid yw yn anelu symud.*)

DAI (*yn stwmp*):

Wel der' â blewyn te!

DIC:

O, dyna gân arall nawr. (*Chwardd* IDWAL *a* BOB.) Pryd prynaist ti faco ddiwetha, Dai?

DAI:

Y diawl, yn gwneud sport ar 'y mhen i! (*Tyn bibell glai o'i boced*). Mi leiciwn i gael mwgyn bach o hon nawr. (*Edrych y tri yn syn arno, ac yna tery* DIC *ei law yn ôl chwap ar draws ei geg, nes bwrw'r bibell i'r llawr a chael gafael ynddi, a'i dal i fyny ennyd.*)

DIC:

Ti yw'r diawl. Sut y dest ti â honna lawr? Ac rwyt ti mor wan â chath fach, ac yn ddigon dwl i'w thano hi. (*Briwia hi yn fân tan draed*). Dyna!

DAI:

O reit, o reit, rwyt ti'n barticlar iawn. Doedd dim drwg yn hynna – anghofio'i bod hi yn y boced 'ma wnes i. A rwyt ti wedi dod â gwaed i 'ngheg i.

BOB:

Anghofio tynnu dy bib o dy boced, ac anghofio rhoi baco i mewn. Good man, Dai.

IDWAL:

A mi ddest ti off yn shêp â dim ond tipyn bach o waed o'th geg, mei lad. A wyt ti'n gwybod y gellit ti gael jâl am hynna?

DAI (*try ei gefn arnynt*):

O ca dy lol.

DIC:

Bob, faint o fwc sy'n dy dram di bore 'ma. Rwy'n siŵr na ellit ti ddim llanw honna i gyd yn lân dy hunan; a ti llanwodd hi fwya, gynta. Os cewch chi'ch dal am lanw glo brwnt, maes cewch chi fynd yn ben-dramwnwgwl.

BOB (*gan edrych ar* DAI):

Wedes i hynny wrtho fe. Mae'r glo rwy i wedi'i roi ar y top yn iawn, ond . . . wn i ddim be sy'n ei chanol hi.

DIC:

Petawn i'n ffeierman f'hunan, fydde gen i ddim byd i'w wneud ond gwneud hebddot ti, Dai.

DAI:

Petait ti'n ffeierman mi fyddai raid i fi gael rhyw ffordd arall falle. Ond mae Ianto Lloyd yn olreit. (*Gan godi ei law at ei geg*): Peint bach yn y 'Lion'. Myn asen i bois rych chi'n dwp.

BOB:

Ond beth 'se Morgan Lewis y manager yn dod lawr? Be ddigwyddai inni wedyn?

DAI:

Morgan Lewis! Yr hen gi. Does gydag e ddim byd i 'weud. Os dwed e rywbeth mi ro i ei hanes iddo fe, reit inyff. Mae ei enw e'n drewi trwy Gwm Glo i gyd.

IDWAL:

Ca dy geg Dai Dafis! Pa hawl sy gen ti i ddweud dim byd am neb? Ca di dy geg am Morgan Lewis.

DAI:

O, rwyt ti'n teimlo, wyt ti? Pam wyt ti'n teimlo te? Pwy eisiau iti deimlo sy?

DIC:

Mae rheswm am bopeth. Rwyt ti wrth dy fodd yn chwilio popeth gwael am bawb. Dim ond celwyddau dynion o dy deip di sy am Morgan Lewis. Mae'n well i chi ofalu neu fe gewch chi'ch hunan mewn twll y gŵr drwg maes o law.

DAI:

O'r sant, sut ag wyt ti. Does dim raid iti fecso amdana i, mi alla i brofi popeth wy i'n weud.

IDWAL:

Dai, os na ofeli di, mi ro i fonclust iti nawr, a bod yn falch o wneud un tro da am heddi ta beth.

DAI:

Mi neiset ti Foi Sgowt go dda, siŵr o fod. Dyna pam mae Bet Lewis yn dy leicio di fallai. Ar y fencoes i Id, mae gen ti cheek yr Hen Foi i hongian am bwytu tŷ'r Manager ac esgus caru ei chwaer. (*Yn crechwen.*) Fallai bod hi rywbeth yn debyg i Moc ei brawd.

DIC:

Er mwyn y Nefoedd, dal dy dafod, Dai.

IDWAL:

Gedwch 'na fe, mi ddwed rywbeth heb fod yn hir y bydd raid imi roi whelpen iddo fe. Mi fydd hynny'n siŵr o gau ei geg e. (*Cyfyd at ei waith wedi cael cas ar siarad* DAI.)

DAI:

Stic di at Bet, mei boi. Duw wŷr be gei di gyda'r hen Foc – ond dwy i ddim yn credu cei di Bet gydag e'n glou iawn. Fallai fod cwestiynau ar bethau fel'na yn yr ecsam. He, he, he.

IDWAL (*yn troi yn ôl eto*):

Wel'di 'ma Dai, dyna ddigon nawr. Cod lan i mi gael rhoi taw arnat ti. Cod lan, y blagard sut ag wyt ti! (*Nid yw* DAI *yn symud. Neidia* BOB *o'r ffordd i roi lle i'r ymladd y carai ef ei weld.*)

BOB:

Go on, Id. Dere mlaen Dai. Rwyt ti'n bostio dy fod ti'n gallu ymladd. Nawr te, dere mlaen.

DIC:

Gad lonydd iddo, Idwal. Paid â gwneud sylw ohono. Dim ond dy bryfocio di mae e, i'th hela di'n grac. (*Try* IDWAL *ymaith.*) Ond wyddost ti Dai, rwyt ti'n haeddu'r goten orau gest ti erioed am siarad fel'na.

DAI (*yn chwerthin*):

Diawst i, mae Idwal yn meddwl tipyn o Bet. Mi ges i beth o'i ofan e nawr. (*Â* BOB *yn ôl at ei waith a chlywir ef yn cynghori* IDWAL, *sydd yn hongian ei got a chrynhoi ei bethach.*)

BOB:

Mi ddylet ti fod wedi rhoi un iddo, reit ym môn ei glust a left–hook yn ei chops e.

IDWAL:

Mae'n well iti ofalu na chlyw e di. Mi fydd raid i ti weithio gydag e o hyd, cofia.

BOB (*wrth fynd o'r golwg*):

O, does dim o'i ofan e arna i.

DIC (*wrth grynhoi ei focs, yn codi ar ei ben-lin*):

Ddylet ti ddim siarad fel'na o flaen y bois 'ma.

DAI:

Arnyn nhw mae'r bai, nhw ddechreuodd. A mae Bob yn gwybod cymaint â finnau llawn.

DIC:

Mae gen ti ferch fach dy hunan cofia. Pa ddylanwad wyt ti'n ddisgwyl gael arni hi? Druan fach o Mrs Davies!

DAI:

Does dim eisiau iti foddrach amdanyn nhw. Does neb wedi rhoi hawl iti i fesan yn 'y musnes i, oes e, er dy fod ti'n esgus bod mor dduwiol ac yn gweddïo rownd abowt.

DIC:

Nagoes, nagoes. Ond druain bach ddweda i, yn dy ofal di.

DAI:

Paid ti â becso dim amdanyn nhw. Maen nhw'n cael amser go dda. Ca di dy geg amdanyn nhw.

DIC:

A dyw Mrs Davies ddim yn gryf iawn, on'd nagyw hi?

DAI:

Mae'r hen groten yn burion, does dim eisiau iti ffysan lot amdani hi. Mae lot o anal ynddi hi eto.

DIC:

A Marged fach, der' weld, pedair ar ddeg yw hi nawr?

DAI:

Nage, pymtheg.

DIC:

Mae'n ddrwg gen i amdani hi.

DAI:

Mae hi'n dda ddigon. Tra geill yr hen fenyw, cheith dim un gwyntyn croes ddrysu blewyn o'i gwallt hi. A mae'r cythraul bach yn gwybod sut mae troi ei mam am ei bys bach. Mae Bet Lewis, whâr y manager, yn estyn rhywbeth iddyn nhw bob dydd 'ed. Diawst i, mae hi'n dod yn hen groten fach lân, hefyd, mei boi.

DIC:

Edrych ar ei hôl hi, er mwyn Duw, os nad oes gen ti ddim byd arall i fod yn falch ohono. (*Cyfyd, a sefyll ar ei draed gan edrych i lawr ar* DAI.) Dai, pob lwc iti. Mi ddylet ddod i benshwn am beidio â gweithio, neu am hau celwyddau. Yr unig biti yw fod y bois bach 'ma yn dy ofal di. Os na ofeli di mi fyddi wedi dwyn ei job oddi ar Bob a'i roi e ar yr hewl heb na dôl na dim. Ac os bydd e gyda thi'n hir mi fydd heb ei gymeriad hefyd mae arna i ofan. (*Y mae yn symud ymaith.*)

DAI:

Ym mhle wyt ti'n pregethu dy' Sul? Mae'n well iti fynd lawr ar dy liniau nawr i gadw cwrdd diwygiad. Wel'di, 'ma emyn newydd iti, newydd sbon: 'Aeth croten fach ifanc o'r Rhyl . . .' (*Clywir sŵn troed cyflym yn dod trwy'r twnnel chwith.*) Ma'r hen Ianto Lloyd yn dod. (*Try i edrych a gwêl olau coch; mae yn gwylltio, yn neidio ar ei draed ac yn crynhoi ei focs a'i jac, ond y mae'r papur ar lawr yn agored ac yn anniben.*) Nage, myn uffern i, Morgan Lewis, y manager . . . (*Hawdd canfod ei fod mewn penbleth a gwylltineb.*)

LEWIS:

Bore da, Dai.

DAI:

Bore da, syr. Mae hi'n fore ffein.

LEWIS:

Sut mae pethau'n mynd?

DAI:

Gweddol. Talcen go galed.

LEWIS:

Ie, fel arfer, mae'n debyg. (*Mae* DAI *yn symud tua'r ffas.*) Pam wyt ti'n colli cymaint o amser nawr yn ddiweddar?

DAI:

Dyw'r wraig yco ddim hanner iach, syr.

LEWIS:

Dai bach, wyt ti wedi anghofio eich bod chwi'n byw o fewn ergyd carreg i'n tŷ ni? Mi glywais dy fod wedi meddwi'n garn echnos. Ym mhle wyt ti'n cael arian i dorri peth o'r syched ofnadwy 'na sy'n dy flino di? (*Gwêl y papur ar lawr a rhydd flaen ei ffon drwyddo a'i godi.*) Rwyt ti ar y bŵs bob tro daw ceffyl adre mae'n debyg. Mae gen ti ffitach gwaith i'th geiniogau, siŵr o fod. (*Â heibio i* DAI, *a heibio i'r dram lo ac i mewn tua'r ffas, a chlywir ei lais o bell yn cyfarch* BOB *yn siriol.*) Sut wyt ti, boi bach? Wyt ti'n cael digon o waith . . . Gofala am y lamp yna.

BOB:

Reit, syr.

DAI (*wrtho'i hun, a chrechwen ar ei wedd*):

Dyma beth yw lwc y diawl, a does dim cocso arno fe. (*Â at y dram lo.*)
A mae golwg shêp ar hon hefyd . . . Yr hen grwt bach y cythraul 'na.
Damo, damo, damo . . . (*yn rhegi tan ei ddannedd, fel na ddeellir ei eiriau,
ond darllenir ei osgo.*)

LEWIS (*o'r tu mewn*):

Arnat ti neu Dai mae'r bai am yr holl lo mân yma sy tan draed? Rych
chi braidd yn anniben gyda'ch gwaith. Bydd yn fwy cryno, 'machgen
i. (*Daw yn ôl at y dram lo, a chwalu'r talpau ar ei phen hi â'i law: edrych yn
fwy craffus arni: dyd ei law i mewn rhwng y talpau, a chodi dernyn o slag i'r
golwg a'i daflu i'r llawr. Y mae DAI yn myned heibio iddo yn ôl i'w ffas.*)
Dysg y crwtyn yna i fod yn fwy cryno Dai, neu fydd e dda i ddim
byth; mae'r lle 'na yn ddychrynllyd. (*Daw ei law ar draws telpyn arall o
slag a gesyd ef ar ymyl y dram, yn y golwg. Wrth iddo alw ar DAI â heibio i
du blaen y dram a sefyll ar yr ochr isaf iddi. Pan ddaw DAI allan saif ef lle
safasai MORGAN LEWIS.*) Dere yma Dai . . . ar unwaith!

DAI (*o'r tu mewn*):

Reit. (*Wedi iddo ddod i'r golwg.*) Beth sy'n bod, syr, dyma f . . .

LEWIS (*yn torri ar ei draws*):

Rwy i wedi sylwi bod lot o fwc yn cael ei dipio'r diwrnodau diwetha
'ma.

DAI (*yn ansicr a ddisgwylir iddo ef ddywedyd dim*):

Oes e? O . . .?

LEWIS:

Ac y mae lot o slag yn hon. (*Teifl y talpau sydd ganddo ar ochr y dram i'r
llawr.*) Dyw hyn ddim yn ddigon da. (*Dyd ei law i mewn ym mherfedd y
dram a thyn allan ddyrnaid o lo mân gwlyb, a'i gario yn ei law i ganol y
llwyfan. Mae llygaid DAI yn ei ganlyn ac y mae ansicrwydd yn ei wedd.*)
Does dim rhyfedd nad ŷm ni'n gallu gwerthu glo. Beth wyt ti'n
ddisgwyl ond colli marchnadoedd â glo fel hyn! (*Gad i'r glo ddripian
rhwng ei fysedd i'r llawr.*) A thi a'th short fydd y cynta i achwyn pan fydd
y pyllau yma wedi eu cau.

DAI (*fel llechgi*):

Y crwtyn 'na, syr. Bob . . . Bob, dere 'ma.

LEWIS:

Rwy i'n dy dalu di am ddysgu'r crwtyn 'na'n iawn. Sawl tram wyt ti
wedi'i llanw heddi?

DAI:

Hon yw'r gynta bore 'ma . . . Ond rwy i wedi bod yn disgwyl yr
halier ers amser nawr, syr.

BOB (*yn dod i'r golwg*):

 Oet ti'n galw, Dai?

LEWIS:

 Does dim o'th eisiau di. Cer nôl at dy waith 'machan bach i . . . Na, ateb . . . Ti lanwodd y dram yma?

BOB:

 Fi rasodd ei thop hi, syr.

LEWIS:

 A dim ond hon sydd wedi ei llanw gyda chwi'r bore 'ma? Pam hynny?

BOB:

 Rwy i wedi bod wrthi â'm holl egni syr. (*Cilwg oddi wrth* DAI.)

DAI:

 Crwtyn eiddil yw e, a dyw e ddim yn credu mewn gweithio'n rhy galed.

LEWIS:

 Bydd ddistaw. Paid â dweud dim rhagor o gelwyddau, da ti. (*Wrth* BOB.) O'r gorau, 'machgen i . . . (*Â* BOB *gyda gwên o falchder na wêl y manager mohoni, y mae efe'n galw i'r twnnel arall.*) Richard Ifans, chwi sy fan'na, ynte fe? Dowch yma am funud. (*Wrth* DAI.) Rwy'n ofni y bydd raid iti fynd, Dai.

DIC:

 Hylo, bore da, syr.

LEWIS:

 Bore da, Dic. Mae yna le go lew fan hyn, oes e ddim? Faint ych chwi wedi'i wneud bore 'ma?

DIC:

 Newydd hela'r ail maes. Mae'r drydedd bron yn wag mewn yna. Dyw'r lle ddim yn ffôl. Rŷm ni'n gallu dod i ben ag e'n weddol nawr.

LEWIS:

 Dyna oeddwn innau'n feddwl. A dim ond hon mae Dai wedi'i llanw. A mae hi'n ddychrynllyd. (*Saif pawb am ennyd anesmwyth.*) Mae'n ddrwg gen i am Mrs Davies, ac am Marged fach, ond dyna fe, beth sy gen i i'w wneud? Gwisg dy got!

DIC:

 O! Mr Lewis!

LEWIS:

 Beth arall alla i wneud? Mae Dai yn colli yn agos hanner ei amser – ceffylau a chwrw; mae e'n anniben, dyw e ddim gwerth ei halen; a mae'r hyn mae e'n ei wneud yn fwy o golled na dim arall. Glywaist ti Dai, casgla dy dŵls.

DAI:

O, fel 'na, iefe. Rwy'n eitha bodlon mynd. He, he, he. Pwy sens sy mewn gweithio'n enaid maes fan hyn i chi gael y pres. Rwy i'n hen barod . . .

DIC:

Rhowch un cyfle arall iddo fe, Mr Lewis.

LEWIS:

Beth well fydda i. 'Run peth yn union fydd e. Na, alla i ddim rhoi cynnig arall iddo fe.

DAI:

Does dim eisiau i ti, Dic, fegian trosto i. He, he, he, bachan pert yw e i ddannod ceffylau a chwrw i fi. Mae ceffylau a chwrw yn respectabl wrth rai o'r pethau mae fe'n eu henjoio. Mae gwinoedd a . . .

LEWIS:

O'r gorau, cer nawr cyn digwydd gwaeth iti. Galw am dy gardiau yn yr offis.

DAI:

Gobeithio y daw'r un lwc i chwithau bob enaid! A mi ddaw, o daw, daw. Mi fydd y cwmni 'ma wedi cael y gorau maes ohonoch chwi cyn hir . . . a mi fyddwch chwi'n cael eich tipio maes i ben y tip yna – rhy hen a rhy stiff i blygu.

LEWIS:

A glywaist ti fi'n dweud wrthyt ti am fynd? Nawr 'te!

DAI:

Do, do, mei boi. A glywaist ti fi'n dweud wrthyt ti a Dic? Mae digon o fois ifainc ar yr hewl nawr i lanw'ch lle chwi . . . Mi fydd Idwal yn fanager ryw ddiwrnod falle – os caiff e chware teg. He, he, he. (*Aeth* MORGAN LEWIS *i mewn i'r ffas rhag clywed rhagor.*) Reit mei bois (*wrth fynd i'r twnnel ar y chwith*). A gwnewch fel mynnoch chwi â'ch job! Piclwch hi! (*Â'r golau'n is.*)

DIC (*wedi i* DAI *fynd o'r golwg*):

Wel, wel . . . Mae byd pert o'i flaen e, druan; a'i deulu hefyd . . . Wel, wel. (*Try i'w le. Â'r golau'n is.*)

LLEN

YR ACT GYNTAF

GOLYGFA 2

Cegin tŷ glöwr. Yn hwyrach yr un bore.

Cegin dlodaidd yr olwg arni sydd o'n blaen; y defnydd yn y gadair a'r soffa, a'r llenni ar y ffenestr sy'n awgrymu hynny. Eithr tlodi a welir ac nid diffyg gofal; y mae'r cyfan yn lân a thalïaidd. Ar y chwith egyr dau ddrws. Â'r uchaf ohonynt i'r cefn, a'r llall at waelod y stâr i'r lloft; trwyddo hefyd yr eir i'r heol. Yn y cefn y mae'r ffenestr, ac oddi tani y saif y soffa. Y mae llun teuluaidd neu ddau o bob tu i'r ffenestr. Ar y dde yn y gornel uchaf y mae cwpwrdd yn y wal. Yn y canol y mae'r lle tân a ffwrn ar un ochr iddo. Ar y fantell gwelir dau neu dri o ganwyllarnau pres, canister neu ddau a blychau tin. Bydd roden o dan y fantell, a lliain llestri un pen iddi, a lliain dwylo ar y pen arall. Saif dwy gadair freichiau un bob ochr i'r tân — un isel esmwyth (rwyllog) ar yr ochr isaf, ac un â chefn uchel hen ffasiwn yr ochr arall. Ar ganol y llawr y mae bord ac arni dorth a llestri. Tu ôl i'r ford y mae stôl, a stôl o dan y talcen nesaf i'r tân. Tân bach sydd yn y grât.

MRS DAVIES (*yn ffwdanu wrth arllwys dŵr poeth i'r tebot a gosod hwnnw ar y pentan, ac yna'n troi at y ford i dorri bara menyn; nid oes ond tamaid bach o fenyn ar y plât*):

Mae Marged yn hwyr, odi hi ddim? Chlywais i ddim o'r plant yn pasio gynnau te? (*Try at y tân, a throi'r te yn y tebot â llwy.*) Mi ddaw nawr, mor oer ag wn i beth. (*Wedi ysbaid clywir cnoc drom ddiamynedd ar y drws.*) Dyma hi. (*Â i agor drws y ffrynt.*) Dere'n un fach i, rwyt ti bron â sythu.

MARGED (*yn dod i mewn o'i blaen dan dynnu cap a chrafat a chot fawr sydd yn rhy fach iddi a'u taflu'n bendramwnwgwl i'r stôl agosaf. Casgl ei mam hwynt a'u hongian yn eu lle priodol tra bydd MARGED yn rhoi ei bysedd yn y llygedyn tân ac yn taflu ei llygaid tros y bwrdd*):

Be sy 'ma i ginio? Dim byd ond bara menyn?

MRS DAVIES:

Ie wir, cariad, does yma ddim byd arall i gael. Mi ffeiles i . . .

MARGED:

Hy! Does dim blas dod adre i ginio. Dim byd ond bara menyn (*teifl gilwg ar y grât*) . . . a thân digon i godi arswyd ar fwbach. Pam na fuasech chi wedi gwneud cinio heddi? A mae'r got 'na'n rhy fach i fi. (*Eistedd wrth dalcen y ford nesaf i'r tân.*)

MRS DAVIES:

Odi, bach. Mi gei di un newydd erbyn yr haf. Cymer y te twym yma nawr, i ti gael twymo.

MARGED:

Lle mae'r tamaid cig moch 'na oedd ar ôl ddoe?

MRS DAVIES:

Mi rhois i e ym mocs dy dad. Dim ond hwnnw oedd gen i i roi iddo fe i frecwast yn y gwaith bore 'ma.

MARGED:

Mae fe'n cael y cwbwl. Pam na fuasech chi wedi cadw hwnnw i fi?

MRS DAVIES (*wedi arllwys cwpanaid o de iddi ei hun, yn eistedd wrth ben arall y ford. Tyr gylffyn o fara. Cyrhaedda bownd o fargarîn o'r cwpwrdd. Egyr ef a dodi popeth ohono ar y bara, gan gadw'r dafell ar ei phwys*):

A oes digon o fara menyn gen ti?

MARGED:

Mae digon o fara gen i, ond does dim menyn arno. (*Glanhâ'r plât menyn yn lân.*) Mae gyda chi lot o fenyn fan'na.

MRS DAVIES:

Na, does gen i ddim menyn i gael. Margarîn yw hwn, a dwyt ti ddim yn leicio margarîn.

MARGED:

Oes yma ddim teisen i de? (*Gwêl nad oes.*) Does yma ddim byd i gael, a dyw Bet Lewis byth yn galw nawr, chwaith.

MRS DAVIES:

O! dwn i ddim, wir. Alli di ddim dweud hynny. Hi ddaeth â'r cig moch yna yma, a hi roddodd y menyn 'na inni hefyd. (*Â* MARGED *ymlaen â'i bwyta, a'i mam yn troi ei the am sbel fach.*)

MARGED:

Roen nhw'n rhoi sgidiau maes yn yr ysgol heddi.

MRS DAVIES:

Oen nhw? Gest ti rywbeth? . . . Naddo, gynta; pwy ddiwrnod cest ti . . .

MARGED (*yn torri arni*):

Na, dwy i byth yn cael dim byd o werth!

MRS DAVIES:

O Marged, mi gest y got a'r cap a'r sgarff yna pwy ddiwrnod.

MARGED:

A mae rheini i gyd rhy fach i fi!

MRS DAVIES (*yn troi arni*):

Mae'n dda i ti eu cael nhw fel maen nhw, gwlei!

MARGED:

Rych chi mam yn meddwl . . . (*ond daw cnoc ar y drws*).

MRS DAVIES:

Pwy sydd yna, wn i? (*Ar ôl iddi fynd at y drws a'i agor.*) O, Miss Lewis, chi sy 'na. Dewch mewn . . . Sut ych chi? (*Dônt i mewn ill dwy.*)

BET:

O, rwy i'n dda iawn, diolch, a chithau?

MRS DAVIES:

Rŷm ni'n weddol iawn, thenciw. Bwyta'n lowens, welwch chi.

BET:

Ie; a dyma lymaid bach o gawl i chi. (*Estyn jwg i* MRS DAVIES, *a honno yn ei chymryd.*)

MRS DAVIES:

Ddylech chi ddim fel hyn o hyd.

BET:

Mae hynna'n olreit. Llymaid bach i Marged yw e. Rwy i am iddi fynd ar neges i fi wedyn, os gwna hi. Mi ddaeth rhywun at y drws, neu mi fuaswn i yma'n gynt.

MRS DAVIES:

Gymeri di ddiferyn bach, Marged? (*Y mae yn arllwys llond cwpan.*)

MARGED:

Dwy i ddim yn leicio cawl.

MRS DAVIES:

Ond fe'th dwymith di. Cymer hwn, 'na good gel. Wel'di, mae Miss Lewis wedi dod . . .

MARGED:

Dwy i ddim yn leicio hen gawl. (*Cyfyd o'i stôl a mynd i eistedd yn y gadair freichiau.*)

BET:

O'r gorau, Marged fach. Yr oeddwn i'n meddwl y buasai fe'n dda i ti; yn dy dwymo di dipyn ar yr oerfel yma. Ond does dim ots, fe yf dy fam e. Cymerwch chi e, Mrs Davies.

MRS DAVIES (*wrth friwio bara i'r cwpan cawl*):

Gwna i wir. Ond mae plant nawr mor wahanol i ni, slawer dydd. Teisen a jam a chacennau yw'r cwbl nawr. Ond . . . eisteddwch Miss Lewis; dewch at y tân i dwymo'ch dwylo, maen nhw siŵr o fod yn ddigon oer. (*Â â'r cawl gweddill wedi ei arllwys o'r jwg i fasin, a'i ddodi yn y ffwrn.*)

BET:

Rwy i'n iawn, Mrs Davies.

MRS DAVIES:

Mi ro i hwn heibio nes bod Defi'n dod o'r gwaith. (*Gan roi pwt bach ym mhen-lin* MARGED *wth iddi droi oddi wrth y tân.*) Marged, glywaist ti Miss Lewis yn dweud ei bod hi am iti fynd i negesa trosti hi?

MARGED (*yn ffwdanus, gan ofalu am dudalen y llyfryn y mae hi'n ei ddarllen*):

O bodder . . .

BET:

Mi leiciwn i Marged fynd lawr i Gwm Glo yn fy lle i. Ei di, Marged?

MRS DAVIES:

Eith, wrth gwrs. Marged, dere, rho dy got a'th gap amdanat. (*Â i'w nôl yn ei lle a'u dal iddi eu gwisgo.*) Dere nawr.

MARGED:

O' reit. Rych chi mam yn fy nreifo i fel ci bach, w!

BET:

A ddoi di â phownd o fenyn i mi – nid yr un gorau; un digon da i roi i mewn teisen. Dwy i ddim yn leicio margarîn mewn teisen, Mrs Davies.

MRS DAVIES:

Na, mae menyn yn well, os gellwch chi ei gael e.

BET:

A dau bownd o siwgr. Dyma ddeuswllt iti; fydd e ddim mwy na hynny.

MRS DAVIES:

Cer mlaen nawr, calon fach. (*Â MARGED.*)

BET:

Yfwch y cawl yna tra bydd e'n dwym, Mrs Davies, neu fydd e ddim lles i chi. Cewch mlaen i eistedd fan acw wrth y tân a chymerwch un pum munud bach. (*Estyn y cawl iddi wedi eistedd. Gafaela mewn basin mawr o'r cwpwrdd.*) Mae dŵr yn y tegell yma, oes e ddim? A mae fe'n dwym?

MRS DAVIES:

Odi, mae fe'n dwym, ond peidiwch chi â thrwblu dim: mi wna i rheina nawr. Eisteddwch chi lawr.

BET (*wedi arllwys dŵr i'r basin a chymryd lliain, yn hamddenol yn golchi a sychu'r llestri*):

Nawr, nawr, eisteddwch chi fan'na'n dawel, i fwynhau hwnna, ac i gymryd cwpaned arall o de'n dwym ar ei ôl e. Nawr.

MRS DAVIES (*yn mwynhau'r moethusrwydd*):

Wel, wel, wir 'y merch i, mi fyddwch chi'n ein spwylo ni i gyd yma.

BET (*yn chwarae'n chwerthingar â hi*):

Dim perygl. Chi sy'n spwylo pobl yma. Rych chi bron difetha Marged, a Dai Dafis hefyd. Rhedeg i'w tendio nhw, draed a dwylo, a mae'r ddau yn gryfach lawer na chi. (*Yn dal i chwerthin.*) Rhag eich cywilydd chi, Mrs Davies.

MRS DAVIES:

Rwy'n ofni eich bod chi'n dweud y gwir, Miss Lewis. Ond be sy gen i i'w wneud. Mae Defi mor od druan; a wedyn does gen i ddim ond Marged fach.

BET (*gad y golchi a'r sychu pan fydd yn gyfleus, ac eistedd wrth dalcen y ford. Sieryd yn dawel, garedig, ond gydag awdurdod un sy'n gyfarwydd ag ymresymu'n gall*):

Mrs Davies, pam na rowch chi rywbeth i Marged i'w wneud? Mae hi'n ddigon hen nawr i wneud y cyfan bron yn eich lle chi ar hyd y tŷ 'ma. Yn lle hynny, chi sy'n trotian trotian trosti hi rownd abowt. Hen hwlcen fawr fel'na! A mi fyddai lot yn well ar ei lles hi.

MRS DAVIES:

O, mae hi'n lot o help. Dwy i ddim yn leicio'i llabyddio hi, 'rhen un fach.

BET:

Mi fydd hi'n gadael yr ysgol nawr heb fod yn hir, a fydd hi'n gallu gwneud dim, hyd yn oed trosti ei hunan.

MRS DAVIES:

Dwy i ddim am iddi fynd i wasanaeth at neb os galla i. Mi leiciwn i iddi gael lle mewn siop, neu rywbeth. Fydd dim eisiau iddi ddwyno'i dwylo wedyn. Ond does dim posib . . .

BET:

Ond, wnâi dysgu tipyn o waith tŷ ddim niwed iddi. Fydd hi ddim yn hir cyn priodi, cofiwch chi.

MRS DAVIES:

O, Miss Lewis fach, peidiwch â sôn am iddi briodi! Dyna beth wnes i, priodi'n rhy ifanc. Mae hi'n wahanol arnoch chi. Mae Idwal yn ennill yn dda . . .

BET (*yn troi arni*):

Ond mi fyddai dysgu gwaith tŷ'n dda iddi – nes iddi gael lle mewn siop. Does dim llawer o gyfle i'w chychwyn hi mewn siop nawr – a phe bai hi'n cael start, arian bach fydd siopwr mewn unman yn fodlon roi iddi am flynyddoedd. Mi fyddai'n well lawer i chwi feddwl am ei rhoi hi mewn gwasanaeth.

MRS DAVIES:

Wn i ddim. Mae lle yn y farchnad, mae'n debyg, ar stondin lyfrau, i ferch fel Marged, ar nos Wener a dydd Sadwrn. Falle . . .

BET:

Faint fydd hi'n gael am hynny?

MRS DAVIES:

Alla i ddim dweud. Dim llawer, gynta. Swllt falle.

BET:

Ac rych chi'n credu bod hynny'n well iddi na dysgu gwaith tŷ! (*Yn adennill ei hamynedd.*) Ond dyna fe, chi sy'n gwybod. Meddwl oeddwn i y bydd Marged yn ddigon anniolchgar i chi mewn blynyddoedd i ddod am na ddysgoch hi nawr i wneud dim byd. Mewn beth mae diddordeb gyda hi . . . (*yn codi'r llyfryn a adawodd* MARGED *ar ganol y ford.*) Dyma mae hi'n ddarllen? Nid dyma'r stwff . . . (*Ond gwêl fod* MRS DAVIES *yn codi ymyl ei ffedog.*) Ond i beth gwna i roi 'mys mewn cawl nag yw'n perthyn i mi? Mae'n ddrwg gen i.

MRS DAVIES:

Bet fach, rwy'n gweld yn eitha eich bod chi'n dweud y gwir. Chi sy'n iawn rwy'n gwybod. Dyna sy'n ddychrynllyd. A dyma fi yn treio cadw Marged yn ladi fach, lle bod raid iddi hi fynd trwy'r pethau rwy i wedi'u gweld. Mae hi'n ifanc eto: plentyn yw hi. A mae hi'n blentyn ffein.

BET:

Ydyw, wrth gwrs ei bod hi'n blentyn digon ffein. Mae Marged yn iawn – petae hi'n cael chwarae teg.

MRS DAVIES:

Ond does gen i neb arall.

BET:

Fydd Marged ddim gyda chi'n hir iawn, a fydd hi ddim yn diolch i chi maes-law am ei babïo hi nawr. (*Cnoc ar y drws.*) Ond dyma hi nôl. Maddeuwch imi am siarad fel'na. (*Â* BET *i agor y drws, a chlywir ei llais.*) A ddost ti nôl, Marged fach? Da 'merch i. Ac mi gest y cwbwl. Mae'r siwgwr na'n lled drwm o Gwm Glo i fan hyn siŵr o fod. (*Erbyn hyn mae'r ddwy yn y gegin.*) A mae'r newid yn iawn gen ti, cadw di hwnna am fynd. Bydd yn lodes dda a helpa dy fam nawr; golch y basin 'na . . . Mi â i nawr 'te, Mrs Davies; diolch yn fawr iti, Marged. (*Ciliodd* MARGED *at y tân, ac eistedd yn y gadair freichiau.*)

MRS DAVIES:

Ydych chi'n mynd, Miss Lewis? Dyma'r jwg, a does gen i ddim ond can diolch i chi fel arfer 'y merch fach i – am bopeth. (*Y mae'n bwriadu agor y drws i* BET *pan glywir cnoc ar hwnnw.*) Defi yw hwnna; dyna'i gnoc ef. (*Â heibio i* BET *i agor i* DAI*, a heibio nôl a sefyll ar y canol o flaen y ffenestr heb yngan gair. Daw* DAI *i mewn yn ei ddillad gwaith.*) Hylo, Defi, rwyt ti gartre'n gynnar wyt ti ddim?

DAI:

Odw. (*Gwêl* BET.) O, dydd da, Miss Lewis.

BET:

Dydd da . . . Beth sy'n bod? Does neb wedi cael niwed, eich bod chi gartre mor gynnar, oes e?

DAI (*yn araf yn tynnu ei focs a'i jac o'i bocedi*):

Nagoes, neb wedi cael dim niwed, am wn i.

BET:

O dyna jobyn da, ta beth. Mi ges i beth ofan am funud.

DAI (*gan edrych yn hir arni*):

Na, chafodd . . . neb . . . ddim niwed!

MRS DAVIES:

Beth sy'n bod 'te? Pam dest ti adre cyn gynted?

DAI:

Mi ges y sac.

MRS DAVIES:

Y sac! Defi!

BET:

Beth? (*Gyda'i gilydd.*)

MARGED:

'Nhad!

MRS DAVIES:

Sut cest ti'r sac? Beth wnest ti?

DAI (*yn edrych ar* BET*; y mae'n sefyll rhwng y ddwy ddynes*):

Gofynnwch i'ch brawd! Fe sy'n gwybod pam mae eisiau llai o ddynion. Fe yw'r manager, a'i fusnes e yw hynny.

MRS DAVIES:

Defi! Gobeithio na chest ti ddim dod maes ar gam. Pwy roth y sac iti? Nid Mr Lewis?

DAI:

Ie, Mr Lewis. Fe sy'n gwneud strôcs fel'na.

MRS DAVIES:

Defi!

DAI:

Dere o fan'na, Marged, i fi gael twymo 'nwylo.

BET:

Wel, rwy i'n synnu at Morgan ni. A wnaethoch chi ddim i gael y sac?

DAI:

Naddo ddim.

MRS DAVIES:

Wyt ti'n eitha siŵr?

DAI:

Odw.

BET:

Wel, mae e'n beth od i Morgan wneud tro fel hynna'n ddiachos. Mae na fistêc, siŵr o fod. A wnaethoch chi ddim i Morgan ddweud wrthych chi am fynd?

DAI:

Naddo, dim. Wnes i ddim!

BET:

Gwneud dim. (*Chwardd.*) Rwy'n deall nawr. Wel, mi â i nawr, Mrs Davies . . . Prynhawn da.

MRS DAVIES:

Prynhawn da, Miss Lewis, a diolch yn fawr. Mi dâl y Brenin Mawr i chi rywbryd falle. (*Caiff* BET *agor y drws ei hunan a'i dynnu ar ei hôl*.)

DAI:

Ie, prynhawn da, iddi hi, ac i bob un o'r teulu. Prynhawn da, a gwd-bei; gwd-bei i chi i gyd, y diawled . . . Ond am beth oet ti'n diolch iddi hi? . . . Am fod ei brîd hi wedi fy rhoi i ar yr hewl?

MRS DAVIES:

Mi ddaeth â llymaid o gawl i Marged a thithau. Cer i olchi dy ddwylo nawr ac mi cei e'n dwym.

DAI (*heb symud*):

Der' ag e yma! Beth yw'r swanco 'na sy arnat ti?

MRS DAVIES (*yn cyrraedd y basin cawl o'r ffwrn*):

Ga i friwo tamaid o fara ynddo i ti?

DAI:

Na chei.

MRS DAVIES:

Mae fe'n gawl ffein.

DAI:

Odi, gynta, wir. Maen nhw'n gallu fforddio pethau da ynddo fe. Maen nhw'n byw ar fraster y wlad; braster y wlad iddyn nhw, a'r sporion i finnau. He, he, fi a'n short sy wedi ei ffido fe a'i griw am flynyddoedd; mae hi'n bryd iddyn nhw'n ffido i nawr glei . . . Mae'n hen bryd, greda i.

MRS DAVIES:

Dyna anniolchgar wyt ti, Defi. Roedd Bet yn . . .

DAI:

Anniolchgar, myn uffern i! Mae gen i lot i fod yn ddiolchgar amdano fe, oes e? Rwyt ti cynddrwg â Dic Ifans. Falle dy fod ti am i fi ddweud 'Diolch iti, Arglwydd tirion' − fel mae Dic yn gwneud: ond mai Moc Lewis a'i deulu yw'r Arglwydd tirion i ti . . . Gyda nhw mae 'ngenedigaeth-fraint i, a finnau'n begian basnaid o gawl.

MRS DAVIES:

Ond dyn tlawd oedd tad Mr Lewis, ac mi fuodd e 'i hunan yn gweithio ar y glo − trwy stydio a darllen y daeth e'n fanager.

DAI:

Roedd e'n rhy bwdwr i weithio, ac mi gwnawd e'n fanager. Fel'ny mae lot o'r managers 'ma wedi cael eu lle!

MRS DAVIES (*heb fedru ymatal*):

Mae'r byd wedi newid, ond yw e? Mi gwnawd e'n fanager, ac mi gest tithau'r . . .

DAI:

    Ca dy geg. Dwyt ti ddim yn myned i ddechrau gwenwyno nawr ar unwaith, wyt ti? Mae'n gynnar i ti ddechrau eto gwlei!

MRS DAVIES:

    Mae'n ddrwg gen i Defi. Ond mae hi'n ofnadwy i feddwl amdanat ti fan hyn heb ddim i'w wneud trwy'r gaea.

DAI (*yn estyn y basin gwag iddi: dyd hithau ef ar y fford*):

    Hwde, cymer hwn! (*Ymestyn a chyrraedd bib glai o'r silff-ben-tân, ei llwytho a'i thanio'n hamddenol wrth siarad â* MARGED.)

MARGED:

    A ych chi'n mynd i fod gartre bob dydd rhagor, heb fynd i'r gwaith o gwbl?

DAI:

    Ydw. Pam? Beth wahaniaeth fydd hynny i ti?

MARGED:

    A fyddwch chi yma amser brecwast . . . a chinio . . . a the?

DAI:

    Bydda.

MARGED:

    A ddim yn mynd i'r gwaith o gwbl? Mi fydd pob dydd fel dydd Sadwrn diwetha, a mam yn llefain, a chithau'n tyngu a rhegi, yn ffaelu tynnu'ch sgidiau; yn chwerthin o hyd, ac yn mynnu i fi eistedd ar eich pen-lin chi.

MRS DAVIES:

    Gymeri di gwpanaid o de?

DAI:

    Cadw dy de. Rwy i'n mynd i'r gwely nawr.

MARGED:

    Beth am fy nghot newydd i, os na fydd arian gyda ni?

MRS DAVIES:

    Mi gei di got newydd, gobeithio, 'nghalon i. Defi, a roist ti bapur mewn am lwyth o lo, wedyn?

DAI:

    Naddo fi, ddim!

MRS DAVIES:

    Does dim byd ar ôl yn y cwtsh. A mi ofynnais i iti am wneud, wythnos nôl.

DAI:

    Pe bawn i wedi gwneud mi fentra i na fyddwn i ddim wedi ei gael e. Mae'r hen Foc Lewis . . .

MRS DAVIES:

    I gael e! Wrth gwrs y byddet ti wedi ei gael e. Ond mae pawb sy'n

gweithio yn ei gael e pan fydd eu tro nhw. Os bydd raid i ni brynu glo
ar yr hewl nawr bob yn gant mi fyddwn yn y wyrcws bob un . . .
Mae'n rhaid iti gario peth lawr o'r lefel.

DAI:

Fi! Fi! Myn cebyst i. Beth wyt ti'n feddwl yw'r dôl da?

MARGED:

Mi gawn lot o arian mas o'r dôl, ond cawn ni?

MRS DAVIES:

Cawn, cariad bach, lot fawr, mi alli di fentro. Mae dy dad yn meddwl
y gallwn ni gael bwyd a dillad a phrynu glo a chwbwl ar hynny . . .
Heb sôn am dalu rhent!

DAI:

Beth gythraul sy'n bod arnat ti? Os dwedais i am brynu glo, ddywedais
i ddim am fwyd na dillad na rhent, do fe?

MRS DAVIES:

Sut ŷm ni'n mynd i gael rheini 'te?

DAI:

Diein i, rwyt ti'n dwp, hefyd. Mi fydd yr hen Fari Jones, Siop Fach,
yn bodlon rhoi popeth sy eisiau arnom ni lawr ar y llyfyr. Mi wnaeth
hynny yn neintin-twenti-wyn a twenti-sics – amser y streics. Pam na
wnaiff hi nawr, wyt ti'n feddwl?

MRS DAVIES:

Pam? Am iddi wneud yn twenti-wyn a sics: a dyw hi ddim wedi cael
hanner rheini eto. Dyna pam i ti. Beth yw chwe-cheiniog yr wythnos
i dalu dyled o bunnoedd?

DAI:

Mi elli di newid y siop 'te!

MRS DAVIES:

Galla i! Mi gei di dreio.

MARGED:

Ond rwy i'n ffaelu gweld bod eisiau talu rhent. Mae un o'n hathrawon
ni sy'n dysgu Civics wastad yn dweud mai arian wedi eu dygid yw
arian landlords sy wedi codi tai mewn pentrefi fel Cwm Glo, a'u rhentu
am ddwy a thair gwaith eu gwerth. Does dim eisiau inni dalu rhent
iddyn nhw.

MRS DAVIES:

Falle bod dy athro Civics di yn reit, wir; ond mae arrears ar ein llyfyr
rhent ni nawr, ac os eith e'n fwy fydd gyda ni ddim tŷ i fod ynddo.

DAI (yn taflu golwg o'i amgylch):

Fydd hynny ddim lot o golled.

MRS DAVIES:

Ond rwy i'n ofni na chawn ni ddim o'r dôl hyd yn oed. Mae gwaith i

ti, spo, petaet ti yn bodlon ei wneud e'n iawn . . . A beth os eith un
ohonom ni'n dost . . . (*yn edrych ar* MARGED). Allwn ni ddim byw yn
hir heb ddigon o fwyd.

DAI (*yn dal ei llygaid*):

Mi geith Marged fach fwyd yn yr ysgol, w. Mae'n rhaid i ti fynd lawr
i'r ysgol i gael gweld beth alli di gael maes o'r hen sgwlyn; mae fe a'i
short yn cael cyflogau mawr, ar ein cefnau ni hefyd. Mae'n siŵr o fod
llaeth neu sgidiau neu rywbeth i blant dynion tlawd gydag e. Cer lawr
ato fe prynhawn yma.

MARGED:

A hen ddillad ail-law, di-shâp, hen-ffashiwn, brwnt yw popeth sy'n yr
ysgol. Dwy i ddim yn leicio hen bethau o'r Fund.

DAI:

Maen nhw'n rhoi llaeth i ambell blant, ydyn nhw ddim?

MRS DAVIES:

A fi sy'n mynd i fegian, ie fe?

DAI (*yn codi'n haerllug*):

Rwyt ti'n mynd lawr prynhawn yma, a phaid ag estyn dim o dy dafod
i fi sy orau i ti . . . Mae'n bryd i ti, Marged, ddechrau ennill: rwyt ti'n
bymtheg oed nawr. Gorffod i fi ddechrau flynyddoedd cyn 'mod i dy
oedran di.

MARGED (*yn fawreddog*):

O do fe?

DAI:

Mi ddylai fod gas gen ti, a'th fam 'ed, dy fod ti gartre fan hyn heb
ddim byd i'w wneud.

MARGED:

Be alla i ei wneud? A mi fyddwch chwithau gartre'n segur nawr hefyd.

DAI:

Mynd maes i wasanaeth – neu siop, os yw'n well gan dy fam . . . Cer
nôl i'r ysgol nawr o'r ffordd . . . a dwed wrth y sgwlyn fod dy fam yn
dod lawr prynhawn 'ma.

MRS DAVIES:

Ie, mae'n bryd i ti fynd nôl i'r ysgol nawr. (*Estyn ei dillad iddi, a'i helpu
i'w gwisgo.*)

MARGED (*yn dodi'r llyfryn a ddarllenasai yn ei phoced*):

Prynhawn da 'te.

MRS DAVIES:

Prynhawn da . . . (*â'r drws yn cau tu ôl i* MARGED) . . . druan fach! A
wyt ti am gwpanaid o de?

DAI:

Nagw.

MRS DAVIES (*wrth ddechrau clirio'r ford*):

Pam rhoth Morgan Lewis y sac i ti, Defi? Beth oedd yn bod?

DAI:

Wn i ddim, hen gythraul fel'na yw e erioed. A mae fe'n esgus bod yn gymaint gŵr bonheddig. Mae Bet yn cario bwyd i chi fan hyn beunydd, ac yn hela pob clecs amdana i, a'u hadrodd nhw wrtho fe wedyn . . . Ti sy'n rhoi clecs iddi hi.

MRS DAVIES:

Pa glecs, Defi bach? Does dim o Bet yn cael dim clecs gen i. A dyw Bet ddim yn un sy'n . . .

DAI:

Ond dere di 'merch i, mae lot o glecs am bwytu fe yng Nghwm Glo hefyd – a falle bydd mwy cyn hir. Ar yn ail y rhed y cŵn. Dere di, boio! Mae pob mwydyn yn troi . . .

MRS DAVIES:

Gochel di na chlyw e di'n dweud pethau fel'na heb ddim sail iddyn nhw, neu falle rhoith e di'n y jâl.

DAI:

Gad 'na fe. Mi cadwith y Brenin fi wedyn, ac mi gadwith y Plwy Marged fach a thithau . . . Rwy i'n mynd i'r gwely am awr neu ddwy; mae ffwtbol-matsh maes-law.

MRS DAVIES (*wrth iddo ymestyn*):

Mae llond tegel o ddŵr yn barod, a mae fe'n dwym fan hyn. Mi â'i moyn y badell iti nawr.

DAI:

Does dim eisiau'r badell arna i. Dwy i ddim yn frwnt; fues i ddim lawr tan ddaear ddigon hir, w . . . Glywaist ti, gad 'na hi!

MRS DAVIES (*yn mynd tua'r cefn*):

Ond mi rois i ddillad glân ar y gwely i gyd bore 'ma, a mi dwyni nhw i gyd bob tamaid.

DAI:

Gad lonydd i'r badell 'na, wedais i wrthyt ti. Wyt ti'n clywed?

MRS DAVIES (*yn cario'r badell a'i gosod ar yr aelwyd ac yn cydio yn y tegell*):

Dyma fe wel'di. Fyddi di ddim dwy funud i gyd. A mae dillad glân ar y gwely. (*Yn arllwys y dŵr.*) Dere mlaen nawr.

DAI (*yn tynnu ei got a'i wasgod*):

Gad dy fodder. Does dim o hono i yn mynd i molchi nawr, dim ond golchi 'nwylo. (*Yn dechrau gwneud hynny.*) Dwy i ddim yn frwnt. (*Y mae* MRS DAVIES *yn gorffen clirio'r ford tra bydd ef yn tasgu'r dŵr dros y lle. Sylweddola fod y mwffler am ei wddf.*) Wel'di, datod y mwffler 'ma. (*Gwna hithau hynny.*) Ble mae'r tywel? (*Ond gwêl ei fod yn ei ymyl.*) O . . . Dyna fe. Rwy i off i'r gwely nawr . . .

MRS DAVIES:

Off â thi, 'te.

DAI (*ar waelod y stâr*):

Rwyt tithau'n dod, cofia. (*Saif* MRS DAVIES *yn ddiymadferth, a* DAI *yn dringo'r grisiau, i'w hadennill ei hun a chydag 'O wel' fe'i llabyddia ei hun yn cario'r badell tua'r cefn. Ymhen ennyd feichiog dychwela i gyrraedd y sebon a'r wlanen. Pan fydd ar ganol y llawr clywir* DAI *o'r llofft.*)

DAI:

Hei! Shapa hi! (*Saif* MRS DAVIES *yn ei hunfan, yna try i edrych yn llesg a digalon at y grisiau.*)

LLEN

DIWEDD YR ACT GYNTAF

YR AIL ACT

Gardd o flaen tŷ'r goruchwyliwr. Canol haf – ymhen tua thair blynedd.

Aeth yn agos i dair blynedd heibio, a throi MARGED *o fod yn blentyn, a llunio ohoni ferch ifanc, ddeunaw oed, lân a gosgeiddig tros ben.*

Gwisgoedd ysgafn haf sydd am y merched oll, ond gellir canfod y wahanol gymdeithas y perthyn BET *iddi rhagor* MARGED *wrth ddeunydd y gwisgoedd hynny, a'r toriad gwahanol sydd arnynt. Dillad brethyn golau sydd am* IDWAL, *a dillad gwynion tennis sydd am* MORGAN LEWIS *ond bod coler a thei am ei wddf.*

Ar dde'r llwyfan saif ffrynt tŷ'r goruchwyliwr – drws hardd a ffenestri glân bob ochr iddo. Ar y cyntedd o flaen y drws saif cadair freichiau wiail a bord a sgiw wiail (celfi'r lawnt). Ymestyn y lawnt yn ôl i'r cefn gan ymdoddi i'r prysgwydd a'r mân-lwyni tan gyfaredd hwyr o haf.

Y mae'r fynedfa o'r heol i'r lawnt ar y chwith uchaf.

Pan ddechreua'r chwarae, BET *ac* IDWAL *sydd yn eistedd gyda'i gilydd ar y sgiw wiail, ynghanol dadl eirias.*

BET:

Na, Idwal. (*Yn codi.*) 'Dall e ddim bod. (*Croesa'r tu ôl iddo.*) Beth ddwedai pobl petaen nhw'n dod i wybod?

IDWAL (*yn ddadleugar*):

Sut maen nhw'n mynd i wybod; a beth wahaniaeth petaen nhw yn gwybod . . . yn wyneb y lles yw'r peth i'n profiad ni? Hwnnw sy'n cyfri mewn gwirionedd; nid beth mae neb arall yn ei feddwl.

BET:

Mae hynna'n swnio'n burion. Ond rwyt ti'n gwybod nad yw e ddim yn wir. Wedyn, paid â dadlau. Mae gen ti ddigon ffitach gwaith na gwastraffu amser. (*Y funud hon y mae* BET *yn gain dros ben. Plyg tuag ato fel pe mynnai gusan ganddo.*) Dere yma.

IDWAL:

Paid! Plis! Does dim ystyr iddo, na dim blas. Rwy i wedi blino ar ddim byd ond . . . hen gusanu.

BET:

O'n wir! Dim byd ond hen gusanu, iefe! Paid, 'te. Dwyt ti ddim yn fy ngharu i, Idwal.

IDWAL (*yn araf, ac yn agos ati*):

A wyt ti yn fy ngharu i? Wyt . . . ti?

BET:

Rwyt ti'n gwybod yn eitha da, y gwirion. Id, annwyl, on'd rwy'n dweud wrthyt ti beunydd fy mod i?

IDWAL:

Wel, Bet, Bet, pam 'te na ddoi di . . .?

BET (*ag awdurdod yn torri arno*):

Rho gusan i fi! Rho . . . gusan . . . i . . .

IDWAL:

Alla i ddim . . . Paid. Ambell waith rwy'n dy gredu di dy fod ti'n fy ngharu i mor llwyr ag rwyf innau'n dy garu di . . . i eithafion ein bod . . . a'r funud nesaf rwyt ti'n chwalu 'ngobeithion i'n chwilfriw . . . Dwy i ddim yn dy ddeall di . . . yn bodloni ar gusanu, dim ond cusanu . . . a chymaint mwy wrth law.

BET:

Mae dy ofn di arna i, pan fyddi di'n siarad fel'na, Id.

IDWAL:

Dyna'r gwir nawr. (*Cyfyd.*) Mae ofn caru arnat ti. Mae perffaith gariad yn bwrw allan ofn . . . Does dim ofn dim arna i . . .

BET:

Ond ofn aros nes byddwn ni wedi priodi! Mae perffaith gariad yn bwrw allan pob ofn.

IDWAL:

Does gen i ddim hawl i ofyn iti 'mhriodi i . . . ddim ar yr arian rwy i'n ennill nawr.

BET (*yn eistedd yn hamddenol, ac yn dangos ei modrwy ddyweddïo*):

Ond rwyt ti wedi gwneud hynny'n barod. A mae dy certificate gen ti. Mi gei le fel manager cyn bo hir, ac wedyn . . .

IDWAL (*yn ddiamynedd*):

Wedyn, fe fyddwn ill dau yn rhy hen. Dyna'r gwir yw hynna . . . rhy hen . . . ac wedi colli blas, ond mae 'na ugeiniau o fechgyn ifainc â certificates gyda nhw fel finnau, a welan nhw mwy na finnau fyth jobs fel managers . . . dim byth!

BET:

Ond rwy i'n bodlon aros . . . a'th garu di hefyd.

IDWAL:

Mae caru yn nychu wrth orfod aros . . .

BET:

Mae'n rhaid i ni dreio credu. 'Dy ewyllys di a wneler.' Thâl hi ddim i wingo yn erbyn y symbylau, fel rwyt ti'n gwneud.

IDWAL (*yn areithio*):

Beth yw Ei ewyllys Ef, 'te? Merthyrdod negyddol, di–asgwrn–cefn? Derbyn yn ddirwgnach bob tabŵ gymdeithasol? Hunanaberth tragwyddol? Dyw'r Ewyllys Ddwyfol ddim beunydd a byth yn dweud 'Paid, Paid, Paid!' – a dim ond hynny. Pan fydd dau ddyn ifanc yn anterth eu nerth yn ymuno, nhw sy'n cadw bywyd yn fyw. Beth mwy

yw ewyllys Duw na defnyddio'r egnïon a blannodd Efe ynom, i gadw
Bywyd ei hun yn fyw. Ond y mae'n credoau cymdeithasol ni ar eu
heitha yn gwadu hyn i gyd. Â'n genau dywedwn 'Dy ewyllys Di' . . .
ond gwnawn eu hewyllys hwy . . . Rhoddodd Duw, o'i afradlonedd,
egnïon rhyw ac ynni ieuenctid ynom i wneuthur Ei ewyllys; gwnaeth-
om ninnau hi'n amhosibl i ddeuddyn ifanc ymuno na chreu dim . . .
Dim ond i'r canol oed y rhoddir hynny, am iddynt ufuddhau Mamon
yn lle Duw . . . (*Yn symud ati.*) Rhaid i ti a minnau dagu serch a difa
nwyd, gwadu'r ceinder a roddodd Duw arnom, am nad oes gennym
ddigon o arian i briodi. Beth a dâl hi i ddyn os ennill efe yr holl fyd, ac
yntau yn colli ei enaid wrth hynny?

BET:

Rwyt ti'n siarad yn dda, Id, a dichon dy fod yn iawn yn hynna i gyd.
Ond . . . elli di ddim ei newid e. Treia, ac fe gei dy rwygo fel ton ar
graig. Gwn innau angerdd caru . . . caru fel dy garu di . . . ond fe'n
llarpia ni!

IDWAL:

Ewyllys Duw yw i ni'n dau ymuno yn ein hirder. Hynny yw priodas
gyda Duw; ond deddf briodas dyn sy'n ein gwahanu. Bet, does dim
synnwyr na ddoi di gen i . . .

BET:

Rhyw ddiwrnod caf brofi iti. (*Cyfyd gydag urddas.*) Idwal . . . (*yn llethol
o agos ato*) fe wyddost fy mod yn dy garu . . .

IDWAL (*ar fin ei chusanu*):

Gwn.

BET:

Paid!

IDWAL (*wedi ei siomi*):

Dyna fe . . . Dim ond twyllo dyn . . .

BET:

Nage. Mae rhywun wrth y llidiart. (*Ciliant ill dau, ac edrych at y llidiart.
Wedi seibiant ennyd clywir llais.*)

DIC:

Helo. Fi sy 'ma . . . Prynhawn da, Miss Lewis.

BET:

Sut ych chwi, Mr Ifans. Dowch mlaen. Roedden ni'n eich clywed
chwi'n dod.

DIC (*yn dod ymlaen i'r canol atynt*):

Wel, Idwal, 'y machgen i, sut wyt ti?

IDWAL:

'N iawn, thenciw. Ych chi'n weddol?

'Yn ystod wyth mis cyntaf 1936 symudwyd o Ardal Arbennig De Cymru 14,489
o bobl', *Heddiw* (Ionawr, 1937), 224.

DIC:

Odw, diolch. (*Yn chwareus.*) Cystal ag y gall hen ŵr obeithio bod.
Rwy i wedi gweld mwy na blynyddoedd yr addewid, wel'di.

BET:

Mae'n dda eich clywed chi'n siarad fel'na Dic. Roedd Morgan yn
dweud eich bod chwithau wedi stopio yr wythnos ddiwetha. Mae hi'n
biti, a chwithau mor iach ag erioed.

DIC:

Do, do; ond does gen i ddim lle i achwyn. Mae lot o gryts yn dod ar
fy ôl i, a fydd yn falch o'm lle i. Maen nhw'n ifainc, a'u bywyd o'u
blaenau nhw. Eu tro nhw yw hi nawr.

IDWAL:

Tynnu 'nghoes i ych chi nawr iefe? Mi wn imi gefnogi lawer gwaith
bod yr hen i roddi lle i'r ifainc. Mae hi'n haws dweud hynny ar
blatfform na'i ddweud e o flaen dyn fel chi, Dic. Ond meddwl am
bensiynau i'r gweithwyr oeddwn i bryd hynny, fel sy gan yr athrawon
a'r polîs, nid rhoi dynion ar y domen wedi iddyn nhw roi'u bywydau
yng ngwasanaeth y cwmnïoedd. Dyna lle mae'r pechod.

BET:

Mi ddylai'r Federation fod wedi mynnu pensiynau ers tro byd yn lle
gwastraffu'r arian ar streics diddiwedd.

DIC:

> Falle hynny wir, Miss Lewis. Ond falle byddai hi'n waeth ar y gweithwyr heddiw petai'r Federation wedi gwneud heb y streics. Dwy i ddim yn siŵr mai gwastraff oedd y cwbl – a mi geir cyfle ar y pensiynau eto, gobeithio.

BET:

> Dewch mewn i'r tŷ. Falle gall Morgan wneud rhywbeth i gael y lle nôl i chi. Mi fydd yn falch eich gweld chi, ta beth.

DIC:

> Na, peidiwch. Arhoswch os gwelwch yn dda. Rown i'n ofni mai dyna fyddech chi i gyd yn feddwl, am i mi alw yma heno. Ond yn wir i chi, wnes i ddim galw ar fy nghowntt fy hunan. Ond mi garwn weld Mr Lewis i gael gweld a oes dim posibl cael start i'r hen Ddai Dafis druan. Mae Mr Lewis i mewn?

IDWAL:

> Wel, wel, wel, bachan od ych chi. Abraham yn gweddïo tros Lot yn Sodom a Gomora heddiw. On'd ych chi'n ddidoreth, Dic! Rych chi'n cofio sut chapyn oedd Dai.

DIC:

> Ond mi elwais i yno neithiwr. A wir, mae hi'n gul arnyn nhw. Mae hi wir, fel gwyddoch chi, Miss Lewis.

BET:

> Mae hi'n gul ar Mrs Davies. Hi sy'n diodde. Dyw Dai yn diodde dim, na Marged chwaith. Wnân nhw ddim diodde tra gellir gwasgu tipyn ar rywun arall. Mae Marged bron yn ddeunaw, a dyw hi ddim wedi gwneud pwythyn o waith yn ei bywyd eto. Mi arhosodd yn yr ysgol tra gallodd hi gael peint o laeth am ddim oddi yno. Pam na roddan nhw rywbeth iddi hi i'w wneud!

IDWAL:

> Beth sydd y gall hi ei wneud, mwy na degau eraill heddiw? Gallai fod wedi gweithio mewn siop nes oedd hi'n un ar bymtheg oed, yna mi gâi fynd. Byddai ei stamps insiŵrans hi'n rhy ddrud, a digon o rai yn dod o'r ysgol bob mis yn bodlon gwneud yr un tro, am ddim. Mae plant heddiw yn rhy hen yn un ar bymtheg oed!

BET:

> Mi fyddai wedi dysgu gwneud rhywbeth wedyn, ta beth. Mi fydd hi yn dod i drwbwl heb fod yn hir, rwy i'n ofni; a all hi ddim gwneud hynny ar ei phen ei hun, sy waetha.

DIC:

> Mae lot o fai ar Mrs Davies yn babïo'r plentyn gymaint. Ond mi leiciwn i weld Mr Lewis i dreio Dai unwaith eto.

BET:

Mi â i i weld lle mae fe nawr . . . (*wrth ddrws y tŷ*) ond dwy i ddim yn credu bod llawer o obaith . . . Mae Dai ei hunan yn greadur mor enbyd. (*Bydd seibiant a'r ddau yn edrych arni yn mynd i'r tŷ.*)

IDWAL:

Byd rhyfedd ac ofnadwy yw hwn. Mae ffydd dyn yn mynd yn yfflon. 'Duw Cariad yw' . . . ynghanol uffern o le fel Cwm Glo. Beth les yw cwpwl o droeon da fel hyn rhwng cynifer?

DIC:

Pum torth a dau bysgodyn yw defnyddiau'r wyrth heddiw hefyd cofia di.

IDWAL:

Pa ddiddordeb a all fod gyda Duw da mewn mochyneidd-dra fel sy'n y lle ma? Duw da . . . a Hollalluog hefyd!

DIC (*yn tanio'i bibell yn hamddenol ac yn eistedd*):

Sut wyt ti wedi arfer meddwl am lilïod y maes ac adar y to?

IDWAL:

Bod y Tad Nefol yn gwybod am bob aderyn to sy'n syrthio?

DIC:

Ie, a phob lili y sydd heddiw ac yfory a fwrir yn ffwrn.

IDWAL:

Falle 'i fod E'n rhy brysur gyda nhw i drafferthu gyda phethau pwysicach. Mae rhywun wedi dweud hynny: 'But God was too busy watching his sparrows falling.'

DIC:

Clyfer iawn. Ond mae gan Gynan weledigaeth gliriach o lawer. Mae fe'n dweud nad yw byd newydd ddim pwysicach na briallen, na theyrnas nag yw mwydyn . . . Dyw'r byd ddim yn gyfan heb lilïod: falle mai diben y greadigaeth i gyd yw gwneuthur tŷ i dderyn to. 'Ni syrth un aderyn to heb eich Tad Nefol.' Mae Duw Ei Hunan yn syrthio pan syrth aderyn to. (*Aros llethol.*) A beth yw Dai Dafis, druan, ond un aderyn to bach arall?

LEWIS (*a ddaeth i mewn ar ddechrau'r araith, a sefyll yn llanw'r drws tan wrando yn chwareus*):

Wir, Dic, rwyt ti'n reit fan'na, deryn to bach go shêp hefyd. Mae siŵr o fod dau o'i short e am ffyrling.

DIC (*ar ei draed*):

Helo, Mr Lewis, down i ddim yn eich gweld chi. Prynhawn da.

LEWIS:

Sut mae hi? Gweddol? (*Daw ymlaen.*) Mi ddywedodd Bet dy fod ti wedi dod lan i 'ngweld i ynglŷn â Dai Dafis. Pam wyt ti'n boddrach yn ei gylch e? Dyw e ddim gwerth hynny.

DIC:

Falle nagyw e ddim, ond rown i'n meddwl . . .

IDWAL (*yn chwareus*):

Ond dyna oedd Dic yn dreio wneud nawr – treio 'mherswadio i fod Dai yn fod pwysig iawn.

LEWIS:

Mi clywais e wir. Mi galwodd e'n dderyn to, do fe ddim? Mae'n werth cofio mai dau am ffyrling oedd rheiny yn y farchnad.

DIC:

Ni sy'n prisio adar to, a'u prynu nhw ddau am ffyrling. Ni wnaeth y farchnad i ddechrau. Mae'r crochenydd 'run mor ofalus wrth lunio deryn to ag yw e wrth greu byd newydd, a phan ni lwydda y mae cymaint llawn o ddagrau ar ei rod. Mae Ei stamp E'r un mor blaen ar Dai Dafis ag yw e arnoch chi a finnau.

LEWIS:

Ond Dai ei hunan sy'n gyfrifol am ei fod e fan lle mae e.

DIC:

Iefe? Dw i ddim mor siŵr o hynny chwaith . . . Ond dyna fe, does dim eisiau mynd i ddadlau am hynny. Meddwl oeddwn i nad yw'r bai ddim i gyd ar Dai.

LEWIS:

Nagyw e, myn diein i! Ar bwy mynnet ti roi'r bai te, garwn i wybod? Petai peth fel hyn yn digwydd i un ohonom ni? Ar bwy y byddet ti'n rhoi'r bai wedyn?

DIC:

Rŷm ni i gyd yn gyfrifol am gyflwr Dai, a phawb fel fe, Mr Lewis. Fi a chwithau ac Idwal; ni sy'n codi gwelydd ein tai mor glòs fel nad oes le i adenydd adar to gryfhau.

LEWIS (*i dorri'r ddadl*):

'Ac efe a gymerth ei daith i wlad bell; ac yno efe a wasgarodd ei dda gan fyw yn afradlon.' Dyna'r adnod ar y pwnc. Ac ni orfododd neb e, do fe. Nawr, der' di, Dic!

DIC:

Rych chi'n cofio'r cymeriadau eraill yn y ddameg.

IDWAL:

Y mab hynaf a arhosodd gartre; doedd e ddim llawer gwell.

LEWIS:

A'r tad trugarog. Mi fuais innau mor drugarog ag oedd modd wrth Dai, os fel'na rwyt ti am fynd â'r ddadl.

DAI:

Mae un cymeriad arall yn y ddameg, a neb yn talu sylw iddo. A feddylioch chi amdanoch eich hunain fel 'dinesydd y wlad honno', yr

un oedd mor gartrefol yno â chadw moch yn ei chaeau? Nid mynd
yno am dro wnaeth e, fel mab afradlon; yno roedd e'n byw a bod. Fe,
neu'r mab afradlon, oedd y gwaethaf wn i?

LEWIS:

Wel?

DIC:

I hwnnw rŷm ni'n debyg.

LEWIS:

Ond pam rwy i'n debyg i hwnnw? Dwy i ddim yn gweld y pwynt sy
gen ti.

DIC:

Nid chi er eich pen eich hunan rwy i'n feddwl, ond chi a fi, ac Idwal a
Bet, a phawb; ein bywyd cymdeithasol ni. Ni wnaeth y Wlad Bell, a
ni sydd yno i ddisgwyl yr afradlon, a phan fydd e wedi cael trengi
digon i fod yn barod i dderbyn cibau, ni sydd yno yn eu cynnig nhw
iddo. Pan fydd ei fola fe yn ddigon gwag, na all e ddim troi arnom,
rŷm ni'n cynnig gwaith iddo, ond dim byd gwell na phorthi moch: ein
moch ni!

IDWAL (*yn deall yr ergyd, ac yn cael blas*):

Masnachdai mawrion yn rhoi arian bach i ferched, ac yn disgwyl
iddynt ychwanegu at eu cyflogau . . . trwy ffyrdd amheus: cwmnïau
diwydiannol yn gwasgu cyflogau gweithwyr mor isel nes gorfodi
rheiny i dorri gyddfau ei gilydd – competition, competition, yn enw
rhyddid: gweithwyr yn cefnu ar undebau a mynd yn blacklegs: milwyr
a pholîs i'w cymell at hynny: dynion yn gwneud cwrw i'r trueiniaid
anghofio'u trueni trwyddo, rhag iddynt ddyfod atynt eu hunain a
difetha dinasyddion y Wlad Bell. Dyna rych chi'n ei feddwl, Dic?

DIC:

Ie, a mwy. Dinasyddion y wlad honno wyt ti a minnau cofia. Ni sy'n
estyn cibau trugaredd i afradloniaid, ac yn credu ein bod yn dadau
trugarog wrth hynny: mae'n haws gwaddoli ysbytai ac eglwysi ac
ysgolion â'n harian sbâr – estyn cibau – nag yw hi i falurio'r Wlad Bell,
a llunio byd newydd. Fe fydd pawb yn codi cofgolofnau ar ein hôl.

IDWAL:

Polisi inswrans da yw pob trugaredd onide?

BET (*yn dod o'r tŷ â hambwrdd llwythog o win a gwydrau. Y mae pecyn cryno o
dan ei braich: gesyd hwnnw ar y ford*):

Wel wel, rych chi'r dynion yn gallu clebran; roeddwn yn eich clywed
yn blaen o'r tŷ. (*Dechreua* LEWIS *arllwys y gwin, yna'n ei gynnig i'r gwŷr.*)
Cymerwch hwn at eich gyddfau; mae siŵr o fod ei eisiau arnoch, ar ôl
yr holl ddadlau yma.

LEWIS:

Ie, dewch mlaen. Mi ddylet ti, Dic, fod yn bregethwr, neu'n brif weinidog . . .

IDWAL:

Sôn am blacklegs! Rych chi'n un o rheiny Dic; mynd â gwaith pregethwyr gyda'ch siarad!

DIC:

Hanner munud. Pe na bawn i wedi clebran cymaint ni fyddech chwi wedi cael y gwin yma. (*Yn codi ei wydr*.) Rwy'n siŵr yr unwch chi â fi: eich iechyd da chi, Miss (*ac yn chwareus tuag at* IDWAL) . . . a phob bendith.

BET:

Diolch. (*Yfant*.) Id, fe elli di roi'r gorau i'r ddadl a dod maes gen i.

IDWAL:

Maen nhw'n dweud am ddewis y drwg lleia . . . beth wna i?

DIC:

Pa ddewis sydd iti rhwng y Gwyn a'r Gwael? Os na ofeli di mi fydda i'n fy nghynnig fy hunan er hyned wy i . . . a'm cael yn wyn fy myd!

BET (*yn ymgrymu*):

O diolch, Mr Ifans.

LEWIS:

Mae dy glywed ti'n talu teyrnged i ferch ifanc yn dy wneud ti'n ifanc Dic.

IDWAL (*yn chwareus*):

Rwy i'n barod . . . nawr.

BET:

Mae tipyn o hen ddillatach yn y parsel yma. Falle bydd Mrs Davies yn falch ohonyn nhw i Marged. Dyma nhw fan hyn Morgan – rho nhw os digwydd un ohonyn nhw alw.

LEWIS:

Dyw hi ddim yn debyg y bydd neb yn galw, odi hi?

IDWAL:

Falle gwelwn ni rywun wrth fynd maes nawr.

BET:

Wel, dyna fe. Mi awn ni nawr 'te. Nos da, Mr Ifans.

DIC:

Nos da, 'merch i. Edrychwch ar ei ôl e, os gellwch chi.

BET:

Mi wna i 'ngorau. Nos da, Morgan; falle byddwn ni'n hwyr os awn ni i'r pictiwrs.

LEWIS:

Cerwch chi, mi fydda i'n olreit. Hwyl fawr i chi.

BET:

Dere 'te, Id.

IDWAL:

Reit; nos da eich dau a hwyl ar y dadlau.

LEWIS A DIC:

Hwyl. Nos da.

BET:

Cheerio.

(*Safant yn edrych ar eu hôl nes iddynt fynd o'r golwg.*)

LEWIS:

Eisteddwch Dic,

DIC:

Na, mae'n rhaid i minnau fynd nawr. Rwy i wedi eich cadw chi'n rhy hir o lawer. Mae gyda chi lawer o bethau i'w gwneud mae'n debyg. A ga i ddweud fy neges unwaith eto?

LEWIS:

Dic bach, does dim eisiau i ti. Paid â becso dim mwy am Dai. Colled all round yw rhoi lle i ddyn fel Dai mewn unrhyw bwll.

DIC:

Nage wir, Mr Lewis! Mae hi'n talu'n well yn y pen draw i roi gwaith i ddynion fel'na. Does gennyn nhw ddim syniad sut i ddefnyddio hamdden . . .

LEWIS:

Dyw e dda i ddim. Codi glo brwnt: colli oriau o waith: gwneud niwed i bob crwtyn ddaw i'w gwmni fe: mae'r fasnach lo, mae pawb ddaw i gwrdd ag e'n dioddef.

DIC:

Mae'r fasnach lo'n gyfrifol am y picil mae fe ynddo.

LEWIS:

Bachan diein, a wyt ti'n monni? Yr unig beth mae'r fasnach lo wedi'i wneud yw rhoi arian iddo fe i'w meddwi nhw am flynyddoedd.

DIC:

Pe na bai'r pyllau yma wedi eu sinco mewn cymaint o hast, a'r tai 'ma wedi eu codi bendramwnwgl, a'r strydoedd 'ma wedi cael eu llunio mor gul i roi lle i fwy o dai; pe defnyddid yr elw i gadw'r cwm yn bert, a'i fannau glas yn lân o rwbel, i drefnu tre deidi ac i godi tai cysurus, fyddai Dai ddim yn chwilio cwmni mewn tŷ tafarn, nac anghofrwydd mewn rasus ceffylau a chwrw.

LEWIS:

Dyna ti . . . bant eto . . . cynddrwg llawn ag Idwal. Y peth gorau a all ddigwydd i hwnnw fydd cael jâl adeg streic: dyw'r llwybr i'r Senedd ddim yn hir wedyn – dim ond lecsiwn. Dyw'r certficate sy gydag e'n dda i ddim – dyw managers ddim yn marw'n ddigon aml.

DIC:

Mae'n ddrwg gen i'ch cyffroi chi. Ond mae'n drueni gen i na allech chi weld eich ffordd yn glir i roi ei le nôl i Dai. Wel, dyma fi'n mynd nawr. Diolch yn fawr am eich croeso.

LEWIS:

Os oes raid iti fynd nawr (*yn ei hebrwng*). Ond mi leiciwn i gael dadl â thi ar lawer o bethau.

DIC (*o'r golwg ymron*):

Mae'n well imi fynd nawr. Does dim gobaith i Dai 'te?

LEWIS:

Mae arna i ofn nag oes e ddim wir, Dic. Ond diolch iti am ddod i 'ngweld i. Dere eto'n glou.

DIC:

Diolch yn fawr. Mi ddo i. Nos da.

LEWIS:

Nos da. Gwna dy orau o'th oriau hamdden yr hen law; rwyt ti'n eu haeddu. Mi fyddai'n dda gen i eu cael nhw. (*Try* LEWIS *at y ford ac arllwys gwydriad arall o win. Gwêl y pecyn dillad a dechrau chwarae ag ef. Mae'r golau'n araf gilio gan ei bod yn nosi'n rhwydd.*) O diawch, beth well yw dyn o bendrymu! (*Eithr pendrymu y mae efe.*) Tiwn rownd yw'r cyfan. Y gwaith . . . manager . . . cyflog . . . streics . . . tlodi . . . Dai Dafis. (*Seibiant ddiflas.*) Gwaith. Cyflog. Streics. (*Yn ei atal ei hun.*) O ddiawl. (*Yf ragor o win.*) . . . Dwy i ddim gwell o roi gwaith i Dai. Dŷn nhw ddim yn treio. Neb ohonyn nhw. (*Chwaraea eto â'r pecyn dillad.*) Dyw Marged ddim wedi dysgu gwneud dim. Ond mae hi'n dod yn hen groten fach lân. Corff bach glân . . . Daro hi'n dod nôl a mlaen yma. Ond arna i mae'r bai. Fi sy wedi ei thynnu hi'n ewn. A mae hi'n siŵr o alw heno eto. A beth os priodith Idwal a Bet . . .

MARGED (*wedi tyfu'n ferch ifanc ddeniadol, yn dod i'r golwg*):

Good-night, Mr Lewis.

LEWIS:

Good-night. Helo, Marged, pam wyt ti wedi dod yma heno?

MARGED (*wedi dod ymlaen*):

O, dych chi ddim am i fi ddod 'te!

LEWIS:

Nagw i, cer adre. Pwy ddwedodd wrthyt ti am ddod?

MARGED:

O neb!

LEWIS:

Does dim iws iti ddod yma fel hyn. Pwy wedodd wrthyt ti fod Bet maes?

MARGED:

Neb.

LEWIS:

Sut gwyddet ti'i bod hi maes, 'te?

MARGED:

Mi gwelais hi'n mynd gyda Idwal i rywle. (*Seibiant a* MORGAN LEWIS *yn craffu ar lunieidd-dra* MARGED; *try oddi wrthi gydag ymdrech.*)

LEWIS:

Rwy i'n mynd i'r tŷ.

MARGED:

Mi â i nôl 'te.

LEWIS:

Reit, cere di. (*Try nôl ar riniog y tŷ.*) Nos da. (*Try* MARGED *i fyned.*) Marged! Mae Bet wedi rhoi rhyw ddillad i ti fan hyn. Waeth iti fynd â nhw. Dyma nhw fan hyn. Cymer nhw.

MARGED (*yn cymryd y dillad ac yn ailgychwyn.*):

Good-night. Dwedwch 'Diolch yn fawr' wrth Miss Lewis . . .

LEWIS (*wedi iddi fyned gam o ffordd*):

Wel'di, gymeri di lymaid o win? (*Gyda'i bod hi'n troi y mae yntau yn ei arllwys iddi.*)

MARGED (*yn cymryd ac yn yfed y gwin. Y mae gwên gellweirus yn ei llygaid, sydd yn gwanychu ewyllys* LEWIS: *eistedd nid nepell oddi wrthi*):

Thenciw.

LEWIS (*wedi iddi yfed*):

Dere yma. (*Daw, a thyn hi ar ei lin.*) Wyt ti'n leicio eistedd fan hyn?

MARGED:

Nagw i ddim. (*Yn esgus ymdrechu i godi.*) Gedwch fi i fod. Ffor shêm!

LEWIS:

O reit, da 'merch i, cer adre nawr 'te.

MARGED:

Peidiwch â phryfoco.

LEWIS:

O reit, bach. (*Yn sylweddoli ei berygl, ac yn ei thaflu rhagddo ar ei thraed.*) Mae'n well iti fynd. (*Gwelir pen* DAI *yn awr ac eilwaith rhwng y llwyni. Cymer* MARGED *y parsel dillad a chychwyn eto.*)

MARGED:

Reit you are. Dwy i ddim yn dod nôl rhagor!

LEWIS:

O'r gorau. Nos da. (*Saif ennyd yn edrych ar* MARGED *yn mynd at dro'r llwybr.*) . . . Marged! Marged, wel'di, dyma hanner coron iti, i fynd i'r pictiwrs neu rywbeth. Dere yma i'w moyn e. (*Wrth ei roi yn ei dwrn.*) A phaid â dod yma byth rhagor pan na fydd Bet mewn.

MARGED (*yn cymryd yr arian*):

Diolch, syr.

LEWIS:

Mae'n well iti adael y dillad 'na fan hyn. Paid â mynd â nhw gyda thi.

MARGED:

Pam?

LEWIS:

Gad nhw, neu mi fydd raid i mi ddweud dy fod ti wedi bod yma. Fuost ti ddim yn siarad â Bet, do fe? Ddwedodd hi ddim wrthyt ti am alw?

MARGED:

Naddo.

LEWIS:

Wel, paid â mynd â nhw 'te. Does dim eisiau iddyn nhw wybod dy fod ti wedi bod yma o gwbl.

MARGED:

O reit, does dim ots gen i. (*Try i fynd.*) Good night.

LEWIS (*wedi iddi fynd gamau pell*):

O daro, dere nôl yma.

MARGED:

Dim rhagor heno . . . Cheerio.

LEWIS:

Dere yma. (*Rhed ar ei hôl. Deil hi'n hawdd, a'i hanwylo'n chwareus.*) Y cythraul bach! Pam na ddoist ti'n ôl?

MARGED (*wrth ei bodd*):

Dych chi ddim o'm heisiau i rhagor.

LEWIS:

Nagw i? Pwy ddywedodd? (*Yn ei harwain i gyfeiriad yr ardd.*) Dwyt ti ddim wedi bod yn yr ardd gen i ers amser. Mae gen i lot o bethau i'w dangos i ti.

MARGED:

Oes e? Ond beth os daw Miss Lewis nôl?

LEWIS:

O, ddaw hi ddim nôl am oriau. Oes rhywun wedi dweud wrthyt ti dy fod ti'n hen groten fach bert?

MARGED:

O, Mr Lewis, nag oes! Pam?

LEWIS (*gan blethu ei fraich yn dynn amdani, yna ei gosod hyd braich oddi wrtho*):

Diein i, rwyt ti . . . Dere mlaen . . .

DAI (*yn sefyll o'u blaen*):

Gan bwyll bach, mei boi! Pert iawn wir.

LEWIS:

Beth wyt ti'n wneud fan hyn? Beth wyt ti'n moyn?

DAI (*yn hamddenol*):

Dim byd . . . Dod i edrych am Marged, falle: mae hi'n ddyletswydd ar dad i gymryd gofal o'i blant, yw hi ddim?

MARGED:

Sut oech chi'n gwybod fy mod i yma?

DAI:

Meindia dy fusnes. Down i ddim yn gwybod, neu mi fyddwn wedi dod â'r strapen gen i, mei ledi!

LEWIS:

Beth wyt ti'n wneud fan yma?

DAI:

Miss Lewis ddwedodd fod gyda hi barsel bach i'r hen fenyw yco, dim ond i fi alw i'w moyn e.

LEWIS:

Pam na fuaset ti'n dod lan i'r tŷ yn streit, yn lle cwato fel lleidr yn y llwyni.

DAI (*yn crechwen*):

Rown i'n gweld bod gen ti well cwmni: mi allwn i aros am sbel.

LEWIS:

Y blagard! Yn specio am bwytu fy nhŷ i! Oes dim cywilydd arnat ti dwed?

DAI:

Hei, hei, pwy wyt ti'n flagardo, leiciwn i wybod? Pwy wyt ti, 'te? Cywilydd wir!

LEWIS:

Mi ddangosa i iti pwy wy i. Cer maes odd'yma, ar un waith.

DAI:

Odw i yn cael mynd â Marged? Ach! Cer o'na di, wyt ti'n meddwl mai ffŵl wy i? Mi wyddwn i o'r blaen dy fod ti'n gwneud cnace fel hyn: ond wyddwn i ddim dy fod ti'n (*yn edrych ar* MARGED) . . . O'r hen ffŵl bach.

MARGED:

Beth ych chi'n ddweud, 'nhad? Beth ych chi'n feddwl?

DAI:

Beth wy i'n ddweud? Chlywaist ti ddim? Cer adre o fan hyn! Busnes dy dad yw hwn. Cer mlaen, glou, neu mi . . . (*Try* MARGED *i fyned.*) Mi setla i ag e'n dy le di. (*Tan gofio.*) Hei, dangos! Yr arian 'na sy'n dy law di! Yma â nhw!

MARGED:

Fi piau nhw. Fi caeth nhw i fynd i'r pictiwrs. (*Rhed allan.*)

DAI (*yn sylwi ar y dillad*):

Dwyt ti ddim wedi mynd â dy gyflog i gyd . . . He, he, he!

LEWIS:

Edrych yma Dai, rwyt ti'n clebran fel pe bawn i wedi gwneud niwed i Marged. Mae Marged yn olreit.

DAI:

Odi hi! Bachan pert wyt ti i ddweud hynny. Mae'n well gen i gredu be welais i, mei boi . . . a beth mae pobl arall yn ddweud amdanat ti.

LEWIS:

O'r gorau, cer adre nawr 'te, neu falle byddwn ni'n cwympo maes.

DAI:

Be gythraul wyt ti'n feddwl ydw i? A wyt ti'n meddwl bod hanner-coron yn ddigon i Marged? Rwyt ti'n gwneud mistêc, mei lad.

LEWIS:

Dwy i ddim yn dy ddeall di.

DAI:

Nagwyt ti nawr? Mi 'i dweda i e'n blaenach 'te. Mi fydd Cwm Glo yn falch iawn o stori fach fel hon, on'd bydd e? E? Ac am y manager hefyd! Diaw, mae hi'n dda!

LEWIS:

Ca dy geg. Rwyt ti'n gwybod dy fod ti'n bwgwth: blacmel yw e. Ac rwyt ti'n gwybod beth yw'r gosb am hynny? Jâl, cofia!

DAI:

A mi fyddi dithau wrth dy fodd yn mynd trwy'r llysoedd barn ond byddi di? Dyna'r reit ffordd i roi gwybod dy fola berfedd i'r byd. A wyt ti'n gwybod mai fi sy'n dweud y gwir! 'Se dim ond be welais i heno!

LEWIS:

Beth welaist ti? Dim byd! A does yma ddim un tyst.

DAI:

Mi welais i ddigon, glei; a mi fydd pobl Cwm Glo yn awchus am wybod. Mae digon o fwg yn barod: fydd dim lot o waith codi fflam.

LEWIS (*yn deall ei gornelu*):

Dai . . . gwrando . . . Mi ro i gynnig iti. Falle iti weld Dic Ifans, a'i fod e wedi dweud wrthyt ti. Mi fuon ni'n siarad am y peth heno.

DAI:

Siarad? Am beth? Ddywedodd Dic ddim byd wrthyf i.

LEWIS:

Naddo? Naddo, gynta . . . Ond rwy i wedi penderfynu rhoi dy le nôl i ti. Mi elli ddechrau dechrau'r wythnos: mi gei job ysgawnach am sbel, rhywbeth ar ben pwll. Rwyt ti wedi bod maes yn lled hir nawr.

DAI (*yn chwerthin*):

Rhoi 'ngwaith nôl i fi! Wyt ti wedi cael tröedigaeth, dwed? Job nôl wir! Os ydw i wedi gallu byw am dair blynedd heb . . .

LEWIS:

Ond rwy i'n siŵr y byddi di'n falch o gael gweithio i ennill tipyn — mae hi'n ddigon cul arnoch chi siŵr o fod.

DAI:

Be ots gyda ti yw hynny? Hanner coron i fynd i'r pictiwrs . . . a bwndel o ddillad; a Bet sy'n rhoi rheiny. Falle ei bod hithau'n gwybod!

LEWIS:

Ca dy geg. Meddwl gwneud tro da â thi oeddwn i. Paid ti â dweud gair am Bet, sy orau i ti, na gair wrthi hi chwaith, nac wrth neb arall! Ond mae dy job yn barod iti.

DAI:

Rwy'n mynd i fod yn ŵr bonheddig o hyn maes, fel ti. Der' di, mi gawn ni weld. Peidio â dweud wrth Bet! He, he! Nac wrth neb arall. 'Y machgen gwyn i, mi fydd yn sbort gweld pobl Cwm Glo yn tynnu eu cwt atyn pan fyddi di'n dod rownd y gornel! Sbort, myn cythraul i!

LEWIS (*yn ei fwgwth*):

Dai, er mwyn yr annwyl, ca' dy geg sy orau i ti. Cer adre'n dawel, a der' nôl bore fory os byddi di wedi newid dy feddwl am y gwaith.

DAI:

Am y gwaith? O ie; fydd ambell chweugen fach ddim llawer iti, o'r arian mawr wyt ti'n gael. Dwyt ti ddim am i Bet wybod. (*Yn isel ac yn agos ato.*) Feri wel; rwyt ti'n gwybod beth i'w wneud.

LEWIS (*yn rhoi hwb iddo*):

Cer maes y blagard. Cer adre. Cer i ddiawl, cyn i fi alw'r polîs atat ti! (*Â tua'r tŷ.*)

DAI (*yn edrych ar ei ôl*):

Reit you are, mei boi. Galwa di'r polîs; mi alwa innau'r town creiar, a mi gawn ni weld faint gwell fyddi di. (*Cyfyd ei ddwrn ar y tŷ fel i'w felltithio.*) Job nôl wir! Wada di bant . . . Cer i ddiawl â thi . . . ti a dy job. (*Try ymaith.*) He, he, he. (*Y mae yn nos pan ddaw'r llen i lawr ar sodlau* DAI.)

LLEN

DIWEDD YR AIL ACT

Y DRYDEDD ACT

GOLYGFA I

Heol fawr o flaen tŷ'r goruchwyliwr. Hwyr o Hydref ymhen blwyddyn.

Pasiodd blwyddyn arall. Nos hwyr o Hydref digon oer yw hi. Mae golau'r lamp ar y chwith yn llwgu yn y gwynt.

Gardd tŷ'r goruchwyliwr yw cefn y llwyfan, ac y mae coed tal llymion a llwyni i'w gweled tu ôl i'r wal a red rhwng yr ardd a'r heol fawr. Rhed yr heol o'r dde i'r chwith ar draws y llwyfan.

Tua chanol y wal saif llidiart haearn yn agor ar y grisiau sy'n dringo i'r ardd.

Cyfyd y llen a dangos DAI DAVIES *yn cerdded yn ôl ac ymlaen yng nghysgod y wal fel pe bai wedi gwario'i amynedd yn disgwyl un sy'n hir yn dod i'w oed. Teifl olwg i fyny at y tŷ (yng nghoed yr ardd). Yn awr ac eilwaith croesa'r heol gan sefyll â'i wyneb at y llidiart: rhydd chwibaniad dreiddgar; erys, yna try i gerdded, gan fwrw'r lludw o'i bib glai.*

DAI:

    Be sy'n bod ar y gwalch heno, ys gwn i? Mae fe'n slow y diein. Mae hi'n oer i sefyllach fan hyn a disgwyl. (*Saif nid nepell o'r llidiart.*) Diawl, mae peth chwant arna i fynd lan i'r tŷ ato fe. Be wahaniaeth i fi am ei fisityrs e? (*Ond yn lle hynny rhydd chwibaniad dreiddgar arall, croesa'r ffordd gan edrych tua'r tŷ. Yna yn sydyn ddirybudd, â at y llidiart a'i agor, fel ar ddringo'r grisiau, pan ddaw llais o ben y grisiau i'w atal. Cilia Dai o'i flaen yn ôl i'r heol.*)

LEWIS:

    Sh! Pam wyt ti'n cadw cymaint o sŵn? Mae pobol y lle'n dy glywed di.

DAI:

    Be ots gyda fi! Beth yw dy gêm di, leiciwn i wybod. 'Y nghadw i i sythu yn yr oerfel 'ma! Mae rhaid i ti . . .

LEWIS:

    Ond ddywedais i wrthyt ti fod dynion dierth yn y tŷ; pobol ynglŷn â'r gwaith, a dallwn i ddim eu gadael nhw ar unwaith.

DAI:

    Rown i'n mynd i ddod lan atat ti i'r tŷ. Pobol ynglŷn â'r gwaith, ddwedaist ti: falle mai fi maen nhw am weld. Os nad wyt ti am i fi ddod lan i'r tŷ gen ti atyn nhw, dere di mlaen, glou, mei lad.

LEWIS:

    Er mwyn trugaredd, gwrando arna i . . .

DAI:

Dere mlaen: mae hi'n oer i aros; rwy i wedi disgwyl digon i ti heno. Come on, mei boi!

LEWIS:

Beth wyt ti eisiau nawr?

DAI:

Wel, os clywais i sut beth! Beth ydw i eisiau, wir! Beth wyt ti'n feddwl wy i eisiau? Cwpwl o rosyns cochion o'r ardd falle. Not leicli, mei boi.

LEWIS:

Wel'di, rwy i wedi rhoi arian i ti . . .

DAI:

Dere mlaen (*yn bwgwth myned heibio iddo at y tŷ*) neu falle leiciet ti i fi fynd lan at y gwŷr byddigions 'na sy gen ti yn y tŷ! Falle bod well gen ti i fi ddweud wrthyn nhw: odi e?

LEWIS:

Faint wyt ti'n moyn? Dyma'r tro diwetha iti gael dim gen i, cofia . . .

DAI:

O, reit you are; mae digon o amser i hynny eto. Faint wy i'n moyn? Ust . . . mae rhywun yn dod . . . Gwna hast!

LEWIS:

Bet a Idwal sy yna. Cer mlaen ar hyd yr hewl funud, a chwata; mi â innau lan i'r llwyni fan hyn, nes iddyn nhw fynd heibio. (*Â ar ei air, ac â* DAI *ar hyd yr heol.*)

DAI (*o tan ei ddannedd wrth fynd*):

Damo, mae arna i chwant dweud . . . (*Daw* IDWAL *a* BET *at y llidiart, a dillad twym yr awyr agored amdanynt.*)

BET:

Rown i'n meddwl imi weld rhywun wrth y llidiart. Dyna beth od. Welaist ti neb?

IDWAL:

Naddo fi ddim: doedd yna ddim byd i gael. Ti sy'n gweld yn ddwbwl, bownd o fod. (*Arhosant wrth y llidiart.*) . . . A odw i i fod i ddod lan i'r tŷ heno?

BET:

Dwn i ddim. Wyt ti am ddod?

IDWAL:

Dim fi sydd i ddweud. Wyt ti am imi ddod? Does dim blas dod pan fyddi di yn dweud fel'na . . . (*yn efelychu ei llais*) 'Wyt ti am ddod?'

BET (*yn chwerthin*):

Y gwirionyn. Ond wyddost ti beth, Id, ambell eiliad mi allwn i dy flingo di. Pam oedd rhaid iti ofyn heno, mwy na phob tro arall? Fe wyddost fod croeso iti. Dere mlaen, agor y llidiart i fi. (*Egyr y glwyd iddi, a'i dal led pen, heb fyned trwyddi.*) . . . Wyt ti ddim yn dod 'te?

IDWAL:

Dwn i ddim.

BET:

O, o'r gorau 'te. Nos da. (*Ond saif yn ei hunfan y tu draw i'r llidiart.*)

IDWAL:

Gwrando, Bet (*yn cydio yn ei llaw a'i chael yn agos ato*), ateb fi.

BET:

Ateb di: ateb di beth?

IDWAL:

Rwyt ti'n gwybod yn nêt beth.

BET:

Nagw i ddim wir. Beth? Pam na ddoi di i'r tŷ fel arfer? Beth sy'n bod?

IDWAL:

Rwyt ti'n gwybod yn iawn beth ydw i wedi'i ofyn iti.

BET (*yn colli ei hamynedd*):

Nagw i ddim.

IDWAL (*yntau'n ddiamynedd*):

O'r gorau yntau; does dim iws siarad rhagor yn ei gylch e, ynte. (*Yn dirion.*) Dwyt ti ddim yn fy ngharu, Bet.

BET:

Nagw i?

IDWAL:

Nagwyt, neu mi fyddet yn fodlon dod gen i. (*Yn gas.*) Dwyt ti ddim eisiau dim byd ond cwmni dyn, i ti gael bod yn y ffasiwn. Mae merched eraill yn cadw hen gŵn bach i hynny: mae'n well i ti gael coler a lead am fy ngwddf innau. Dyw dy garu di'n ddim ond cyfeillgarwch meddal, platonig, di-asgwrn-cefn!

BET:

Ti sy'n mynnu credu mai holl wyrth caru yw bod corff yn glòs at gorff. Rwyt ti'n moyn fy holl enaid i, heb roi dim byd nôl i mi yn ei le. Cyn y galla i fy rhoi fy hun i ti, fel yna, mae'n rhaid i minnau berchenogi dy holl feddyliau dithau.

IDWAL:

Dyna pam rwy i'n gofyn i ti – yn gweddïo arnat ti – ddod gen i i Lundain. Dere o'th wirfodd, o'th ewyllys dy hun.

BET:

O, Idwal, rwy'n falch dy fod ti'n gofyn hyn gen i – ac nid gan un ferch arall. Rwy i mor falch ag y gallwn i dy wasgu di nawr, a'th gusanu di 'te. (*Ymgofleidiant bron yn ddiarwybod.*) Dyna. Ond alla i ddim dod gen ti!

IDWAL:

Pam 'te? Mae pob pâr ifanc yn gwneud yn debyg, rywbryd neu'i gilydd.

BET:

Dyna'r feri pam; rwy i am i'n caru ni fod yn wahanol, yn bertach, yn lanach. Ellit ti ddim dweud y pethau wyt ti'n eu dweud wrthyf i wrth un ferch arall, ellit ti Idwal?

IDWAL:

Mi fyddai'n dda gen i ambell waith pe gallwn i.

BET:

Wel, dyna fi wedi dy ateb di nawr. Dere mlaen lan.

IDWAL:

Na, dwy i ddim yn dod heno, thenciw.

BET:

O, mae fe wedi pwdu eto, odi fe?

IDWAL:

Does dim blas dod lan heno rhagor.

BET:

Dere di, baps bach; bacen bac i mami yw e, bob tamed.

IDWAL (*yn gas*):

Alla i ddim dod! Paid â phryfoco. (*Deil hi wrth ei dwyfraich, a syllu'n hir a dwfn i'w llygaid.*) Paid â gwneud sbort ar fy mhen i.

BET:

Wel, dere lan fel arfer.

IDWAL:

Alla i ddim dod. I beth gwna i ddod? Beth wy'n moyn?

BET (*yn troi ar ei sawdl*):

O reit. Nos da, 'te.

IDWAL:

Nos da . . . (*A* BET *ar fynd o'r golwg*). Gwrando Bet, der' yma. (*Try honno.*) Nos yfory . . . ar ôl swper?

BET:

Ar ôl swper! Dim cyn hynny?

IDWAL:

Pa ddiben dod cyn hynny?

BET:

O dim, spo. Plesia di dy hunan bach. Ar ôl swper 'te. Nos da.

IDWAL (*pan wêl ei bod o ddifrif*):

Wyt ti'n mynd fel'na? (*Dim ateb.*) Bet. Bet, gwrando . . . (*Ni ddaw ateb.*) O, fel'na, iefe! Reit mei ledi . . . (*Try o'r glwyd gan chwilio am sigarét a matsen; tania yn synfyfyrgar gan ymladd â'r awydd i gymodi. Croesa at y llidiart eilwaith a rhoddi ei bwys yn drwm arno; yna y mae ar fin ei agor a dilyn* BET *pan ddaw* MARGED *gellweirus i darfu arno.*)

MARGED:

Helo, Id.

IDWAL:

Helo Marged! O ble dest ti; mi ges i dy ofan di, w.

MARGED:

Dwyt ti ddim yn gwybod mai'r hewl fawr yw hon? Dyma le i ddweud 'good-night'! Rwy i'n synnu atat ti. Ac at Bet Lewis.

IDWAL:

O falle. Falle busasai'n well iti feindio dy fusnes dy hunan.

MARGED (*yn ysgafn*):

O, sori. (*Yn nesu ato.*) . . . Doedd hi ddim yn ffein iawn heno, nag oedd hi? Dyna biti! Fel'na mae hen grotesi nawr wir. Chwarae â bechgyn maen nhw. A oes matsen gen ti?

IDWAL:

Nac oes, gen i; a mi ddylai fod gas gen ti smocio.

MARGED:

Dere â thân i fi 'te. Elli di ddim dweud nad oes dim tân gen ti, mynno. (*Rhydd* IDWAL *dân ar ei sigarét; edrychant ym myw llygaid ei gilydd wrth hynny.*) Diolch . . . O, wel, mi â i nawr 'te. Good night.

IDWAL (*yn symud oddi wrthi*):

Good night.

MARGED:

Ffordd hyn wyt ti'n dod adre, iefe ddim?

IDWAL:

Nage . . . ie. Ond dwy i ddim yn dod nawr.

MARGED:

O, nagwyt ti? Falle daw hi maes eto. Paid ti â sythu fan'na'n rhy hir! Good luck, old boi. (*Try i fynd yn ei blaen pan wêl fod y tân wedi diffodd ar ei sigarét.*) O daro, edrych Id, mae'n ffag i wedi diffodd. Rho dân i fi eto.

IDWAL (*yn tynnu bocs o'i boced ac yn cynnau matsen, a* MARGED *yn chwythu ac yn diffodd honno o bwrpas*):

Pam gwnest ti hynna, y cythraul bach?

MARGED (*yn chwerthin*):

Dwn i ddim wir. Sbort.

IDWAL:

Rwyt ti'n gwybod beth yw'r tâl am hynna, ond wyt ti?

MARGED:

Na wn i! Beth?

IDWAL (*yn craffu arni a gweld mor feingorff yw*):

Dwyt ti ddim yn gwybod?

MARGED:

Nagw i.

IDWAL:

Ar dy wir? Dwyt ti ddim yn gwybod?

MARGED:

Nagw i 'te ddim!

IDWAL (*yn ei chusanu'n sydyn*):

Nawr, rwyt ti'n gwybod!

MARGED:

O fel'na iefe? Beth os yw Bet yn edrych, ac yn dy weld ti yn gwneud hynna? Mae'n well iti ofalu, mei boi.

IDWAL (*heb well i'w ddweud*):

Pam?

MARGED:

Pam? Ti ddylai wybod pam. Dere mlaen, rho dân i fi. (*Yntau yn cynnig tân o'i sigarét. Daw hi'n agos iawn ato, ac yna newid ei meddwl.*) Nage, matsen arall, plis.

IDWAL:

I ti gael diffodd honno eto?

MARGED:

Falle . . . ac i tithau . . . (*Cyll* IDWAL *arno'i hun, deil hi a'i chusanu.*)

IDWAL:

. . . gael cusan arall gyda thi. (*Chwardd* MARGED *yn ddrygionus; tyn* IDWAL *yn wyllt ar ei sigarét.*)

MARGED:

Wel, mae'n well imi fynd, spo. (*Â tua'r dde. Teifl* IDWAL *stwmp y sigarét dan draed; teifl ei olwg tua'r tŷ.*)

IDWAL:

Aros. Rwy i'n dod gyda thi.

MARGED:

Rwyt ti'n barod i ddod nawr 'te. Beth os daw Bet maes i edrych amdanat ti. Falle 'i bod hi yn ffenestri'r llofft.

IDWAL:

Does dim ots gen i.

MARGED:

Nagoes e? (*Try yn ôl a dyd ei bys ar ei thrwyn mewn gwawd heb yn wybod i* IDWAL; *yna ânt allan. Y mae'r llwyfan yn wag am eiliad neu ddwy, nes y daw* MORGAN LEWIS *nôl. Â i alw'n ofalus ar* DAI.)

LEWIS:

Dyma beth yw cawl! Beth ddwedai Bet? Falle dylwn i ddweud . . . ond os dechreua i ddweud . . . (*Rhydd chwibaniad ysgafn, a daw* DAI *i mewn.*) Welson nhw di, Dai?

DAI:

Naddo ddim, am wn i; ond gorfod imi wasgu'n dynn i fola'r berth 'na pan oen nhw'n paso. (*Yn brwsio'r baw o ysgwydd ei gôt.*) Welaist ti nhw?

LEWIS:

Do.

DAI:

Do finnau! Diawst i, mae pethau'n gwella yma Moc. Os cadwith dyn ei lygaid yn agored falle daw e ar draws nyth fach arall, on'd alle fe Moc? Go damo, dyna dro pert! A falle falle, falle, down ni ar draws nyth fach arall maes-law 'ma!

LEWIS (*yn gwyro tan y bygwth*):

Beth wyt ti'n feddwl?

DAI:

Rwyt ti'n gwybod yn olreit, mei boi. Come on nawr.

LEWIS:

Beth wyt ti'n mynd i wneud?

DAI:

Dim byd nawr. Meddwl own i na leiciet ti ddim i'r stori fach yma dyfu adenydd, mwy na'r llall, ac os nad oedd e'n wahaniaeth gyda thi, wel falle . . . Ond dyna fe, dyw e ddim gwerth ryw lawer, nawr ta beth.

LEWIS:

Os wyt ti'n meddwl 'mod i'n mynd i gau dy geg di . . .

DAI:

Wnei di ddim o hynny, os na fydd hi'n talu iti. Wnest ti ddim am ddim tros neb erioed. Ond myn diawl i, mae gen i afael newydd arnat ti nawr. Elli di ddim wimled nawr! (*Deil ei law allan a sieryd yn dawel-feistrolgar.*) Dere mlaen. Mae hi'n oer. Gwna hast . . .

LEWIS (*wedi ei orchfygu*):

Faint wyt ti'n moyn?

DAI:

Faint sy gen ti? A mae'n well iti fod yn fwy hael nag arfer: nid sbort yw dod lan fan hyn yn amal.

LEWIS (*yn estyn arian papur iddo*):

Cymer, a dwyt ti ddim i ddod lan yma eto. Dyma'r tro diwetha, cofia.

DAI:

Nagw i, e? Mi gawn ni weld. (*Dyd yr arian heibio.*) Nos da, nawr, *Mr Lewis*; diolch yn fawr, *Syr*. (*Pwysleisier y teitlau. Y mae'r ddau yn ymadael; â* LEWIS *trwy'r glwyd gan ei chau ar ei ôl.*) O hei . . . hei, gwrando. Aros! Mae un peth arall rown i am ddweud wrthyt ti. Dere 'ma.

LEWIS (*yn pwyso ar y glwyd, heb ddod trwyddi*):

Beth wyt ti eisiau nawr?

DAI (*yn bwyllog*):

Dic Ifans yw'r unig ddyn teidi y gwn i ddim amdano. Mae'n rhaid iti roi ei le nôl iddo fe. Dyw e ddim yn rhy hen i weithio.

LEWIS:

Be ddiain fydd nesa? Mae gen ti wyneb! Dalla i ddim rhoi ei le nôl iddo. Dyna ddigon ar hynny. Meindia dy fusnes! (*Try ymaith.*)

DAI:

Na elli di? Mi gawn ni weld p'run a elli di neu beidio. Os na fydd e nôl erbyn . . . (*ond aeth* LEWIS *o'r golwg*). Ond, dyna fe: mi fydd e nôl, reit enyff! Diein i, 'ma jôc. (*Rhydd dân ar ei bib glai a'i thynnu'n hamddenol.*) Hen fachan strêt yw Dic . . . fel y lein . . . a chlywais i neb tebyg iddo ar ei liniau. Dim yn 'y myw. Gweddïo . . . myn diawl i . . . 'na weddïwr.

LLEN

Y DRYDEDD ACT

GOLYGFA 2

Cegin tŷ glöwr (fel yn Act 1, Golygfa 2). Ymhen pythefnos.

Yr un yw'r llwyfan ag ydoedd yn yr Act Gyntaf, Golygfa 2, ond fod y gegin yn llai cysurus hyd yn oed na phryd hynny.

Daw MRS DAVIES *i mewn â bwndel o ddillad wedi eu plygu yn gryno. Y mae bag agored hanner-llawn ar ganol y llawr o flaen y ford. Dyd y dillad ar gornel y ford, a'u gosod bob yn un ac yn un yn y bag. Cyfyd oddi ar ei gliniau a myned at y tân a chymryd mwy o ddillad o'r lein wrth y pentan, a'u dwyn at y bag.*

MRS DAVIES:
Wel, dyna'r cyfan, am wn i. (*Saif wrth ben y bag a synfyfyrio. Yna cyfyd ei ffedog a sychu deigryn.*) Mynd wneith hi . . . dalla i ddim ei stopio hi, petawn i'n treio; mae hi'n drech o ben na fi . . .

MARGED (*yn dod o'r lloft wedi gwisgo'n smart, cot ar ei braich a het yn ei llaw. Teifl hwynt ar y ford*):
A odi fy mhais las i fewn?

MRS DAVIES:
Odi, mae honno fewn; mae popeth mewn nawr, rwy'n credu.

MARGED (*yn twrio yn y bag*):
Ble mae'r bais silc wen 'na?

MRS DAVIES:
Yr un gest ti gyda Bet Lewis?

MARGED:
Ie.

MRS DAVIES:
Beth wnei di fynd â honno? Mae hi wedi treulio'n dyllau.

MARGED:
Ble mae hi? Rwy i'n mynd â honno'n wy addod. Falle mai honno ddaw â lwc i fi gynta.

MRS DAVIES:
Beth wyt ti'n feddwl? Wy addod? Lwc? O'r hen bais yna? Dwed . . . beth wyt ti'n feddwl?

MARGED:
O, dim byd. A ydych chi'n mynd i'w moyn hi i fi?

MRS DAVIES (*yn symud at y stâr*):
Ble mae hi gyda thi 'te. Ond rwy i'n ffeili gweld be dda fydd hen beth rhacs fel 'na.

MARGED:

Yn y drôr ucha, nesa at y ffenest mae hi; neu falle 'i bod hi ar droed y gwely.

MRS DAVIES (*yn snwfflan llefain wrth fynd*):

O'r gorau.

MARGED (*yn ddiamynedd*):

Peidiwch â gwneud hen sŵn fel'na plis. (*Â ei mam i'r llofft. Try* MARGED *i drwsio'i gwallt a rhoi powdr ar ei hwyneb yn y drych uwchben y tân.*) Gawsoch chi hi?

MRS DAVIES:

Naddo fi. Dyw hi ddim yma'n unman – yn y drôr nac ar y gwely.

MARGED:

Mae hi yna'n rhywle. (*Saif tu ôl i'r bag yn edrych lawr arno ac yn wynebu'r dyrfa.*) Lle da fydd bod yn barmeid yng Nghaerdydd . . . Mae digon o fois yng Nghaerdydd. (*Saif yn synfyfyriol, yn gwenu wrth ryw atgo. Daw ei mam o'r llofft.*)

MRS DAVIES (*yn y gegin*):

Dyma hi, ond mae eisiau gwnïo peth arni. (*Dwg y bais gyda hi wrth gyrraedd nodwydd ac edau o'r pincws. Yna eistedd a gwnïo yn ymyl y ford.*)

MARGED:

Dyw'n sgidiau brown i ddim mewn. Ble maen nhw?

MRS DAVIES:

Yn y cefn mae rheiny. (*Cyfyd i'w cyrraedd a gadael y gwnïo ar gornel y ford. Cyfyd* MARGED *y bais yn sypyn tyn yn ei llaw: rhydd gusan gwyllt iddi. Ond yn sydyn cymer tymer ddrwg afael ynddi, a theifl y bais ar y gadair agosaf.*)

MARGED:

Mae Bet wedi bod yn gwisgo honna. Be wna i â hi? Bachgen pert yw Idwal. (*Yr un mor sydyn gafaela yn y bais trachefn. Saif tu ôl i'r ford, yn chwerthin, bron mewn hysteria. Yna yn ddig wrthi ei hun, teifl y bais yn ôl ar y gadair. Daw ei mam i mewn a'r esgidiau mewn papur brown. Plyg o flaen y bag a'u dodi ynddo. Cyfyd ac â at y ford i wnïo. Pan ni wêl y bais*):

MRS DAVIES:

Ble mae'r bais 'na? Be wyt ti wedi'i wneud â hi?

MARGED:

Dwy i ddim yn mynd â hi.

MRS DAVIES:

O! . . . Na, rown i'n meddwl bod gen ti ddigon heb honna nawr. Gad yna hi. (*Â i'w chrynhoi a'i hongian ar y lein. Tra bydd hi wrth hyn clywir cnoc ar y drws.*) Pwy sy 'na, wn i? Cer i agor y drws, Marged.

MARGED:

Nag-a-i; ewch chi. (*Â* MRS DAVIES. *Try* MARGED *at y fantell a chymer y swllt neu ddau pres sydd yno, eu rhifo, a'u dodi yn ei bag.*)

MRS DAVIES (*yn y drws*):

Dewch mewn, Richard Ifans, rych chi'n ddieithr iawn ers tro. Dewch mlaen. (*Yn y gegin.*) Os cewch chi le. Mae'n ddrwg gen i, rŷm ni'n lled anniben yma. Paco sy yma, welwch chi.

DIC:

O, mi ga'i ddigon o le.

MRS DAVIES:

Cerwch mlaen i'r gadair yna. Mi gliria i hwn nawr. Mae Marged yn mynd bant, welwch chi.

DIC (*yn mynd heibio iddi i'r gadair freichiau uchaf ac yn eistedd*):

Helo, Marged fach, sut wyt ti heno? Bant wyt ti? I ble wyt ti'n mynd? Gwylie, iefe?

MARGED:

Sut mae hi? Nage wir, rwy i'n mynd at fy nghyflog.

DIC:

O, da iawn. Mi fydd lawer yn well iti. Gobeithio bod gen ti le da.

MARGED:

Oes, mae'r lle'n A1.

MRS DAVIES:

Mae hi'n mynd i Gaerdydd.

DIC:

I Gaerdydd! Wel, mi fydd byw yng Nghaerdydd yn brofiad newydd iti, 'merch i. Beth wyt ti'n mynd i wneud? Siop – neu waith tŷ?

MARGED (*am fod ei mam yn snwffian eto. Yn gas*):

Peidiwch â gwneud y sŵn yna mam. Barmeid.

DIC:

Barmeid?

MRS DAVIES:

Ie, barmeid, Mr Ifans bach. Rwy i wedi gwneud fy ngorau i gael gyda hi i beidio â mynd. Ond mynd mae hi'n mynnu gwneud. (*Plyg i edrych dros y bag.*)

DIC:

Pam wyt ti'n mynd i le fel'na, Marged?

MARGED:

Am mai dyna'r adfert cyntaf welais i. A mi fydd digon o leiff yno ar ôl y twll yma. Does yma ddim byd i gael – dim byd ond sinema a cherdded nôl a mlaen ar hyd y Stryd Fawr, a wfft sut stryd fawr. A mynd i'r capel dy' Sul. Rwy'n mynd i Gaerdydd am fod mwy o leiff yno.

DIC:

Rwy'n ofni gweli di mai go bŵl yw leiff yno hefyd. Dyw lle ddim yn gwneud fawr iawn o wahaniaeth. Fydd dim yng Nghaerdydd chwaith ond Stryd Fawr a phictiwrs a chapel.

MARGED:

Fydd dim capel yno i fi, ta beth. Mae pictiwrs Caerdydd yn wahanol, a mae theatres yno hefyd.

DIC:

Mae'r Stryd Fawr yn wahanol hefyd, mi gei di weld. Lle enbyd yw Stryd Fawr Caerdydd, cofia di.

MARGED (*yn chwerthin*):

Ydych chi'n meddwl bod ofan traffic arna i 'te?

DIC:

'Y merch fawr i, mi all lot gwaeth pethau na motorcars fynd dros dy ben di. Ond dyna fe, ti sy'n gwybod.

MRS DAVIES:

Rwy i wedi bod yn begian arni beidio â mynd, ond mae hi'n rhy fawr i wrando arna i. Mae hi'n drech o ben na fi. Does dim iws i fi agor . . .

MARGED:

Rwy i wedi dweud 'mod i'n mynd, a mynd wna i, a chwedyn! Beth yw'r ots i neb ble'r af i, na beth a wnaf i, na beth a ddigwyddith i fi!

DIC:

Dyna fe. Ti sy'n gwybod. (*Y mae'n troi'r ymryson. Â* MARGED *allan i'r cefn.*) Rown i'n galw, Mrs Davies . . . rown i'n galw gan feddwl, falle . . . Rych chi'n gwybod 'mod i'n gweithio eto, 'mod i wedi cael start o'r newydd?

MRS DAVIES:

Gwn. Mi ddwedodd Defi wrtho i. Rwy'n falch iawn. Mi fyddai'n dda gen i petai fe'n cael start. Mae fe wedi bod maes tros bedair blynedd nawr.

DAI:

Ac rwy wedi cael un pai maes hefyd.

MRS DAVIES:

Da iawn wir. Ydych, wrth gwrs. Dyw rheiny ar y gorau ddim pethau trymion iawn y dyddiau yma.

DIC:

Nagyn wir. Ond rown i'n meddwl falle . . . (*gan dynnu papur chweugain o'i boced a'i estyn i* MRS DAVIES) Falle . . . byddai hwn yn rhyw help i chi.

MRS DAVIES:

O na, alla i ddim wir, Mr Ifans bach . . . na alla, wir . . . diolch yn fawr i chi, serch hynny. Na . . . rwy i'n weddol iawn nawr diolch. A mi fydd eisiau fe arnoch chi eich hunan.

DIC:

Na, na, cymerwch chi e: dyw e ddim llawer. (*Rhydd ef ar gornel y ford.*)

MRS DAVIES:

Na wir, alla i ddim. Mi wn i fod eich calon chi'n . . .

DIC:

O wel, rhowch e i Marged 'te, i ddechrau ei byd yn y brifddinas. Mi fydd dda iddi fod gyda hi swllt bach wrth law rwy'n siŵr. (*Clywir cnoc ar y drws.*)

MRS DAVIES:

Pwy all fod yna nawr? Nid cnoc Defi ni yw hwnna. (*Â i agor y drws. Tra bydd hi ymaith cymer* DIC *y chweugain o'r ford a'i roddi rhwng plygion y dillad yn y bag.*)

LEWIS (*o'r drws*):

Prynhawn da, Mrs Davies, a yw Dai Dafis i mewn?

MRS DAVIES:

Nag yw. Ond dewch mewn, Mr Lewis. (*Erbyn hyn yn y gegin.*) Mae Richard Ifans yma. Oech chi am weld Defi? Dowch fewn, fydd e ddim yn hir, dwy i ddim yn meddwl.

LEWIS:

Helo, Dic, a wyt ti'n go lew heno?

DIC:

Ydw i, syr; a chithau rwy'n gweld.

LEWIS:

Ydw i, rwy'n eitha, diolch. (*Gwêl y bag.*) Mae rhywun yn paratoi am wyliau, mi wela. Chi, Mrs Davies?

MRS DAVIES:

Na wir, does dim llawer o wyliau i neb yma, mae arna i ofan. Marged sy'n mynd i Gaerdydd heno.

LEWIS (*A* DIC *wedi codi iddo, yn eistedd yn y gadair fawr; eistedda* DIC *yn y cefn*):

I Gaerdydd? Beth sydd fan hynny ynte, petai ots i fi?

MRS DAVIES:

Mynd at ei gwasanaeth mae hi; mae'r bobol ffordd hyn yn siarad am ei bod hi gartre heb ddim i'w wneud. Mae hi wedi cael lle yng Nghaerdydd . . .

LEWIS:

O . . .

MRS DAVIES (*yn troi'r siarad*):

Rwy'n falch bod Richard Ifans wedi cael start eto. Mae fe'n gystal gweithiwr â neb sy 'na, alla i fentro.

LEWIS:

Ydyw, mae e'n wir.

DIC:

Nagw wir. Rwy'n 'y nheimlo'n hunan yn stiff ofnadwy y dyddiau yma. Ddaw henaint ddim ei hunan, welwch chi.

MRS DAVIES:

Mae cymaint o amser segur yn ei gwneud hi'n anodd i blygu, bownd o fod. Mi fyddai arswyd arna i weld Defi ni'n mynd nôl nawr, wedi pedair blynedd segur. Mae dyn yn fwy apt o gael niwed. (*Plyg i gau'r bag a'i roddi'n gyfleus wrth y drws.*) Mi fyddai arna i ofan, rwy'n siŵr.

LEWIS:

Twt, twt; mae dyn sy'n ofalus yn ddigon saff.

DIC:

Gynta'i fod e.

MRS DAVIES (*yn codi ei phen ac yn dod o bwrpas at yr hyn sy'n ei blino*):

Mae Dai ni yn dod o hyd i lot o arian yn ddiweddar. Mae ei weld e'n trafod arian heb wybod o ble maen nhw'n dod yn codi arswyd arna i weithiau. Mi fuasai'n dda gen i ei weld e'n gweithio.

LEWIS:

Beth? Dai? Arian?

DIC (*yn chwerthin*):

O mae fe wedi cael lwc ar geffyl neu ddau falle, synnwn i damaid.

LEWIS (*gyda rhyddhad*):

Ydyw siŵr o fod; does dim eisiau i chi fecso, Mrs Davies fach. Mae Dai chi'n grefftwr ar nabod ceffylau rasus, on'd yw e, Dic?

DIC:

Dyna ffact; os bu neb erioed yn llaw ar hynny, Dai yw e.

MRS DAVIES:

Na. Mae hyn wedi bod yn mynd mlaen nawr am fisoedd a dyw lwc geffylau Defi ni ddim yn para c'yd, nac yn dod â chymaint o bres i'w ddwylo fe.

DIC:

Wel, falle'i fod e'n ennill cwpwl o geiniogau gweddol; mae lot o bethau y gall bachan fel Dai eu gwneud nhw; mae fe'n ddeche'i wala.

LEWIS:

Oes, oes. A mae fe'n ddigon deche, fel rych chi'n dweud, Dic. Taflu llwyth o lo i hwn a'r llall, a chario glo o'r tip . . . a . . . a lot o bethau bach fel'na.

DIC:

Does dim eisiau i chi ofni dim byd gwaeth, 'y merch i. Beth sy gyda chi i ofni?

MRS DAVIES:

Nac oes, mae'n debyg. Ac eto . . . falle 'i fod e'n eu dwyn nhw. Mae arna i ofan gofyn iddo fe, rhag . . . Rych chi'ch dau yn ei nabod e . . .

a wyddwn i ddim wrth bwy i ddweud, a roedd rhaid imi ddweud wrth
rywun. Does dim gwybod, falle 'i fod e'n dwyn . . . mae fe'n mynd
nôl a blaen i'r tafarnau 'na . . . a mae pres o bwytu'r lle fan'ny, gynta.

DIC (*yn chwerthin*):

Nac oes, wir, Mrs Davies fach. Peidiwch â chredu sut beth. Maen
nhw'n nabod eu cwsmeriaid yn ddigon da.

LEWIS (*am roi taw ar hyn*):

Na, does dim llawer o berygl . . . ond falle 'i fod e, serch hynny.
Hynny yw . . . mi siarada i ag e, heno.

MRS DAVIES:

Ie, mi leiciwn i petai chi'n gwneud. Mi wrandawai arnoch chi falle. A
mae fe'n meddwl tipyn ohonoch chi Richard Ifans.

DIC:

Odi e . . . pam rych chi'n meddwl hynny, Mrs Davies?

MRS DAVIES (*yn gwenu*):

O, mae e, wir. Pan fydd e wedi cael diferyn bach go drwm, mae fe'n
siŵr o ddweud rhywbeth amdanoch chi. A'r wythnosau diwetha 'ma,
dwn i ddim am ei fod e'n meddwi'n amlach neu beidio, mae fe'n
dweud pethau od iawn. (*Erys ennyd fel pe penbleth beth i'w ddweud a
pheidio â'i ddweud. Y mae* LEWIS *yn anesmwyth.*)

DIC (*yn cydymdeimlo*):

Odi e, druan!

MRS DAVIES:

Mae fe'n od iawn, dwn i ddim os . . . Ond mae fe'n ddigon diniwed
hefyd.

DIC:

Dyw'r pethau mae fe'n eu dweud ddim yn bwysig nac yn gas iawn,
spo?

MRS DAVIES:

Dyw e'n dweud dim yn gas amdanoch chi Richard Ifans.

DIC:

O da iawn.

MRS DAVIES:

Dweud mae fe weithiau mai fe gath eich gwaith nôl i chi. Hen bethau
bach diystyr fel'na yn ei ddiod. Dim byd gwaeth na hynna.

LEWIS (*yn gwylltio dipyn*):

Mae fe'n dweud mai . . . (*chwardd*) . . . yn ei ddiod ddwetsoch chi! Ha,
ha . . . lled dda wir, Dai!

DIC:

Beth gath e i feddwl hynny tybed?

MRS DAVIES:

Dwn i ddim – ond mae fe. A mae fe'n leicio sôn am eich dawn chi yn y cwrdd gweddi . . . (*yn ddewr eto am unwaith*) . . . a mae fe'n clebran amdanoch chi hefyd yn amal, Mr Lewis, yn enwedig pan fydd e'n sôn am arian. (*Edifarha yn sydyn.*) Dwn i ddim beth sydd wedi dod drosto fe! Mae arna i ofan weithiau ei fod e'n dechrau colli, gan y pethau didoreth mae e'n eu dweud.

DIC:

Druan bach. (*Y mae hi'n snwffian tipyn.*) Ond peidiwch chi â llefain Mrs Davies. Rych chi'n ofni heb ddim eisiau i chi. Mae Dai'n ol reit, w.

LEWIS (*mewn ofn oer*):

Mae fe'n mynd off ei ben os yw e'n dweud . . . Sut bethau mae e'n dweud amdana i?

MRS DAVIES (*yn gloff*):

O dwn i ddim; dim byd lawer. Ddylwn i ddim bod wedi agor 'y ngheg . . . yn ei ddiod mae fe pryd hynny . . . a fi sy'n chwannog i feddwl, ac i ofni . . . Arna i mae'r bai . . . (*Daeth* MARGED *a sefyll yn ffrâm drws y cefn pan oedd* LEWIS *yn siarad, ond ni sylwodd neb arni. Gwna lun pert, fel dial, yn y drws. Try pawb i edrych arni pan ddechreua siarad.*)

MARGED:

Mae e'n dweud pethau od iawn, Mr Lewis. Pethau od, digyswllt, gwyllt, disynnwyr ŷn nhw. Mae fe'n feddw iawn, ac yn mynd off ei ben – neu falle mai fe yw'r calla a'r sobra ohonoch chi i gyd. Pwy ŵyr! Ac rych chi, Morgan Lewis a Dic, Idwal a Bet ynddi yn rhywle.

MRS DAVIES:

Marged, bydd ddistaw! Paid â dweud rhagor. Arna i mae'r bai . . .

MARGED (*heb gymryd dim sylw, daw ymlaen gan efelychu ei thad meddw, ac ailadrodd ei eiriau*):

Myn asen i, dyma bert! Hei . . . dyma hanner coron iti i fynd i'r pictiwrs! Marged . . . cer â dy gyflog i gyd . . .

MRS DAVIES:

Paid Marged, paid. Rwy'n begian arnat ti! Paid 'y nghalon fach i!

MARGED (*heb wrando.*):

. . . Dic Ifans yn treio cael 'yn job nôl i fi . . . fi yw'r manager nawr . . . fi sy'n rhoi ei job i Dic . . . Be ddiein o ots sy gen ti . . . ond mi gawn ni weld ol'boi . . . Rwyt ti'n gwybod faint rwy i'n moyn . . . Diolch yn fawr Mr Lewis. He, he, he . . . Dic Ifans ar ei liniau . . . myn diein i . . . fi yw'r man . . .

MRS DAVIES (*yn torri arni ar ôl 'liniau'*):

Paid, Marged, paid, rwy i'n begian arnat ti . . . paid 'y nghalon fach i . . . (*Chwardd* MARGED *ar ei phen ei hun yn galonnog. Pan ddechreua* DIC *siarad try yn chwyrn â'i phwysau ar y ford i wrando arno.*)

DIC:

Mae dynion yn mynd fel'na weithiau – a ddylet ti ddim gwneud sbort ar ei ben e, Marged. Y peth blaena yn eu meddwl nhw, hwnnw sy'n gwasgu arnyn nhw, yn enwedig pan fyddan nhw'n cysgu, mae'n debyg. A dyma beth mae mennydd dy dad yn wneud pan fydd e'n feddw – cysgu mae e. Am ei fod e maes o waith mae fe'n sôn am waith a chyflogau – a mae hi'n naturiol iddo fe roi'r bai arnoch chi Mr Lewis – chi yw'r manager welwch chi. A mi fuais i ac yntau'n gweithio yn ymyl ein gilydd am flynyddoedd – dyna pam mae e'n sôn amdana i, mae'n debyg. Na wir, Marged, ddylet ti ddim gwneud sbort am ei ben e. Mae hi'n eitha naturiol iddo fe glebran . . .

MARGED (*yn actio trachefn*):

Gawn i weld ol'boi . . . o cawn, cawn . . . am Idwal a Bet . . . diawl mae gen i afael . . . gafael newydd . . . elli di ddim wimled . . . (*Yn sydyn syrth i'r stôl mewn hysteria gwyllt o chwerthin.*)

MRS DAVIES:

O'r annwyl, paid! (*Y mae hi'n llefain. Clywir cnoc. Cyfyd* DIC *a* LEWIS *gan wynebu ei gilydd.*) Dyna gnoc Defi, mae fe wedi dod adre. (*Â i agor y drws iddo.*)

DIC:

Beth yw hyn, Morgan Lewis? Mae rhywbeth tu ôl i hyn nad wy i ddim yn ddeall!

DAI (*o'r drws*):

Helo, 'rhen groten! . . . Odw i . . . yn ffamws thenciw . . . fel y boi . . . Beth ddywedaist ti? . . . O! 'rhen Foc sy 'na. (*Erbyn hyn y mae yn y gegin a gwêl* LEWIS *a* DIC.) Helo, Mr Manager. Sut wyt ti 'ngwas i?

LEWIS:

Helo, Dai.

(*Y mae pawb ar eu traed. Wrth siarad croesa* DAI *i'r gadair freichiau isaf.*)

DAI:

Dyma od mae'r hen fyd 'ma, on'd te fe? Fi oedd yn arfer dod atat ti . . . fi oedd yn arfer dod â 'nghap yn 'y nwrn, a dweud 'Syr'. Sut wyt ti'n leicio dod â dy gap yn dy ddwrn i gonsylto'r manager, Moc, e? Jobyn go roten y gwelais i hi erioed. (*Yn talu sylw i* DIC.) Helo, 'rhen law, sut mae'r gwaith yn mynd? Rwy innau'n leicio rhoi'r lle gorau i'n ffrindiau, e, Moc?

DIC:

Dai, beth sy'n bod arnat ti? A wyt ti wedi monni dwed? (*Y mae cnoc ar y drws.*)

MRS DAVIES:

Pwy sy 'na? Marged, cer i'r drws i weld. (*Â* MARGED *at y drws. Plyg*
MRS DAVIES *o flaen* DAI *a datod ei esgidiau.*) Wel'di, Defi, cod dy droed;
a mae'n well iti ddal dy dafod heno; treia fod yn syfil 'ta beth.

MARGED (*o'r drws*):

Odi, mae Mr Lewis yma yn y tŷ. Dewch mewn eich dau.

BET:

Does dim llawer o amser gyda ni. Rhowch yr allwedd yma . . .

MARGED:

Dewch fewn, funud, w. Chollwch chi ddim llawer o amser. Dewch
mlaen. (*Y mae hi yn y gegin; daw* BET *ac* IDWAL *ar ei hôl. Maent wedi*
gwisgo i siûrnai, ac y mae IDWAL *yn cario bag. Safant nid nepell o'r drws.*)

BET:

Wel, wel, mae lle llawn yma. Sut ych chi i gyd? (*Wrth i* MARGED
gynnig cadair iddi.) Na, dŷm ni ddim yn aros nawr, diolch. Rŷm ni'n
mynd i ddal y trên. Morgan, wel'di, dyma'r allwedd iti. Rown i'n
meddwl y byddai'n well i ni ddweud wrthyt ti ein bod ni'n cychwyn.

LEWIS:

O'r gorau. Gobeithio mwynhewch chwi'ch hunain. I Lundain rych
chi'n mynd, ddwetsoch chi?

IDWAL:

Ie, mi fydda i nôl erbyn y gwaith nos Lun. A mi edrycha i ar ôl Bet.

LEWIS:

Reit you are. Mae hi'n dy ofal di, cofia.

DAI:

Ie, gobeithio mwynhewch chi'ch hunain. Damo, 'na ol reit hefyd.
Marged, wyt ti ddim yn mynd? Odi e ddim o'th eisiau di heno nagyw
e? Daro, Id, bachan ofnadwy wyt ti . . .

LEWIS:

Dai, bydd ddistaw . . .

MARGED:

Beth sy'n bod, Mr Lewis? Mi leiciwn i fynd i Lundain yn iawn. Beth
oech chi'n ddweud, 'nhad?

DIC:

Marged, os gweli di'n dda! Dwyt ti'n helpu neb nawr cofia.

MARGED (*yn benwan*):

Dier mi! Does neb wedi helpu llawer arna i erioed, am wn i; dim ond
cymaint â mae Bet wedi'i wneud; ac rwy i'n mynd i helpu Bet. Os na
ddweda i nawr mi fydd yn rhy hwyr – mi fydd 'nhad wedi dweud.

MRS DAVIES:

Dweud beth, Marged? Beth sydd gen ti i ddweud? Mae'n well lawer
iti fod yn ddistaw.

MARGED:

Mae'n hen bryd i chi, mam, ddod i wybod. Mae holl dafarnau Cwm Glo yn gwybod nawr. Mae 'nhad wedi addo cadw'i geg ynghau, ond mae pob peint mae e'n yfed yn rhyddhau ei dafod e'n fwyfwy. (*Ei thad yn protestio.*) O reit 'nhad, byddwch chi ddistaw nawr. Mae Morgan Lewis yn credu bod yr arian mae fe yn roi iddo yn prynu ei ddistawrwydd e; ond ei dalu e am glebran mae hynny.

DAI:

Marged, rwyt ti'n dweud celwydd. Wel'di, os na . . .

MRS DAVIES:

Dwy i ddim yn dy ddeall di. Cau ei geg e . . . rhoi arian iddo . . . beth sy gyda Morgan Lewis i'w guddio? Dwy i ddim yn dy ddeall di!

MARGED:

Nagych chi, mam, ond mae pawb arall sy yma'n geso.

IDWAL:

Marged, er mwyn y nefoedd, bydd ddistaw rhagor.

MARGED:

Pam? Mae'n well i mam 'y nghlywed i'n ei ddweud e, na'i glywed e o bennau busneslyd menywod Cwm Glo maes-law. A mae'n bryd i Bet wybod. Mae'n drueni iddi wneud dim heb wybod, odi e ddim Id? (*Chwardd.*) Fydd dim hanner cymaint o flas yn Llundain os na fydd hi'n gwybod!

BET:

Beth sydd i mi wybod?

MARGED:

Bet fach ddiniwed! Am iti ohirio mynd gyda Idwal hyd heno, mi ddaeth e gyda fi un noswaith – un noswaith wedi iti wrthod iddo. A dyma ti heno wedi bodloni iddo – yn rhy hwyr.

BET:

Idwal gyda thi? Celwydd! Dwy i ddim yn dy gredu di. Dere Id, maes o fan hyn!

DAI:

Go dda Marged, bant â'r cart; mi wneith les i'r tacle wybod eu seis!

MARGED:

Meindiwch chi'ch busnes. Ie, Bet, Idwal gyda fi. Eisteddwch lawr; mae gyda chi ddigon o amser i ddala'r trên, a mae'n drueni na cheith Bet wybod y cyfan nawr. (*Y mae'r ddau yn anfodlon a* MARGED *yn feistrolgar.*) Eisteddwch i lawr! (*Eistedd* BET.)

MRS DAVIES:

Marged, mae'n rhaid iti ddistewi. Gwrando ar reswm os gweli di'n dda!

MARGED:

Dwy i ddim yn gweld yn dda. Rwy i wedi bod yn ddistaw yn rhy hir; ac rwy'n mynd o 'ma heno. Rwyt ti Bet yn gwybod 'mod i'n arfer dod nôl a mlaen i'ch tŷ chwi, a rhedeg negesau trosoch chi, er pan own i'n hen blentyn bach. Wel, pan ddechreuais i dyfu yr oedd Morgan Lewis yn leicio 'nghadw i ar ei ben–lin a sylwi ar 'y nghorff i'n llunio ac yn prifio. Wrth edrych nôl rwy'n gallu deall hynny, a rwy i'n reit, on'd ydw i, Morgan Lewis? O own, yr own i wrth 'y modd, ac yn cael arian poced gydag e. Ond un diwrnod, tua dwy flynedd yn ôl, fe ddaliodd 'nhad ni; byth er hynny mae fe wedi bod yn sugno mêr esgyrn Morgan Lewis – a hwnnw'n crynu rhag i neb ddod i wybod.

IDWAL:

Dere Bet, gad inni fynd o sŵn cythreuldeb fel hyn.

DIC:

Ie wir, cerwch; does dim eisiau i chwi gael eich insyltio fel hyn, Miss Lewis. Marged, fydd gwybod pethau fel hyn ddim help i Bet.

MARGED:

Mae hynny'n dibynnu arni hi!

BET:

Beth ddywedaist ti am Idwal?

MARGED:

Wyt ti'n cofio – noswaith oer reit, bythefnos yn ôl, yn ymyl eich clwyd chi – iti fynd i'r tŷ heb ddweud 'nos da' wrth Idwal? A Idwal druan yn gadael iti fynd. Ond welaist ti ddim ohono yn troi, a gwneud am ddod ar dy ôl di, a begian pardwn; dyna oet ti eisiau, eisiau iddo fegian pardwn ar dy law di. Ond ddaeth e ddim. Mi ddes i heibio . . . a ddaeth e ddim. Rown i'n gallu gweld y cyfan, a ddaeth e ddim. Ddaeth e ddim.

BET:

Ddaeth e ddim? Wel . . .?

MARGED:

Mi ddois i o rywle. O do, dyna 'ngwaith i Bet fach, dod o rywle i ddal dynion ar eu horiau gwan – i dalu peth o'r pwyth. Gofyn iddyn nhw pwy ddysgodd 'y nghrefft i fi.

BET:

Idwal!

IDWAL:

Dere adre. Dere inni gael dal y trên.

BET:

Cer di. Dalla i ddim dod – rhagor . . . Yr wyt wedi fy nhwyllo i. (*Nid yw'n llefain.*)

IDWAL:

Nagw i ddim, Bet. Dere maes imi gael siarad â thi. Dwy i ddim wedi gwneud dim o gwbl.

BET:

Does dim eisiau iti ddweud dim byd rhagor – mae Marged wedi dweud hen ddigon. Rwy'n dy ddeall di o'r diwedd. Mae pob merch fel ei gilydd i ti. (*Yntau yn protestio.*) Paid â dweud dim rhagor. (*Tyn ei modrwy ddyweddïo oddi ar ei bys.*) Wnei di ddim ond dy ddrysu dy hun. Cymer!

IDWAL:

O Bet, gwrando. Dere maes gen i, i ni gael siarad ar ein pennau ein hunain. Rwy i'n siŵr ond iti roi cyfle i fi . . .

BET:

Cyfle iti wneud ffŵl ohono i eto? Na, dim thenciw syr!

DIC:

Bet, cerwch gydag ef. Dim ond camddeall yr ych chi, rwy'n siŵr. Mae'n biti i chi gwpla'r cwbl nawr: a dim ond celwyddau Marged sy'n sail i'r cyfan. Cerwch gydag e wir.

DAI:

O, celwyddau Marged ni, iefe Dic? Os yw'n well gyda Bet air Moc ei brawd, feri wel an gwd – dwed ti air bach, Moc.

BET:

Does dim eisiau i Morgan ddweud dim, Dai Dafis. Mae'n ddrwg gen i eich croesi chi, Dic Ifans, ond mae'r cwbl ar ben rhwng Idwal a fi – am byth . . . (*Teifl y fodrwy ar y ford.*) Ti biau honna Id. Cymer.

MRS DAVIES:

O 'merch fach i, cymerwch amser i feddwl. Mae bywydau dau ohonoch chi yn y fantol, cofiwch. Cedwch honna hyd fory, mi fyddwch yn deall eich gilydd yn well erbyn hynny.

IDWAL:

Gad imi fynd â thi nôl i'r tŷ. (*Yn cynnig ei harwain.*)

BET:

Idwal! Cer! Gad i fi fod. Dyma'r diwedd. Cer!

IDWAL (*yn deall nad oes lles dadlau, yn penderfynu'n glir*):

A dyma'r diwedd, iefe? O'r gorau . . . Nos da. (*Â allan, a'r bag yn ei law. Wedi iddo fynd try* BET *at ei brawd.*)

BET:

Morgan, cer â fi gartre . . . Dyw Marged ddim yn dweud y gwir amdanat ti, odi hi Morgan? Dere adre gen i, wnei di?

MARGED:

Nagw i wir! Mae fe'n lot fwy gwir nag am Idwal – a mae hwnnw'n wir i gyd!

MRS DAVIES:

Paid â dweud dim rhagor. Cerwch chi â Bet adre Mr Lewis.

DIC:

Marged fach, beth sydd wedi dy feddiannu i ddweud hyn i gyd heno? Pam ddwedaist ti e o gwbl?

MARGED:

Mae'n well i Bet ei hadnabod ei hunan, odi e ddim? Dyw hithau'n credu dim am neb mwy — mwy na mae mam a finnau.

BET:

Dwy i ddim yn credu dim nawr, dim byd am neb na dim. (*Y mae'n ymollwng i'r gadair ac yn wylo — am y tro cyntaf.*) Neu rwy i'n credu popeth am bawb; a dwn i ddim p'un yw'r creulona.

MRS DAVIES:

Ie wir, yn un fach i. Uffern diffyg ffydd yw'r ddau!

MARGED:

Dych chi erioed o'r blaen wedi mynd lawr o dan blisgyn dim byd. Roedd hi'n neis i gael bachgen fel Idwal i wneud ffys ohonoch chi, ond oedd hi? Ond nawr dyw e ddim digon neis i wneud ffys — mae fe wedi bod gen i; am iddo ddeall nad oedd e dda i ddim byd ond i fod yn ornament i Bet. Rwy i'n falch, er mwyn Id, 'mod i wedi gwneud fel gwnes i. Mae fe'n gwybod lle mae fe nawr, ta beth.

BET (*yn codi'n wyllt*):

Does gen ti ddim hawl i siarad fel'na amdana i. Meindia dy fusnes.

DIC:

Ewch gyda hi nawr, Lewis. Mi ellwch weld Dai eto pan fydd e'n fwy sobor.

DAI:

Sobor? Sobor, ddwedaist ti? Pwy sy'n feddw 'te, e? Diawl, Dic, rown i'n meddwl dy fod ti'n ffrind . . .

MRS DAVIES:

Defi, paid ti â dechrau eto! A mi ddylai fod gas gen ti, Marged, gyhoeddi dy afradlonedd i'r byd. Rhag cywilydd iti!

MARGED:

Mae 'nhad wedi gofalu am hynny trosta i, ddigon.

DAI:

Y fi! Nagw i ddim. Dwy i ddim wedi dweud un gair amdanat ti o gwbwl.

MARGED:

Na dim ond am Morgan Lewis a Idwal! A mae'r byd yn gallu darllen rhwng y leins.

LEWIS:

Gwrando 'ma Dai! Os do i i ddeall dy fod ti wedi yngan gair o'r hyn mae Marged yn ei glebran heno wrth undyn byw, mi . . . mi dy flinga i . . .

MARGED:

Ha! Ha! Ha! (*Chwardd yn hir, yna yr un mor sydyn try o ddifrif, a chwilio a dal llygaid ei mam.*) . . . Does dim lot o wahaniaeth ynddon ni'n dwy, cofiwch chi, mam; a chi sy wedi cael y fargen waetha hyd yn hyn. Lawer gwaith er pan own i'n ddigon hen i sylwi rwy i wedi clywed 'nhad yn eich gorfodi chi – eich gorfodi i wneud ei ewyllys e – p'un a fynnech chi neu beidio. Dim ond rhyw sy'n cymell dynion . . . 'y nhad, a Morgan Lewis a Idwal . . . A Dic? . . . Dwn i ddim . . . falle mai ar ei liniau y newidiodd e 'i gariadon . . . a dewis doethineb yn lle menywod. Mae Stryd Fawr bert yng Nghaerdydd, Richard Ifans, a merched glân ar hyd-ddi. Mae gwragedd Cwm Glo i gyd, heb fynd i Gaerdydd o gwbwl, wedi gorfod troedio'r Stryd Fawr honno. Neu wedi peidio â bod, fel mae Bet wedi peidio â bod. (*Gwisg ei dillad yn gyflym a gafael yn y bag wrth siarad.*) A mae'n rhaid i finnau fynd i ddal trên, next stop Stryd Fawr Caerdydd, a'i gonestrwydd agored. (*Y mae ar y ffordd allan.*) Goodnight i gyd. (*Y mae pawb ar eu traed yn edrych arni – ond* DAI.)

MRS DAVIES:

Marged! Marged! Marged . . . ! (*Syrth i'r llawr ac y mae hynny'n rhwystro neb i fynd ar ôl* MARGED. *Rhuthra* BET *ati, ac y mae* DIC IFANS *a* LEWIS *yno hefyd.*)

BET:

Mrs Davies, Mrs Davies! Beth sy'n bod? (*Dodant hi ar y soffa. Cymer* BET *yr awdurdod yn naturiol.*) Morgan, der' â glasiad o ddŵr. (*Â* LEWIS *i'w gyrchu a'i ddwyn iddi; rhydd hithau ef wrth enau* MRS DAVIES.)

DAI (*ac atsain dyddiau caru yn nes i'w lais nag y bu ers blynyddoedd*):

Beth sy'n bod? Peg fach? Peg?

BET:

Eisteddwch lawr Dai Dafis – o'r ffordd. Mae'n well inni fynd â hi i'r gwely. Helpwch chi hi. Mi ddo innau â'r gannwyll. (*Cyrraedd honno o'r silff a'i chynnau tra bydd* DIC *a* LEWIS *yn tywys* MRS DAVIES *i'r llofft. Canlyna* DAI *hwynt at waelod y stâr.*) Dai, mae'n well i chi fynd ar ôl Marged! (*Â heibio iddo i'r llofft.*)

DAI (*yn cosi ei ben ac yn croesi yn ôl at y ford*):

Marged? Moyn Marged? Lle mae 'nghap i? A'n sgidiau i . . .?

LEWIS (*wedi dod o'r llofft*):

Ple mae potel dŵr poeth?

DAI:

E?

LEWIS:

Y botel! Lle mae hi?

DAI:

Yn y bac am wn i . . . ie, dan y ford. (*Â* LEWIS *a'r tegell allan gydag ef a llanw'r botel. Dwg honno yn ôl i'r gegin wedi ei lapio mewn tywel. Tra bu'n gwneud hyn croesodd* DAI *at y ffenestr a gwrando.*)

DAI:

Dyna'r trên yn mynd lawr. Mae Marged wedi ei ddal e nawr. (*Eistedd ar y soffa y mae pan ddaw* LEWIS *yn ôl. Daw* BET *hefyd o'r llofft, a chymryd y botel.*)

BET:

Llanw'r tegell yna eto, a chod y tân yna dipyn bach. Falle bydd eisiau rhagor o ddŵr.

LEWIS:

O'r gorau. Cer di lan at Mrs Davies nawr.

(*Â* BET *i'r llofft. Trefna* LEWIS *y tân; yna edrych* DAI *ac yntau yn hir ar ei gilydd heb siarad. Ar y soffa y mae* DAI.)

DAI:

Wel . . . Mr Manager. (*Ni thyn* LEWIS *ei lygaid oddi ar* DAI *ond nid etyb.*) Glywaist ti? Dwed . . . wyt ti'n clywed?

LEWIS:

Paid â themtio dim rhagor. Wedi imi wneud y cwbl ofynnaist ti, dyma ti a dy deulu wedi briwo bywyd Bet.

DAI:

Rwyt ti'n falch. Doet ti ddim yn mentro. Ond doet ti ddim am iddyn nhw briodi. Wnest ti ddim dros Idwal erioed.

LEWIS:

Glywaist ti? Paid â themtio dim rhagor. Rwyt ti wedi hau'r cyfan trwy Gwm Glo wedi'r cwbl. Mi fyddai'n well i mi fod wedi wynebu fy nghamwedd cyntaf, o lawer.

DAI:

Pam dest ti yma heno?

LEWIS:

Does dim ots nawr. Nawr rwy'n gweld yn glir am y tro cynta ers tro. Sylwaist ti na ddywedais i ddim byd lawer gynnau fach pan oedd Marged yn ei sterics? Mi benderfynais i bryd hynny. Rwyt ti wedi cael y bensen ola gen i. Wyt ti'n deall . . . y bensen ola!

DAI (*yn bryfoclyd i'r diwedd bellach*):

Hym! Sut wyt ti'n gweithio hynny maes, 'te?

LEWIS:

Mae Bet wedi dod i'r cawl nawr. Er ei mwyn hi y buodd y cwbwl. Ti sy wedi torri'r fargen. Dyma'r diwedd.

DAI:

Rwyt ti'n swno fel mai ti sy wedi ei chael hi waetha o lawer. Dim ond ti a Bet sy'n diodde, spo! Beth amdana i a'r ferch a'r wraig? Bet yn diodde . . . he, he, he . . . dim bensen goch ddwedaist ti . . . mi gewn i weld old boi . . . Bet yn diodde . . . falle dioddefith hi dipyn mwy, 'machan i.

LEWIS:

Beth wyt ti'n feddwl?

DAI:

Wyt ti'n meddwl y bydd Bet chi'n leicio i Gwm Glo i gyd wybod am ei thrip bach hi a Idwal i'r brifddinas, e?

LEWIS:

Doedd dim byd yn hynny. Wnaeth Bet ddim byd maes o le.

DAI:

Ond mi eith gair amdani hi 'mhell iawn nawr cofia di; mae dy gymeriad moesol di – a hithau . . .

LEWIS:

Pwy wyt ti i sôn am gymeriad moesol, a'th ferch di dy hunan fan lle mae hi heno? Pwy wyt ti, leiciwn i wybod!

DAI:

Pwy helodd hi fan'ny dwed ti? E? Ti neu fi?

LEWIS:

Dalla i ddim dweud; elli di? Ti a fi, falle.

DAI:

Reit. Ti yw'r tegel, finnau yw'r ffreinpan. Ond gad fod Marged ni yn ddrwg, does dim byd od yn hynny; croten fach dlawd fuodd hi erioed – a mae lot o rheiny yn gorffod gwneud fel mae Marged ni heno. Merch Dai Dafis yw hi ar y gorau, a mae natur y cyw yn y cawl wel'di. Ond Bet . . . mae Bet yn wahanol . . .

LEWIS:

Ca dy sŵn am Bet. Dyna ddigon o dy dafod ti rhagor!

DAI:

Cofia di Moc, does dim rhaid i Bet. Mae digon o arian gyda Bet. Mi fydd un si fach amdani hi fel gwreichionen o flaen gwynt. Dim un bensen ddwedaist ti? Dere di old boi, beth amdani nawr. Y?

LEWIS:

Dim un geiniog! Cer i'r cythraul – gwna hast! (*Cydia yn ei het a mynd tua'r drws.*)

DAI (*yn galw ar ei ôl; saif yntau*):

Beth am air bach wrth Bet ar ei phen ei hunan, e? . . . Feddyliaist ti ddim am hynny, do fe nawr?

LEWIS:

Mi dy fwra i di . . . yn dy ddannedd . . . os agori di dy hen geg front wrth Bet. Mi dy fwra i di os dywedi di'r ail air.

DAI (*yn codi*):

Ti sy wedi spwylo Marged fach. Ti sy wedi hela 'ngwraig i i'r gwely'n sâl. Os yw Peg yn mynd i farw, ti fydd ei llofrudd hi . . . a mae Dic Ifans yma'n witnes . . . he, he . . . a dall Dic druan ddim dweud celwydd. Y llofrudd . . . llofrudd! Dim bensen goch ddwedaist ti . . . Y llofrudd! (*Nesaodd y ddau nes sefyll wyneb yn wyneb ar ganol y llawr. Gyda bod* DAI *yn yngan 'Llofrudd' y tro olaf deil* LEWIS *ef tan ei ên: syrth yntau yn ei hyd ar lawr. Dichon iddo daro'i wegil, oherwydd y mae wedi tynnu'r anadliad olaf pan dry* LEWIS *o'r drws i edrych eilwaith arno. Pan wêl ef ar lawr plyg wrth ei ochr mewn ofn oer. Edrych, ysgwyd, disgwyl ateb, a phob osgo'n dangos pryder, ofn, dryswch.*)

LEWIS (*yn ddistaw*):

Dai! Dai! Dai! (*Edrych tua'r llofft, cwyd, cerdd at y stâr a gwrando, yna dychwelyd.*) Dai! . . . Dai! . . . Llofrudd? Llofrudd ddywedaist ti? Dwed hynna eto, Dai . . . er mwyn y nefoedd dwed 'y mod i'n llofrudd . . . dwed beth fynni di . . . dwed rywbeth . . . Dai . . . (*Sylweddola mor ddiobaith yw a gwna am y drws, ond y mae* BET *yn disgyn o'r llofft, cilia o'i blaen gan guddio'r corff ar y llawr.*)

BET:

Morgan! Morgan! Beth sy'n bod? (*Daw* DIC *o'r llofft wrth sodlau* BET *ymron.*)

DIC:

Beth sy'n bod 'ma? Rown i'n clywed eich sŵn chi . . . Morgan Lewis, beth sy'n bod?

(*Cilia* LEWIS *gan adael lle i* DIC *ddarganfod trosto'i hun. Gwna hynny trwy edrych a phlygu yn ymyl* DAI. *Cyfyd, try at* BET.)

DIC:

Mae e wedi mynd, Bet!

BET:

O'r nefoedd fawr. (*Ymollwng ar gadair. Ceisia* DIC *ei chysuro trwy roddi ei law ar ei hysgwydd.*)

Dic:

Peidiwch â thorri lawr nawr, 'y merch fach i . . . (*Yna'n syml ddirodres, gan sefyll bron tu ôl i* Bet, *cyfyd ei law dde.*) . . . 'Ein Tad yr Hwn wyt yn y nefoedd . . .'

(*Daw'r llen i lawr yn araf tra bydd yn dechrau adrodd y weddi.*)

LLEN

Y DIWEDD

MEINI GWAGEDD

✦

I'm brawd a'm chwaer,
a gyd-dyfodd â mi ar Y Gors

. . . o genhedlaeth i genhedlaeth y diffaethir hi; ni bydd cyniweirydd trwyddi
byth bythoedd. Y pelican hefyd a'r draenog a'i meddianna; y dylluan a'r gigfran a
drigant ynddi; ac efe a estyn arni linyn anhrefn a meini gwagedd . . . Cyfyd hefyd
yn ei phalasau ddrain, danadl ac ysgall o fewn ei cheurydd; a hi a fydd yn drigfa
dreigiau, yn gyntedd i gywion yr estrys.

Ac anifeiliaid gwylltion yr anialwch, a'r cathod, a ymgyfarfyddant; yr ellyll a
eilw ar ei gyfaill; yr ŵyll a orffwys yno hefyd, ac a gaiff orffwysfa iddi.

Yno y nytha y dylluan, ac y dodwa, ac y deora, ac a gasgl yn ei chysgod; y
fylturiaid a ymgasglant yno hefyd, pob un gyd â'i gymhar.

Esaiah xxxiv, 10, 11, 13 a 15

CYMERIADAU

A. GŴR GLANGORS-FACH *a'i ddwy ferch*, MARI a SHANI (*sef* Y TRI).
B. *Y ddau frawd a'r ddwy chwaer*, IFAN *a* RHYS *ac* ELEN *a* SAL (*sef* Y PEDWAR).

Rhithiau ydynt bob un, ar grwydr o'u beddau, ac ar aelwyd Glangors-fach ar noswyl Fihangel yn unrhyw un o flynyddoedd yr ugeinfed ganrif.

GOLYGFA

Cyfyd y llen ar adfeilion Glangors-fach tan leuad-fedi ar noswyl Fihangel. Tua chanol y mur dadfeiliedig yn y cefn y mae gweddillion aelwyd y tyddyn trist. Y lloergan yw'r unig olau, ac wrth i'r lleuad garlamu trwy gymylau ysbeidiol, newidia'r lliwiau fel y bo'r deialog yn gofyn. (Awgrymir glas i'r TRI, *a melyn i'r* PEDWAR.)*

Wrth i'r llen godi bydd GŴR GLANGORS-FACH *a'i ddwy ferch ar gyntedd llawr y murddyn – efe yn y canol, ar ei eistedd ar dwmpath uwch na'r llawr o bridd-a-cherrig, a thyfiant o ddanadl a thafol ac ysgall a drain o'i gylch. Pan newidio'r golau diflannant hwy, a bydd* Y PEDWAR *arall yn eu hunfannau llonydd ar y llwyfan,* SAL *a* RHYS, ELEN *ac* IFAN. *Bydd y ddwy ferch yn eistedd ar dwmpathau gweddol isel. Ni bydd mynd-a-dod iddynt hwythau ond pan fo'r golau yn newid, a'r* TRI *wedi cymryd eu lleoedd fel o'r blaen.*

Ni ddylid torri ar undod y chwarae. Newidia'r golau trwy amrantiad o dywyllwch. Rhaid i'r cymeriadau newid lleoedd yn llyfn-esmwyth a chyflym yn yr amrantiad du hwn. I hwyluso'r symud gellid trefnu llenni (neu adenydd llwyfan) fel y geill Y TRI *a'r* PEDWAR *gilio iddynt ac ymguddio heb ffwdan.*

Gwisger GŴR GLANGORS-FACH *a'i ferched yn gynnil i awgrymu eu bod un-to yn hŷn na'r* PEDWAR. *Eithr gwisger pawb, er mai 'ysbrydion' ydynt, fel tyddynwyr normal.*

MARI A SHANI:
      Heno, mi ddônt yma i'r gegin, nôl yma,
      i gecran-cweryla – y pedwar,
      – Ifan ac Elen a Sal a Rhys –
      yng ngwylnos Fihangel y meirw.
      A ninnau yma, o'u blaen, ar eu hôl,
      heb fynd oddi yma erioed, ni'n tri;
      yma yr oeddem ni cyn iddyn nhw ddod,
      amdanyn nhw'n darth, i'w gyrru i'r bedd
      heb orwedd ar wely'r pen-isa.

MARI:
      Yma bydd raid inni fod am byth,
      ti Shani a minnau a nhad;
      pan aethom ni i'r Dre wedi claddu nhad
      roedd *e* wedi'n clymu ni'n un â'r gors.

SHANI:

    Cors Glangors-fach oedd y stryd a'r tai,
    pwdel y gors oedd ein sgidiau melynion
    a'n ffrociau sidêt . . .

MARI:

          Caglau a thasg
    pwll-domen y clos oedd y blodau a'r plu
    ar ein hetiau crand . . .

SHANI:

        Dŵr sur pyllau mawn
    wedi cronni i'n calonnau oedd ein gwaed ni'n dwy.

MARI:

    Rhaid dianc i'r Dre rhag y gors . . .

SHANI:

    tŷ bach yn y Dre rhag y gors . . .

MARI:

    hewl sych tan ein traed, a lampau . . .

SHANI:

    a rhent Glangors-fach yn sych wrth law
    ddigon i'n cadw ni'n ladis . . .

MARI:

    [Shani!
    O Shani! Roedd bechgyn y Dre, y bechgyn gwallt slic,
    a'r bysedd lliw traddu lloi bach,
    a'r geg tan bwys sigarennau ar ogwydd,
    a'r trowsus cwarelog, a'r clwstwr allweddau'n gwneud sŵn,
    – clarcod, athrawon, bancwyr, polismyn –
    yn flys yn dy gnawd ti, hen ferch fel ti . . .

SHANI:

    yn ddŵr trwy dy ddannedd di, a thithau'n rhy hen i ddim byd.

[ ] = darnau a dociwyd, gw. t. 254.

GŴR:

    A dyna fel byddwn ni'n dannod i'n gilydd . . .

SHANI:

    byth-bythoedd y byddwn ni'n codi hen grach . . .

MARI:

    chaem ni ddim, chawn ni ddim dianc
    nac i'r Dre nac i'r bedd rhag y gors . . .

SHANI:

    methodd y bedd ein dal rhag y gors,
    chwydodd ni nôl i siglennydd y gors,
    siglennydd eich dial chwi nhad . . .

GŴR:

    Glangors-fach!
    Glangors-fach! Fi gododd y tŷ a'r tai-maes,
    fi gloddiodd, fi blannodd y perthi,
    fi sychodd y gors â chwteri a ffosydd;
    fi a'i dofodd hi a'i chyfrwyo a'i marchogaeth yn hywedd.

MARI:

    Roedd y tŷ ar ei draed cyn eich bod chwi nhad
    a'r lle wedi ei gau a'i sychu'n weddol;
    nid chwi, ond . . .

GŴR:

        dy dadcu, dy hen-hen-dadcu, dy deidiau o'r bôn
    – cenedlaethau fy ngwaed i a'm gïau –
    a droes Glangors-fach yn ardd trwy'r canrifoedd.
    Nhw yw Glangors-fach, nhw ynof fi.
    Ynof i – a'm lwynau'n cenhedlu marwolaeth!

MARI:

    Nhad! Am eich plant . . .

GŴR:

    Plant! Y bronnau heisb a'r crothau segur
    a fu'n rhifo fy nyddiau ac yn disgwyl y cnul
    oedd i ganu llawenydd eich cyfle ar y cibau.
    Caech chwilio cariadon crand fel eich hetiau,

a neb o'r crandusion yn ffroeni eich loetran
tan y pyst-lampau, yn y corneli a'r lonydd,
ond prentisiaid carwriaeth am ddysgu'r grefft
a henwyr carwrus y lwynau crin.]

Buoch farw! Erthylwyd Glangors-fach o'ch crothau llygredig,
a'r llygredd ni phurir ym mhridd un bedd
sy'n rhodio bob gwylnos Fihangel.

MARI:

A heno mae gwylnos y meirwon denantiaid,
dwy chwaer a dau frawd y dryswyd eu tynged,
y dryswyd eu tynged yng Nglangors-fach,
yng Nglangors-fach a siglennydd eich dial.

MARI A SHANI:

Heno, mi ddônt yma i'r gegin, nôl yma,
i gecran-cweryla – y pedwar,
Ifan ac Elen a Sal a Rhys –
yng ngwylnos Fihangel y meirw.
A ninnau yma, o'u blaen, ar eu hôl,
heb fynd oddi yma erioed, ni'n tri;
yma yr oeddem ni cyn iddyn nhw ddod,
amdanyn nhw'n darth i'w gyrru i'r bedd
heb orwedd ar wely'r pen-isa.
    (*Newidier lliwiau'r golau.*)

ELEN A SAL:

Heno, bentymor, nôl yma
i gecran-cweryla yng Nglangors-fach.
Fihangel erlidiol, gad inni bentymor a diwedd.
Rhy uchel yw'r rhent a rhy hir yw'r les;
gad inni fedd yn gyfannedd, a gorwedd.
Gostwng y rhent a diryma'r les,
y cecran-cweryla am y gwyn-fan-draw,
y marw di-hedd a'r beddau a'n gwrthyd:
dyna'r rhent, dyna'r les wedi'r gwyn-fan-draw.

IFAN:

O'r borfa ar y cloddiau a'r twmpathau ar y gors
fe gliriwn y rhent ag ŵyn-tac ac ebolion

– pob llwdn fel ebol, a phob poni fel march
erbyn y gwanwyn . . .

RHYS:

    Brwyn y tir llaith sy'n melynu'r hufen;
    fe allwn gywiro menyn a magu lloi . . .

ELEN:

        Eirin pêr ac afalau
    ar gloddiau'r ydlan a'r clos, llus-duon-bach,
    mwyar, llugaeron, afan a syfi, ddigonedd . . .

SAL:

    Pysgod Nant-las i swper, brithyllod a samwn,
    llyswennod wrth y llath o rabanau'r gors . . .

IFAN:

    Mawn a choed-tân o'r tir ar eu torri . . .

RHYS:

    Y ffin yn ddiddos â pherth a phum weiren –
    un weiren bigog a'r perthi o ddrain gwynion –
    cloddiau talïaidd a'r llidiardau ar byst deri yn hongian . . .

IFAN:

    Pob cae'n ddidrafael o'r clos,
    fe gwyd un gaseg y dom o'r domen,
    a daw'r llwythi ar y gwastad i'r ydlan . . .

ELEN:

    Yr haul ar ffenestri'r ffrynt trwy'r prynhawn,
    a'r prysgau wrth gefn-tŷ yn torri'r gwynt rhew . . .

IFAN (*â gwên*):

    A'r angau trugarog yn torri'r gwynt rhew!
    Haws taro bargen â'r merched na'r hen-ŵr;
    mae'n dda 'i fod *e* wedi . . .

RHYS:

        Tae *e* byw
    ni fyddai dim sôn am na rhent na les;

ond mae blys ar y merched glerdingo i'r Dre,
mae tân tan eu carnau ar hast bod yn ladis . . .

IFAN:

Fe gymeran nhw'n cynnig cyntaf ni ar y rhent a'r les . . .

ELEN (*â gwên*):

Fe gawn ninnau ddau enllyn ar y dafell, rhent isel, les hir,
rhaid wrth les hir er mwyn y plant . . .

IFAN:

Y plant fydd yn ffermio'r dyfodol, nid ni . . .

RHYS:

[Fe gawn ni'n gwala tra fyddwn ni . . .

ELEN:

a gweddill, i gychwyn y plant yn eu rhych . . .

SAL:

Fe wnawn bres i brynu'r lle-bach neu i gymryd fferm fawr
i'r plant, fel bo preseb a rhastl yn llawn iddyn nhw . . .

IFAN:

Fe fydd ceiniog fach weddol wrth gefn yn y banc
pan ddaw'n cwys ni i dalar . . .

RHYS:

pan gaeir y grwn
fe gawn fôt-frics yn y fynwent . . .

ELEN:

a charreg ddu sgwâr
a'n henwau ni'n pedwar, un ar bob wyneb
– dau frawd a dwy chwaer o Langors-fach –

SAL:

Ifan a Rhys ac Elen a minnau
o Langors-fach y gwyn-fan-draw.]
(*Newidier lliwiau'r golau.*)

MARI A SHANI:

    Y gwyn-fan-draw yng Nglangors-fach,
    y plant sydd i ffermio'r dyfodol;
    egin a blagur eu gwanwyn gwyrdd
    a gwenwyn ein llwydrew gwyn yn eu nychu;

SHANI:

    egin a blagur â'u dail heb lydanedd
    a llydnod asennog ein llid yn eu pori;

MARI:

    pori blaen-darddiant yr egin a'r blagur
    ac ni ddaw tywysennau na ffrwyth i gynhaeaf.

MARI A SHANI:

    Ystod a seldrem ac ysgub a stacan
    o egin ir, a'n llwydrew'n y fedel yn medi'r gwanwyn,
    yn medi plant.

GŴR:

    Medi plant am i gnwd fy had
    lanw ydlan eu tadau â helmydd o us.
    Llawer doe, llawer echdoe y bu'n hil ni'n braenaru
    i'w hepil gynaeafu trwy fory a thrennydd a thradwy;
    pob tad wrth y gaib i roi ffust yn llaw'r mab;
    pob tad yn etifedd ei dadau, pob etifedd yn dad disgynyddion
    i greu Glangors-fach bob yn gŵys a grwn;
    i greu treftadaeth, a'i gofal.
    E fûm innau'n etifedd fy nhadau, yn blentyn,
    a nhad yn f'anwylo, nhadcu yn f'addoli.
    On'd myfi oedd maen-clo a sail yr adeilad,
    ysgub eu dawn ac egin eu hyder?
    Cerais innau fy mhlant fel y carwyd fi gan fy nhadau,
    cyn eu geni fe'u cerais, a ffoli ar f'etifeddion.
    On'd oedd Glangors-fach fy nhadau yn faich yn fy mherfedd
    i esgor arno, fel y baich yn y bru a'u dug,
    a'r gobaith yng nghroth f'ymysgaroedd yn wewyr?
    Pob doe a phob echdoe yn crynhoi yn eu geni,
    a'm baich yn ysgafnu i ysgwyddau fy mhlant.
    Myfi, etifedd fy nhadau yn dad etifeddion!
    [E feddwais ar garu fy mhlant.

MARI:

    Geni a magu etifeddion, a'u caru, heb adnabod eich plant,

SHANI:

    heb eu harddel, na chanfod y cnewyllyn ni pherthyn i'r gors:
    mynnech ni'n eilltion yng nghlwm wrth y gors
    a'n troi ni'n alltud o Langors-fach.

MARI:

    Nid y ddwy hen-ferch a boerodd i fedd agored eu tad
    a ddihangodd i'r Dre, ond darn o ddau blentyn,
    y plant a gamodd eu henaid â dagrau digllonedd.

SHANI:

    Roedd clai Glangors-fach wedi tasgu i'ch llygaid
    na welsoch roi'ch plant yn eich bedd cyn ei agor,
    a'n gadael ni wrtho, ar ôl yn blysg gweigion.
    Etifeddion!

MARI:

    Etifeddion y mwrdwr yng Nglangors-fach . . .

GŴR:

    Llofruddion fy mhlentyn, fy Nglangors-fach,
    llofruddion treftadaeth wrth linyn y bogail;]
    lladdasoch fy mhlentyn â'ch llygredd,
    a phlannu estroniaid yn nhir fy nhadau.
    Rhaid difa plant estron o Langors-fach.

MARI A SHANI:

    [Ninnau'n y fedel yn medi plant,
    medi egin a blagur a dail heb lydanedd,
    ystod a seldrem ac ysgub a stacan o egin ir
    a'n llwydrew'n y fedel yn medi gwanwyn y gwyn-fan-draw,]
    y plant sydd i ffermio'r dyfodol.
        (*Newidier lliwiau'r golau.*)

ELEN A SAL:

    Mamau yn wylo am eu plant am nad ydynt,
    a dim byd ar ôl ond lle gwag;
    a'r felltith yn disgyn arnom ni'n darth,
    tarth o ffosydd a siglennydd y gors,

cors Glangors-fach a siglennydd y dial,
a mamau yn wylo am eu plant am nad ydynt.

SAL:

Arnat ti, Ifan, roedd y bai, mor lletchwith, mor ddiffrwyth,

IFAN:

Sut oeddwn i i wybod y byddai fe'n cwympo a tharo'i ben?

SAL:

Druan o'i ben bach e!
Sut oeddit ti i wybod a thithau mor gas!

ELEN:

Roeddit ti'n gas i'r 'nifeiliaid, yn gïaidd,
heb ffordd ar eu trin nhw ond pwnio a rhegi;
roedd yr hen gaseg felen dy ofn di wrth ei phen . . .

IFAN:

Yr hen gythraul! Arni hi roedd y bai.
Sut own i i wybod y byddai hi'n cilio a baglu'n y rhaca?

ELEN:

Ond ti ddysgodd iddi gilio wrth ei dyrnu'n ei phen
â chambren a morthwyl, a'i chicio'n ei bola;
roedd raid iddi gilio, druan fach, a baglu
yn nannedd y twmbler, a thaflu'r crwt bach . . .

IFAN:

[Roedd Berti mor ddiffrwyth, mor gymyrcyn . . .

RHYS:

Awen y ffrwyn oedd ry fer,
a'r bit sharp yng ngheg yr hen gaseg yn llifanu ei thafod,
a'i hen gefn hi fel llawlif o tano;
doedd dim ffordd iddo'i gyrru hi'n gywir.

SAL:

Ni ddylai fe ddim bod ar ei chefn hi o gwbl,
fel mwnci bach, druan, ar ei gwar hi, yn dal wrth y mwng.
Arnat ti roedd y bai.

IFAN:

> Roedd popeth o chwith. Sut own i i wybod?
> Dim ond cydio'n ei hen ben hi i'w throi nôl i'w lle, dyna'i gyd;
> – a'r dafnau glaw bras a'r gwair ar wasgar –
> hithau'n tasgu a baglu, a thaflu'r crwt bach.
> Pam raid iddi faglu oedd?
> Pam oedd raid iddo fe daro'i ben, druan bach?

SAL:

> Druan o'i ben bach e.

ELEN:

> Pa well oeddit tithau o bwnio'r hen gaseg
> yn dy hen natur-ddrwg,
> a mesur ei hyd hi ar y llawr?]

RHYS:

> Efallai ei bod hi'n well fel yr oedd hi
> na'i fod e'n llusgo byw . . .

SAL:

> Fy nghrwt bach i oedd e er ei wendid,
> fy machgen bach i, fy ngofal;
> ond fi oedd ei fam e i ofalu ac anwylo . . .

IFAN:

> [a'i gyrraedd e heb drugaredd bob yn ail am y peth lleia.]

RHYS:

> Fel yna roedd hi orau,
> – fe gadd fynd heb ddiodde – ac ni fyddai fawr raen ar ei fyw.
> Rhaid plygu i'r Drefen;
> Fe gadd *e* orwedd ar wely'r pen-isa i farw.

SAL:

> Fe gadd *e* bentymor a gorffwys digyffro.

RHYS:

> Fe, yn ei farw, sy'n ein clymu ni nôl wrth blant dynion.

ELEN:

> Ond ni chafodd Lisi-Jane ddim dod adre.

IFAN:

    Garw i Lisi-Jane fynd oddi cartre erioed,
    a'i heisiau hi yma: doedd gennyf i neb,
    neb, ond fe fynnodd fy ngadael. Pam oedd raid arni fynd!

SAL:

    Doeddit ti ddim o'r hawsa i gyd-fyw gydag e,
    a pheth oedd ar y gors i ferch ifanc? Pa obaith?

ELEN:

    Roedd siawns iddi ar gerdded . . .

IFAN:

    i wisgo'n grand, a phowdwr a phaent,
    a'r sodlau main papur, pan ddôi hi'n ei thro,
    yn mynd ar goll yn y gors.
    Roedd siawns iddi oddi cartre i ddal cariadon,
    a chael ei dal druan fach fel ei mam o'r blaen.

RHYS:

    Ifan! Mae'r gorau'n llithro a chael anlwc,
    gartre ac ar gerdded: anlwc a ddaeth iddi . . .

IFAN:

    Ac i'w mam arni hithau.
    Elen, petai hi wedi aros gartre fel roeddem ni
        i gyd yn bwriadu —

RHYS:

    (iddi hi ac i Berti roem ni'n cymryd y lle,
    y plant oedd i ffermio'r dyfodol).

IFAN:

    — fyddai hi ddim wedi dod adref fel daeth hi.

ELEN:

    Doedd dod adre fel y daeth hi'n ddim wrth ei cholli;
    petai hi'n fam i ddeg o blant gordderch a chael byw
    ni fyddai'r man gwag tan fy nghalon i'n bwysau;
    ei mam sydd yn gwybod ei cholli, a'r gwacter fel pwll.

IFAN:

[Rhaid plygu i'r Drefen, a derbyn y gosb wedi syrthio,
a mynd oddi yma a ngadael i heb neb . . .

ELEN:

Nid cael plant-siawns oedd y felltith ar Lisi-Jane na minnau,
neu pam nad ych chwi'n eich beddau'n gorffwyso?
Mae'r felltith yn bwrw'i gwraidd trwy'r holl le,
yn bwrw'i chysgod tros bob un ohonom.

IFAN:

Ond roem ni i gyd yn dibynnu ar Berti a Lisi-Jane . . .

SAL:

Ifan bach, does gennyt ti ddim amgyffred o'r golled,
mamau, rhieni, sy'n colli plant;
colli gofal tros eu gwendid, ac O'r gwacter o'i golli,
arswydo rhag iddynt syrthio, a'r gwacter pan dderfydd yr arswyd
o gloi'r greddfau digyffro yn saff mewn diogelwch
a bedd sydd â'i waelod o'r golwg.

ELEN:

I Sal a minnau y bu'r golled,
ni brofodd boen pleser eu creu, a phleser gwewyr eu geni;
ni fu'n datrys eu dagrau ac yn cyrlio eu chwerthin,
a'r grib, oedd mor ysgafn, yn sgrafellu trwy'r cof.
Cnawd o'n cnawd, a darnau o'n profiad ni oeddynt,
darnau wedi eu rhwygo o'n profiad a'n cnawd,
a'r gwacter yn bwll yn y mennydd,
yn y galon yn fedd na chaiff waelod.

ELEN A SAL:

Mamau yn wylo am eu plant am nad ydynt,
a'r felltith yn disgyn amdanom ni'n darth,
tarth o ffosydd a siglennydd y gors,
cors Glangors-fach a siglennydd y dial,
a dim byd ar ôl ond lle gwag,
a mamau yn wylo am eu plant am nad ydynt.]
    (*Newidier lliwiau'r golau.*)

MARI:

Mamau yn wylo am eu plant am nad ydynt,

plentyndod yn wylo am wrthod i blant eu plentyndod,
[wylo'n y bru gan arswyd y baich . . .

SHANI:

    Baich y feichiog yn feichiog gan faich,
    baich tynged yr ach a'i plyg i'w dibenion.]

MARI:

    Wylo na fyn ei gysuro am na roed dihangfa
    rhag y llid sy'n erlid, rhag y lladd oni phlygir.

MARI A SHANI:

    Wylo dŵr heli nad yw'n dyfrhau,
    wylo sych sy'n crino pob creider,
    wylo creision, a'r crasder yn nych ac afiechyd.

GŴR:

    [Ar wely'r pen-isa'n fy nych ac afiechyd,
    sylwi;
    am y pared ag angau canfod y ddichell
    a gorddai'r ffologod; a melltithio fy mhlant;
    melltithio yr angau a'r ing, a chyn trengi
    cau drysau ymwared o'r gors, a'r llwybrau.]
    Cors Glangors-fach yn nych ac afiechyd
    a'r drysau'n cau ar ymwared yr angau
    a'r beddau nid oes bâr ar eu dorau.
        (*Newidier lliwiau'r golau.*)

ELEN A SAL:

    [Drysau ymwared yn cau yn ein herbyn,
    a'r llwybrau o'r gors yn cau ond ar angau;
    nych ac afiechyd yn codi fel tarth
    o gors Glangors-fach, ac yn cau o'n blaenau
    yn wal heb ddrws, yn gors heb lwybrau,
    ond drws yr angau; a'r beddau ni pharant eu dorau.]

RHYS:

    Yn y gors y mae'r felltith, ei lleithder sy'n lladd;
    gwlybaniaeth tragywydd yn nawseiddio fel dŵr eira . . .

IFAN:

> trwy chwemis y gaea yn chwarren tan y grofen,
> a beunydd yn lloncian rhwng bysedd y traed.

SAL:

> Gwelydd y tŷ-byw yn chwys ac yn llwydni
> a'r gegin fel llaethdy, a phapur y wal yn rhubanau;

ELEN:

> [y gaea roedd y damprwydd yn ebill trwy'r ysgyfaint,
> a'r haf roedd pob stafell fel bandbocs o glòs
> ond bod drafft trwy'r rhigolau, a phob cawod yn canu'n y pedyll.

RHYS:

> Doedd dim llwybr o'r clos heb fynd tros ben esgid,
> roedd y waun yn ddigroen gan ôl traed y 'nifeiliaid,
> a'r llydnod yn pydru'n y carnau a'r afu;]

IFAN:

> rhwd llif yr afon yn gwenwyno'r gwair pibrwyn,
> a'r gwair gwndwn yn llwydo neu'n llosgi'n y das:
> doedd dim dwywaith nad y dŵr a roes fy nghymalau
> tan glo yn y cryd, a'm plygu'n ddau-ddwbwl.

SAL:

> Ond doeddit ti ddim heb fai, yn gwlychu hyd y croen
> a chadw dy ddillad yn wlyb heb eu newid.

IFAN:

> Beth allwn i ei wneud? Doedd gennyf i neb i ofalu,
> neb i weld sychu fy nillad na bod dim byd yn gras,
> neb ond cymdogion pan welen nhw'n dda.

RHYS:

> Doedd dim rhaid iti ddal ati i fedi'n y glaw a gwlychu,
> a'r rhwymwyr yn wlyb domen ddiferu'n y gwlith.

IFAN:

> Llond cae o rwymwyr am un prynhawn, a'r glaw bras –
> dim ond cawod, meddwn innau, a'r cae'n llawn o gymdogion
> yn rhwymo – a'r glaw, rown i'n sopen cyn cyrraedd pen tir;

ELEN:

    a hwythau'r cymdogion yn chwerthin eu piti
    ac yn anfodlon dod trannoeth;

SAL:

    ar ôl iddi hinddanu, rwy'n credu meddit tithau
    y galla innau roi nghot amdana i nawr,
    a'th grys di'n mygu!
    Doedd dim rhyfedd i'r cryd gloi pob cymal yn dy esgyrn.

IFAN:

    Doedd neb ond cymdogion gennyf, i . . .

ELEN:

    [. . . fe gefaist 'rhen Betsi i yrru dy gadair . . .

IFAN:

    . . . do, o'i phriodi, a doedd hi ddim yn llawn llathen:
    a bu raid arni hithau druan farw, fel chwi'ch dwy,
    a gyrru'r gadair i'r wyrcws.
    A daeth amser ystwytho'r cymalau, eu hystwytho mewn bedd
                                      ar y plwy.]

RHYS:

    Lleithder y gors yw'r felltith sy'n lladd,

SAL:

    y gors sy'n arllwys ei llid ac yn lladd,

ELEN:

    y dŵr sy'n nawseiddio yw'r felltith trwy'r gors.
    [Y dŵr sydd yn peswch, fel dŵr yng ngheg cwter –
    yn peswch trwy'r ysgyfaint yn goch fel rhwd pibau cwterion y gors –
    yw'r nych a'r decâd.
    Dim ond peswch bach cwta, ddefnyn ar ddefnyn llechwraidd,
    nes dod y llifogydd i boeri'r chwyn rhydlyd
    yn ddarnau o ysgyfaint yn llaith ar obennydd –
    y lleithder sy'n lladd.

RHYS:

    Y gors sydd mor farw na thyf dim byd arni ond tlodi,

a'r bwrdd yn ddifoethau yn ddienllyn a difloneg,
a'r ais yn leision gan fara-te a chawl heli-cig-moch.

IFAN:

Ni bu plisgyn wy yn y lludw erioed . . .

ELEN:

Pwy fentrai eu llyncu'n dairceiniog yr wy?

SAL:

Na mentro pan fyddai dau-ddwsin am swllt,
yr ieir oedd yn dodwy y siwgwr a'r te,
y baco i chwi'r gwŷr, a sgidiau i'r plant.]

RHYS:

Tlodi'r gors yw'r decâd.

ELEN:

Y darfodedigaeth mor ysgafn ei hofran mor esmwyth ei wendid,
ysgafn ac esmwyth fel plu plu'r-gweunydd;
a'r tlysni gwyn melfed yn dwyll tros y gors,
y clefyd gwyn melfed sy'n rhwyll yn y gors.

RHYS:

Fe gredasom ni dy fod ti ar wellâd yn y sbyty
wedi gadael y gors a chael bwyd da . . .

SAL:

a thaflu'r clai clocsiog o'r esgidiau.

ELEN:

Fe ysgafnodd fy nhraed
wrth imi'r tro cyntaf erioed ddatod
clymau llymglwm fy lludded, a gorffwys,
a'm hesgyrn yn gwisgo amdanynt gnawd
gan gredu y caent godi a dawnsio,
dawnsio dawns y plu'r-gweunydd tros wyneb y gors.
O doctor, rwy'n gwella, rwy'n siŵr mod i'n well:
druan fach, meddai yntau:
a minnau'n adnabod ei biti, yn gwybod,
beth arall wyddwn i o ddiwrnod cwrdd â chorff Lisi-Jane yn
                                                              y stesion?

Blodau'r gors oedd fy ngeiriau,
a minnau'n eu hadnabod wrth siarad â'r doctor,
[yn gwahodd fy lludded i ddawnsio yn fy nghors.
Yna'n dal fy nhraed, clymu f'esgyrn, â'u clymau
llymglwm, yn lludded fy nghors.

IFAN:

Nid clefyd i wella oedd dy glwy, nid y decâd ond y llall:
does dim datroi ar y rhodau na dad-ddirwyn
pan gydio'r godreon yn nannedd y geryn.
Gofidio o golli Lisi-Jane oedd dy glefyd.]

ELEN:

Bu angladd fy einioes ddydd claddu fy mhlentyn,
i beth yr ymladdwn i mwy â'r gors?

RHYS:

Un clefyd ar y llall yn pesgi, fel llynger . . .

IFAN:

ac Elen yn ymlâdd o ildio i'r gofid,
[y gofid nad addefaist:
ei bod *hi'n* blentyn gordderch yn cael plentyn gordderch;
bod y gwendid a gododd hi yn dy waed yn achos ei marw:
dyna'r gofid a guddiaist ti â gofid ei cholli.]
Y gofid a fagodd y decâd, nid y gors.

SAL:

Nid y gors roes y cryd ym mhob cymal i tithau, debygwn!

IFAN:

Nid y gors? Ond beth arall?

SAL:

Dy hen natur-gas di, meddai'r bobol;
e fydd e'n ffaelu cyffro maes-law, oedd geiriau 'rhen Fari Gorslwyd,
ffaelu cyffro, o roi cic i'r ast las nes torri ei chynffon
fe ddaw barn ar ei hen gymalau fe, wir-duw . . .
Dy hen natur-gas di'n pwnio'r da wrth yr aerwy,
a sŵn dy regfeydd di ar y caeau a'r clos
rhwng y 'nifeiliaid yn tynnu barn ar dy ben.
Mi ddisgynnodd, ac nid esgus, ond do!

Rhys:

Sal, Sal! Rym ni'n gwybod.
Ond y gors yw'r felltith a'r farn ar ein pennau,
cors Glangors-fach sy'n cau drysau ymwared.

Elen a Sal:

Drysau ymwared yn cau yn ein herbyn,
a'r llwybrau o'r gors yn cau, ond ar angau;
nych ac afiechyd yn codi fel tarth
o gors Glangors-fach ac yn cau o'n blaenau,
yn wal heb ddrws, yn gors heb lwybrau,
ond drws yr angau, a'r beddau nid oes pâr ar eu dorau.
        (*Newidier lliwiau'r golau.*)

Mari a Shani:

Yr ing na all aros i'r angau hamddenol,
y boen sydd benyd heb iddi ddibendod,
yr hiraeth sy'n herwa ar erwau marwolaeth,
y tlodi, a hir-warth gorthrymder y gors
yw offer hwsmonaeth i lyfnu'n chwâl
fel bo'r gwyllion a heuir ar âr y gwylltineb
yn hodi ac aeddfedu'n wallgofrwydd.

Gŵr:

Arfaethwyd cors Glangors-fach i'n gwehelyth,
a had pob gwanwyn ym mhridd pob hydre,
y tadau fel cnau gwisgi'n gweisgioni yn eu tymor
nes i'w gwaed yn fy ngwaed i wehilio:
ond ofer eich cynllwyn: afradu'r gwely yw'r gwallgofrwydd.

Mari:

E fynnem ni o'r groth dorri gafael y tylwyth
a dianc rhag llid yr alanas, a ffaelu;

Shani:

a ffoledd y methu'n troi'n ffaeledd a gwrthuni.

Mari:

Disgwyl bob gaeaf i'r angau eich symud,
ac yntau, er taer-weddi, mor hwyrdrwm ei glyw.

{Gohiriai roi'r fwyall ar fôn y pren crin;
pa wedd y cymynai â'r nodd ar ei brig?}

SHANI:

Gwae na baech farw mewn pryd
inni ochel gwyryfdod gorfod a chael iechyd!

GŴR:

Ŵyrion, taer-ddisgwyl ŵyrion, etifeddion!
I hynny yr haeraswn yr angau, ond ni ddoent.
Ni ddoent, ac ni ddaethant.

MARI:

Ni fynnem ni blanta'n y gors, nac o'r gors . . .

SHANI:

nac o fwriad aberthu plant {ni chânt ddewis rhieni} i grombil y
                                                                    gors.

Magu plant, nid epilio etifeddion, yw iechyd.

MARI:

Chwi, a'ch hysio, a barodd inni'n hesbon droi arnoch a'ch cornio,
a'r Dre'n ysborioni'n rhadau mor rhad.
[Y chwant heb ei charthu'n goganu'r cnawd ar y gogil . . .

SHANI:

y cnawd ar y gogil yn nhefyrn gwallofain,
a'r iasau diserch yn hidlo gwaddod eu surni
ar y lludw llawenydd yn y llestr poer.]

MARI:

Yn y Dre'n etifeddion i'n tad gwallgofus,
yn wallgo'n y Dre gan wallgofrwydd y gors.

GŴR:

Am y pared ag angau canfod eich ynfydrwydd
a melltithio y pla cynddeiriog wrth drengi;
cau drysau ymwared o'r gors yn dragywydd
na bo dianc i neb rhag gwallgofrwydd y gors.

{ } = ychwanegiad, gw. t. 254.

MARI A SHANI:

    [Yr ing na all aros i'r angau hamddenol,
    y boen sydd benyd heb iddi ddibendod,
    yr hiraeth sy'n herwa ar erwau marwolaeth
    y tlodi, a hirwarth gorthrymder y gors
    yw offer hwsmonaeth i lyfnu'n chwâl
    fel bo'r gwyllion a heuir ar âr y gwylltineb
    yn hodi ac aeddfedu'n wallgofrwydd.]
      (*Newidier lliwiau'r golau.*)

ELEN A SAL:

    Ing a phoen a hiraeth a thlodi
    yw offer hwsmonaeth i lyfnu'n chwâl;
    ac ar âr y gwylltineb bydd cnwd o ellyllon,
    fwlturiaid a dreigiau a gwyllion gwallgofrwydd.

SAL:

    Roeddit ti, Rhys, yn wahanol i mi, rhaid cyfadde,

ELEN:

    yn wahanol i ni'n tri. Roeddit ti ar wahân,
    yn mesur dy gamre, yn gymwys dy gerdded . . .

SAL:

    yn ffermio, ac nid stablan, a lwc yn dy ddilyn.

IFAN:

    Nid fel fi. O rwy'n deall!
    Ond aeth popeth o chwith o golli Berti, druan bach.

ELEN:

    A cholli Berti'n lletchwithdod ac yn chwithdod i ni i gyd.

IFAN:

    Mae pawb yn dannod Berti i mi, bob cynnig,
    ond roedd hurtrwydd ar Berti fel gwendid ei fam.
    [Berti roes dân yn tŷ-gwair, a'r dŵr wedi rhewi:
    a dyna ddechrau'r gorwaered, heb ogor ond o'i brynu,
    troi'r 'nifeiliaid i'r borfa cyn bod blewyn ond brwyn,
    a'u gwerthu tan draed, rhag eu clemio, fel ystyllod o denau.
    Rown i wrthi, fel slâf, â nhrwyn yn y pridd,

heb unioni o'm dau-ddwbwl, a phopeth yn drysu,
yr heffrod yn erthylu er gwaetha'r★ dyn hysbys . . .]

RHYS:

Rym ni'n gwybod. Does neb yn dy feio, Ifan bach.
[Mae pobl y Dre'n llawn triciau, a'u pres yn creu cyfraith★
a bair fod pob prynu'n ddrud, a phob gwerthu'n rhad
yn eu marchnad. Ffyrdd dynion sy'n gors
fel cors Glangors-fach; a'r felltith
o'r ddwy-gors a'n cododd ni'n grwn o'r gwraidd.

ELEN:

Rym ni i gyd tan felltith y corsydd, i gyd . . .

SAL:

. . . ond bod Ifan yn fwy ffwndrus a thrafferthus na'r rhelyw,
mor ddiweld â dal ati am brynhawn wedi i'r gaseg
fwrw pedol a chloffi, a cholli tair wythnos.

IFAN:

Ond feddyliais i ddim, ac roedd raid cario dom,
a'r cymdogion yn ei wasgar a hau tatw fore trannoeth.

SAL:

A'r ast heb wardd arni yn cwrsio'r ŵyn-tac er dy regi,
a'u boddi'n y pwll-mawn; a'r cŵn ar y corygau'n difetha'r nod
                                                          clust.

IFAN:

Yr hufen na chorddai yn drewi'r crochanau,
y gwair yn pydru ar yr adladd,
y llafur yn egino'n y stacan, a'r helmydd heb eu toi tan Nadolig,
y tatw'n rhewi'n y cladd, a'r mawn ar y gors heb eu codi,
buwch gyflo yn rhwygo ei chader ar rwd weiren bigog,
a'r hwch-fagu'n gorwedd ar y dorraid foch-bach yn y wâl.
Ac arna i roedd y bai meddai Sal, meddai chwi,]
arna i roedd y bai am bob anlwc a cholled.
Arna i roedd y bai bod colled ar Sal,
bod y beili a'r gwerthu wedi drysu ei synhwyrau!

★ er gwaethaf y
★ gweler t. 255.

RHYS:

    Bu colli'r crwt bach yn ormod o ergyd, a'r tlodi ar ben hynny.

IFAN:

    Y gors ddaeth â'r beili i Langors-fach
    i'n gwerthu ni'n grwn o Langors-fach . . .

RHYS:

    Ond 'chadd e ddim gwerthu, bu'r cymdogion yn garedig . . .

IFAN:

    'chadd e ddim gwerthu, fe fu symud tros nos
    a lle gwag yn ei dderbyn y bore;
    yna'r casglu nôl adre fel chwedl Llyn y Fan,
    nôl adre ar sodlau'r bwm-beili.

SAL:

    Nôl adre bob un o'r gwallgofrwydd, ond fi:
    dim ond fi â cholled ar goll yn y gors,

IFAN:

    ar goll heb dy sgidiau, a'th sgrech yn ddiasbad trwy'r pibrwyn.

SAL:

    [Gwdihŵ, gwdihŵ ar ddisberod trwy'r gors wedi'r tlodi.]

ELEN:

    Yr hiraeth ar ôl Berti oedd yn dy wasgu nes dy lorio.

IFAN:

    A fi fu raid mynd â thi oddi yma'n y bore,
    mynd â thi oddi yma, druan fach, yn y bore.

SAL:

    Ond roeddit ti, Rhys, yn wahanol i mi, heb ddim gwendid,
    yn mesur dy gamre ac yn gwybod dy gerddediad,
    yn abl cyn dy saldra. Ac yna'r iselder.

RHYS:

    Gwall yn y co, ffit o golled, meddai'r crwner . . .

ELEN:

    Clercyn o was cyfraith yn perota'i adnodau parod,
    yn doethinebu â chlebar-wast, a phob diodde
    iddo'n ail-law, ac yn glec i'r papurau.

RHYS:

    Pwy a ŵyr beth yw'r gwir? Y crwner efallai.
    Ond hyn a wn i: mod i'n gall yn dal bargen [â'r enbydrwydd],
    yn codi a distwn fy mhris gyda'r farchnad;
    yn gall wrth borthmona [fy hoedl i'r boen]
    hyd at daro'r llaw . . .

ELEN:

    yn gall hyd y diwedd.

RHYS:

    [Tra fu'r boen yn ysigo fy nerth, ac yn lledu,
    creffais ar y cyfri, manylu ar ddwy-res mantolen yr arswyd,
    y derbyn a'r talu;
    dilynais y pin yn torri'r ffigyrau wrth adio'r cownt,
    rown i'n dilyn, ac yn deall, hyd at y ffigwr diwethaf . . .]

ELEN:

       . . . ac wedyn – ?

RHYS:

    Pwy a ŵyr? Y crwner efallai. Ond rwy'n cofio
    dal sylw ar y cloc, a chodi a mynd,
    cyrraedd y ffon fagl a hercian i dowlad y beudy,
    rhoi llaw ar war yr anner ddwyflwydd wrth fynd heibio;
    clymu'r rhaff, unpen wrth y wymben a dolen yn y llall,
    sefyll ar y mesur a gwisgo'r ddolen – yn gall.
    Roedd yr hen gath felen yn y walbant
    a'i llygaid melfed yn dal ar fy llygaid trwy'r munudau –

SAL:

       – hyd y diwedd?

RHYS:

    Dwn i ddim. Na, meddai'r crwner. Pwy a ŵyr?
    [Mae curiad caredig yng nghalon y gyfraith,
    a doedd neb i gael cam meddai hi o'm hachos.

Ond roedd hynny'n fy nghyfrif innau,
fi oedd yr ola, heb neb ar fy ôl tan ddicter cyfreithiau.]
Ac mi euthum mewn pryd cyn bod beili'n dod eilwaith i
Langors-fach.

ELEN:
Roedd y lle wedi talu'n dy ddwylo crefftus . . .

RHYS:
Doedd dim posib dal ati, a thalu gwas a bil doctor . . .

IFAN:
A'r doctor, fel cigfran ar frasder celanedd,
yn dordyn a boliog ar sgerbydau'r gors.

RHYS:
Mi delais y biliau bob un a gweld nad oedd wella,
a'r boen, mor arswydus, yn ysgraffinio'r ymennydd fel drysïen,
gorfod sgrechian, yn ddyn cryf, gan y boen fel babi,
a'r sgrech yn dihengyd o fan hŷn na rheswm.

ELEN:
[Y gwaed yn troi'n siwgr . . .

SAL:
. . . dyna eironi'r gors.

IFAN:
Cwympo'r ordd ar dy droed, a'r clais yn gig-marw . . .

SAL:
Cig-marw fel y cwbl o bawb yn y gors.

RHYS:
Diabetis a gangrin meddai'r doctor estronieithus
a bysedd y droed yn bydredd a drewdod.]

SAL:
Mae'n od iti frwydro cyhyd â'r enbydrwydd,
ond roeddit ti'n mesur dy gamre, yn dethol dy gerdded.

RHYS:

    Y gors sydd yn trechu ar ddiwedd pob codwm . . .

ELEN:

    Ond dewis dy ddewis a wnest ti ar y dowlad . . .

RHYS:

    E ddichon mai'r crwner oedd yn gwybod y gwir.

IFAN:

    Gwall yn y co, ffit o golled, meddai hwnnw,
    a gildio i'r gors fel ni'n tri yn y diwedd;

SAL:

    yn ebyrth i grombil y gors wedi'r gwyn-fan-draw,
    a melltith y gors yn ein gwysio i'r cwrt-lît
    i roi cyfri, Fihangel, o'r rhent a'r les.

ELEN A SAL:

    [Rhy uchel y rhent a rhy hir y les,
    Fihangel erlidiol, gostwng y rhent a diryma'r les.
    Mae gwreiddiau'r felltith yn derfysg trwy'r pridd,
    y gwreiddiau estynnol sy'n siglo awdurdod y bedd.
    Gostwng dy rent a diryma'r les;
    gad inni bentymor, gad ddiwedd.
        (*Newidier lliwiau'r golau.*)

MARI A SHANI:

    Ni bydd na phentymor na diwedd,
    bydd gwylnos Fihangel y meirwon byth bythoedd.
    Ni dderfydd y benyd iddynt hwy nac i ninnau;
    y bedd yn gloesi'r rhithiau o'i stumog
    yn chwydu'r aflendid i wacter y gors.
    Piau'r gors? Piau Glangors-fach ein gwehelyth?
    Cors Glangors-fach biau'n hiliogaeth ddihenydd
    o'r bore cyn bod gwawr i'r hwyr na wyr fachlud.

GWR:

    Hyd fyth y bydd gwacter yng Nglangors-fach,
    ar aelwyd a fydd adfail yng Nglangors-fach;
    mieri ac ysgall a drain lle bu mawredd
    a'i llwybrau yn lleoedd y dylluan.

Disgynnodd y felltith ddiymod ar y gors
a dialedd y gwaed yn aredig mynwentydd
i wysio tenantiaid i Langors-fach.
Brodorion y beddau'n crwydro'n ddiadlam
a'r tadau yn derbyn eu gwobr.]

MARI A SHANI:

Heno, a byth bythoedd nôl yma i'r gegin,
i gecran-cweryla am y rhent a'r les;
ninnau'n darth o'r gors yn cyfodi,
yn angau dilonyddwch, yn wacter hesb;
yn dioddef dialedd y tadau ar y plant,
yn gyrru dialedd trwy siglennydd y gors;
yn gwysi ac yn gwlltwr i aradr dialedd,
yn hadyd a thir âr i'r ddigofaint dragywydd,
heb inni orffwysfa na rhoi gorffwys.
Fihangel erlidiol, derbyn y rhent ar y les
  — y rhent rhy uchel a'r les ry hir —
derbyn y rhent ar y les.

DISGYNNED Y LLEN YN ARAF

DIWEDD

LLYTHYR SAUNDERS LEWIS

✦

Llanfarian, Aberystwyth
2.9.44

Annwyl Mr Davies,

Diolch i chi am eich llythyr caredig. Yr wyf wedi darllen eich drama ddwywaith yn awr yn y cyfansoddiadau, a gofidiaf mai unwaith y darllenais hi yn nheipysgript y gystadleuaeth *vers libre* cyn ysgrifennu fy meirniadaeth. Y mae hi'n haeddu gair da Prosser Rhys yn hytrach na'm paragraff di-weld i. Llongyfarchaf chwi'n galonnog.

Ni welaf i fod dim drwg o fod gwybod mai hi yw gwaith Gwenhafdre. Nid yw'r peth yn gyfrinach; ac os dysg y beirniad a'r cyhoedd mor ffaeledig y geill beirniad fod ac mor dwp, ni bydd ond lles o hynny.

Dymuniadau gorau,

Saunders Lewis

LLWYFANNU *MEINI GWAGEDD*

✦

F'Annwyl Mrs Lewis,

Wedi gor-oedi dyma gymryd sylw o'ch llythyr caredig wedi'r dydd yn Llanbed. Nid oedd raid i chwi boeni o gwbl am ddim a ddywedasoch chwi, neu a adawsoch heb ei ddywedyd: yr oeddech chwi, yn anad neb, wedi *gwneud* yn y prynhawn hwnnw fwy o gyfiawnder â *Meini Gwagedd*, ac â minnau, nag a allai neb arall yng Nghymru. Yn syml a chroew, diolch yn fawr iawn i chwi ac i bob aelod unigol a chyfan o'r cwmni, a phawb arall − pwyllgor drama (a'i ysgrifennydd), pwyllgor cerdd y Sir, a'r doniau di-enw tu ôl − am eich ymroi a'ch techneg feistraidd. Ni allai neb dramäwr na chyw-bardd ddymuno rhagorach llwyfan yng Nghymru. Diolch.

Bellach nid oes gennyf fawr ddiddordeb yn y trafod ai drama ai cerdd yw'r *M.G.* O'i rhoi ar lwyfan fel y'i rhoddwyd, o'i siarad fel y llefarwyd hi, y mae yn *theatr* dda. Beth arall sydd eisiau? A oes rhaid deffinio categorïau'n fanylach? Ni theimlais i fod y peth yn llusgo nac yn colli gafael ar ymennydd a theimlad am un eiliad. Ac y mae'n bryd i dorf theatr yng Nghymru gael peth anodd i ymgodymu ag ef. Byddai'r un bobl mewn theatr Saesneg yn abl i ddilyn dadl fanwl, neu geinder syniad, neu heresi dechnegol − a'u hystyried eu hunain yn bobl flaengar iawn. Onid yw'n bryd i theatr Cymru roi i'r dorf ac i'r actorion rywbeth i wneud â'u pennau ac â'u calonnau?

Gobeithio yr wyf nad oedd neb yn y theatr y Sadwrn llethol hwnnw a *ddeallodd* bob dim yn y ddrama, ar un gwrandawiad − neu'n rhwydd iawn y dihysbyddir hi. Y mae gweithiau mawr gwir lenyddol yn torri'r newydd bob tro y cynyrchir hwy o newydd neu pam yr â pobl hen-gyfarwydd i weld (neu glywed) y meistri byth a beunydd? [Wrth ymyl y frawddeg uchod ceir nodyn ar ymyl y ddalen: 'Nid bod *M.G.* yn hynny i gyd chwaith!'] Nid swydd theatr yw dihysbyddu â'r deall fel y gwneir â geiriadur, eithr creu maes o deimladrwydd − creu *deall teimladol* sy'n fwy na swm y mân-ddealliadau ymenyddol. Swydd art yw swydd y theatr ac nid swydd *ffeithiol*. Tybiaf i'r *Meini Gwagedd*, yr ysgrifennu a'r cyfleu, wneud y gwirionedd artistig hwnnw'n brofiad i'r dorf gyfan yn Llanbed. Os felly, yna gorau i gyd po fwyaf o holi, ac o fanylu, ac o ymholi − a *beirniadu* (fel y deallwch chwi y gair *criticism*) a ddigwydd bellach.

A gaf i ddweud i ryw wirionedd a grym newydd, gwahanol i'r peth y dychmygais i amdano wrth sgrifennu, ddigwydd yn eich cynhyrchiad chwi. Yng nghyflead y Tri y digwyddodd. Cawsoch chwi gan eich Tri actio tawel di-grandusrwydd, *muted emotion* – a'r gŵr mor effeithiol â neb yn y digalondid arswydus distaw. Minnau pan ddychmygais ef, meddyliais amdano fel rhyw *fury* na ellid cymod ag ef, a thân ac angerdd a *reserve* o deimlad a llais a dyfai dro a thro yn dymestl o sŵn geiriau, yn dymestl o ymrwygo, o falchder, o fost, ac o gynddaredd maleisus di-ildio. Felly hefyd ei ferched – eu hunain tan faich digllonder eu tad yn gwingo, ac ar yr un pryd *yn ymhyfrydu* eu bod hwy'n *agents* trallod y Pedwar. Rywffordd, i'r cwbl hynny, yr oedd gen i syniad y byddai mwy o sŵn a berw a mellt a tharanau: cawsoch chwithau'r angerdd cyson, oer, lleddf-dôn, *beaten, fated*. Ac yr oedd yn odidog wych – gwell, fe ddichon, na phetai rhywrai'n treio'r llall. Ta beth, yr oedd yn creu'r ymdeimlad o ddigonolrwydd *emotional*. Ymhyfrydais ynddo fel â llygaid a chlustiau newyddion. Os gallodd hynny ddigwydd i mi, beth a all eto ddigwydd i'r neb a ddigwyddo rywdro weld cynhyrchu arall arni gan gwmni a chynhyrchydd gwahanol cystal eu techneg a'u darfelydd?

Yr wyf, mi dybiaf, yn tueddu i gytuno â chwi am y tempo – iddo fod ar y cyfan yn araf a thrwmlwythog. Hwnnw yw *sail* y tempo, ond rwy'n siŵr braidd y gellid ar y sail sad, solet, orthrymol hon godi pinaclau a thyrrau ysgafnach, trywanol, llithrig, fflachiol – dyna fi wedi cymysgu pob *metaphor* posibl i dreio dweud y peth. Digwyddodd hynny lawer iawn o droeon yn enwedig yng ngwaith y Pedwar – er enghraifft, gwallgofrwydd Sal – y ddau symud, y codi a'r distwn, a'r cyflymu a'r arafu. Dichon bod pawb yno, fel finnau, yn synnu at grefft yr actorion yn creu'r llefaru effeithiol hwn, lle ni thaflwyd un tro-ymadrodd yn ddiffrwyth i ffwrdd – a minnau o'i weld cystal, yn dweud bod y tempo'n ddiffygiol! – o fod yn dywyll drwm yn lle bod yn fflachiol felltennaidd. Beth a fyn dyn digywilydd? A oes a fynno hyn hefyd â'm pwynt cyntaf am natur cymeriad y Tri?

Yr oedd y symud a gynlluniasoch trwy'r ddrama'n effeithiol a chyrhaeddgar a *di-wast*. Yn ei nodyn ar hyn yn *Y Faner* nid yw D.Ll.J. yn egluro fy mwriad i yn y cyfarwyddiadau llwyfan. Y peth a fynnwn i oedd gwahardd y symud *fussy* gwastraffus, di-ddiben sy'n nodweddu'r llwyfan – gan hynny i beidio â rhoi cyfle i neb i *wneud* y mân bethau 'dramatig' fel tanio sigarét neu grynhoi'r tân neu bowdro trwyn neu ymladd â dyrnau etc.; ac nid gwahardd y symud cynhenid oedd yn bywiocáu: llefaru cywrain, a'r *grouping* nodedig o glyfar a oedd gennych chwi. Gyda'r Pedwar yr oedd y symud yn llwyr a gorchestol ddifai – a gaf i fentro awgrym mewn llais na ellwch chwi mo'i glywed, nad oeddwn i mor sicr o'm boddhau gyda symudiadau'r Tri. Dyma, rwy'n credu, yw hanfod y gwahaniaeth: fy mod i, wrth ysgrifennu wedi lled-ystyried bod y Pedwar yn gig a gwaed realaeth, a bod eu symud realistig fel eu geirfa a'u ffwdanau yn taro iddynt; ac i mi ar y llaw arall ddirgel-ddychmygu'r Tri fel rhyw *Chorus* an-realistig, rhyw *ffawd* 'amdanyn nhw'n darth' – pethau tu hwnt i ffwdanau a realistigrwydd, pethau bythol fel niwl am ben mynydd neu lwydrew ar ochr wrth-wyneb-haul y Rhondda. 'Adrodd' ac nid 'actio' gan hynny, a weddai iddynt. Gwn yn eitha da i minnau wrth lunio'r naill grŵp a'r llall gymysgu eu tylwyth – i'r Pedwar beidio â bod yn realistig droeon, ac i'r Tri droi yn gig a gwaed gan amled. Wedi gwneud hynny o ymddiheuro tybiaf eto, o weld meistri yn troi'r peth i'r llwyfan, y gellid mentro cadw'r Tri bron yn llwyr-lonydd – *silhouette* ar wybren gyf-newidiol. Yn enwedig pan fônt yn barod i gilio o'r llwyfan, ystyried yr wyf y dylent *orffen siarad* cyn dechrau symud, ac hyd y bo modd peidio â'u *gweld* yn symud. Gwn i'r drysau unwaith neu ddwy ollwng golau i mewn fel na chaed y *düwch* yr oeddech chwi amdano. Gwn hefyd fod y blowsys gwyn yn anos eu tywyllu na rhyw wisgoedd llai amlwg – ond heb y damweiniau – yr oeddech chwi'n cynllunio iddynt lefaru ar y ffordd i mewn ac allan: minnau, tybiwn na ddylid hynny, ac y dylai eu symud hwy fod mor *minimum* ag y caniatâi *grouping*. Er enghraifft, yr oedd y Gŵr pan welwyd ef gyntaf yn arswydus yn ei lonyddwch tyngedfennol ac yn enbyd pan gododd o'i eistedd, ac wedyn pan droai bob tro i'r un cyfeiriad, *Stylistic statuary* – neu ryw eiriau cyffelyb – yw fy meddwl. Hynny wrth gwrs oedd eich patrwm: hynny a gafwyd – ond fy mod i'n mentro credu (gyda'r llais bach nad ŷch chwi i'w glywed) i'r peth llonydd hwn gael ei dorri ambell waith. Pe ni thorrid byddai'r gwahaniaeth rhwng y naill grŵp a'r llall yn haws a sicrach ei sefydlu trwy glust a llygad y dorf – efallai!

Yr oedd y siarad *off-stage* (neu yn y düwch) yn gywir ac yn rhan o'r arswyd, y gwisgoedd a'r *make-up* yn ateb i'r dim (ac eithrio efallai, o ran hwylusdod düwch y gwynder yn Shani a Mari), y goleuadau llwyfan etc. yn gywir.

Am y llethu du, diddianc, sy yn y ddrama, yr wyf yn gyntaf am ddweud bod D.J.M. (Pant a Bryn) wedi rhoi ei fys ar y *gweld* cyntaf a gefais; nid oes ddianc rhag enbydrwydd arswydus economeg y gors. Gweld cefn gwlad yn dihoeni a wneuthum, ac ni allai fod *ysgafnder*, yn ystyr comedi a chwerthin a *happy ever after* (yn y peth lleiaf) yng nghyweirnod y ddrama. Gwn eich bod chwithau'n cydnabod hynny, ac nad ysgafnder yn yr ystyr hynny sydd gennych, ond y gynneddf ryfedd honno sy'n gallu codi'r *sordid* i fod yn *dramatic tragedy*, sy'n gallu gwneud pob pechadur yn *hero*, sy'n gallu gwneud i *ymdrech foesol* ddywedyd a fo'n fwy, ac yn tra-arglwyddiaethu ar y manylion-ffawd . . .

SŴN Y GWYNT SY'N CHWYTHU

✦

Heddiw
Daeth awel fain fel nodwydd syring,
Oer, fel ether-meth ar groen,
i chwibanu am y berth â mi.
Am eiliad, fe deimlais grepach yn f'ego,
fel crepach llwydrew ar fysedd plentyn
wrth ddringo sticlau'r Dildre a'r Derlwyn i'r ysgol;
dim ond am eiliad, ac yna ailgerddodd y gwaed,
gan wneud dolur llosg fel ar ôl crepach ar fysedd,
neu ether-meth ar groen wedi'r ias gynta.
    Ddaeth hi ddim drwy'r berth
er imi gael adnabod ei sŵn sy'n chwythu,
a theimlo ar f'wyneb
lygredd anadl mynwentydd.
Ond y mae'r berth yn dew yn y bôn, ac yn uchel,
a'i chysgod yn saff na ddaw drwyddi ddim,
– dim byd namyn sŵn y gwynt sy'n chwythu.

★   ★   ★

Hy!
Ti sy wedi bostio erioed
nad oes arnat ti ddim ofn marw,
ond dy fod ti yn ofni gorfod diodde poen.
Chest ti ddim erioed gyfle
i ofni na marw na diodde poen,
– ddim erioed, gan gysgod y berth sy amdanat.
    Do, do rwyt ti, fel pawb yn d'oedran di,
wedi gweld pobl mewn poen,
a gweld pobl yn marw – pobl eraill –
heb i'r gwynt sy'n chwythu dy gyrraedd di'n is nag wyneb y croen,
heb i ddim byd o gwbl ddigwydd y tu mewn i'r peth wyt ti.
    I ti, peth iddyn nhw, y lleill,
yw diodde poen a marwolaeth,
yw pob bwlch argyhoeddiad, yn wir,
yn gywir fel actio mewn drama.

Wyt ti'n cofio dod nôl yn nhrap Tre-wern
o angladd mam? Ti'n cael bod ar y sêt flaen gydag Ifan
a phawb yn tosturio wrthyt, yn arwr bach, balch.
Nid pawb sy'n cael cyfle i golli'i fam yn chwech oed,
a chael dysgu actio mor gynnar.
    Neu a wyt ti'n dy gofio di'n bymtheg oed
yng nghwrdd gweddi gwylnos Rhys Defi?
Roedd llifogydd dy ddagrau di'n boddi hiraeth pawb arall,
('ar dorri 'i galon fach,' medden nhw, 'druan bach')
a llais dy wylofain di fel cloch dynnu sylw;
dim ond am fod hunandod hiraeth pobol eraill
yn bygwth dy orchuddio di, a'th gadw di y tu allan i'r digwydd.
Roet ti'n actor wrth dy grefft, does dim dwywaith,
ac yn gwybod pob tric yn y trâd erbyn hynny.
    O ydy, mae hi'n ddigon gwir, wrth gwrs,
na wnest ti fyth wedyn golli dagrau wrth un gwely cystudd
nac wylo un defnyn ar lan bedd neb
o gywilydd at dy actio 'ham',
a gormodiaith dy felodrama di dy hun, y tro hwnnw.
Onid amgenach crefft gweflau crynedig
a gewynnau tynion yr ên a'r foch,
llygaid Stoig, a gwar wedi crymu,
mor gyrhaeddgar eu heffaith ar dy dorf-theatr di?
'O, roedd e'n teimlo, druan ag e, roedd e'n teimlo,
roedd digon hawdd gweld, ond mor ddewr, mor ddewr.'
Arwr trasiedi ac nid melodrama mwy – uchafbwynt y grefft,
a thithau heb deimlo dim byd
ond mwynhau dy actio crand, a chanmoliaeth ddisgybledig
y dorf o glai meddal dan dy ddwylo crochenaidd.
Na, ddaeth dim awelig i gwafrio dail dy ganghennau di,
chwaethach corwynt i gracio dy foncyff
neu i'th godi o'th bridd wrth dy wraidd.
Ddigwyddodd dim byd iti erioed
mwy nag iti glywed sŵn y gwynt sy'n chwythu
y tu hwnt i ddiogelwch y berth sydd amdanat.

★   ★   ★

    Roedd tir Y Llain ar y gors uchel
sydd ar y ffin rhwng Caron-is-clawdd a Phadarn Odwyn
yn goleddu o'r Cae Top i lawr at Y Waun,
a thu hwnt i'r Cae Top roedd llannerch o goed duon –

pinwydd a *larch* tal – i dorri'r gwynt oer,
gwynt y gogledd.
Ac yna'r mân gaeau petryal
fel bwrdd chwarae drafffts, neu gwilt-rhacs,
ac am bob un o'r caeau, berth.
 'Y nhad a fu'n plannu'r perthi pella o'r tŷ –
perthi'r Cae Top a'r Cae Brwyn,
a minnau'n grwt bach wrth ei sodlau
yn estyn iddo'r planhigion at ei law;
tair draenen wen a ffawydden,
tair draenen wen a ffawydden yn eu tro;
a'i draed e'n mesur rhyngddyn nhw ar hyd pen y clawdd
a'u gwasgu nhw'n solet yn y chwâl bridd-a-chalch.
Yna'r weiro patrymus y tu maes iddyn nhw –
y pyst-tynnu sgwâr o bren deri di-risgl
wedi'u sinco'n ddwfn i'r tir byw –
a minnau'n cael troi'r injan-weiro ar y post
tra fydde fe'n staplo,
a'r morthwyl yn canu'n fy nghlust dan y ffusto.
A minnau'n mentro ar y slei-bach
ddanfon telegram yn ôl tros y gwifrau tyn
i'r plant eraill y pen draw i'r clawdd,
a nodyn y miwsig yn codi ei bitsh
wrth bob tro a rown i handlen yr hen injan-weiro.
 'Nhatcu, meddai 'nhad, a blanasai'r Caeau Canol,
 Cae Cwteri, Cae Polion, Cae Troi –
ond roedd cenedlaethau na wyddwn i ddim byd amdanyn nhw,
ond ôl gwaith eu dwylo ar y Cae Lloi a'r Cae Moch,
wedi plannu'r coed talgryf boncyffiog rownd y tŷ,
a gosod eirin-pêr yma a thraw yn y perthi.
 Roedd llun mewn llyfr hanes yn yr ysgol
o'r Sgwâr Prydeinig yn yr Aifft,
(neu Affganistan neu'r India, efallai,
man a arferai fod yn goch ar y map, ta beth,)
a rhes o gotiau coch ar eu boliau ar y llawr,
ail res y tu ôl iddi hi ar eu gliniau
a'r drydedd res ar ei throed,
a'r cwbl yn saethu anwariaid melyngroen ar feirch yn carlamu
a gwneud iddyn nhw dynnu'n ddi-ffael i'r chwith ac i'r dde yn eu rhuthr,
heb allu torri trwy rengoedd di-syfl y sgwâr mewn un man.
A dyna fu'r perthi i mi fyth ar ôl hynny,
rhengoedd o ddewrion yn cadw'r gwynt a'r corwyntoedd

rhag cipio cnewyllyn fy mod – caer fewnol fy Llain.
Ond nid anwariaid (er mor wyllt) ar feirch diadenydd
mo'r gwyntoedd, ond llengoedd o ysbrydion
yn codi, heb allu haltio yn eu rhyferthwy ysgubol,
yn grwn tros y perthi a thros frigau'r coed,
yn grwn tros Y Llain heb ysigo teilsen o'r to,
ac yna dri chae o dan y tŷ
yn disgyn trachefn i'r gors
i erlid y mwsog crin a gwlân y plu-gweunydd,
a'u plethu a'u clymu yn sownd yn y pibrwyn.
　　A dyna lle byddem ni'r plant
yn ddiogel mewn plet yn y clawdd tan y perthi
a'r crinddail yn gwrlid i'n cadw ni'n gynnes,
(fel plant bach y chwedl wedi i'r adar eu cuddio â dail).
Doedd yr awel oedd yn tricial trwy fonion y perthi
ddim yn ddigon i mhoelyd plu'r robin a'r dryw.
Ond uwch ben y perthi a'r coed, uwch ben y tŷ,
fry yn yr entrych, roedd y gwynt
yn twmlo'r cymylau, a'u goglais nes bo'u chwerthin gwyn
yn hysteria afreolus fel plant ar lawr cegin,
oni bydd gormod o'r chwarae'n troi'n chwithig yn sydyn
a gwynder y chwerthin yn cuchio, a duo,
a'r dagrau yn tasgu, a'r cymylau'n dianc
ar ras rhag y gwynt, rhag y goglais a'r twmlo,
yn dianc bendramwnwgl rhag pryfôc y gwynt –
y gwynt erlidus o'r tu allan i mi,
a minnau yn saff yn y plet yn y clawdd tan y dail
yn gwrando ei sŵn, y tu allan,
heb ddim byd yn digwydd y tu mewn i'r hyn wyf i
gan ofal a chrefft cenedlaethau fy nhadau
yn plannu eu perthi'n ddarbodus i'm cysgodi yn fy nydd.
Dim – er imi fynnu a mynnu.

★　　★　　★

Ond chwarae teg nawr,
bydd di'n deg â thi dy hunan, a chyfadde
iti dreio dy orau i'th osod dy hun
yn nannedd y gwynt, fel y câi ef dy godi
a'th ysgwyd yn rhydd o ddiogelwch dy rigol.
Fe ddringaist y ffawydden braffaf i'r brigyn
ar dywydd teg yn yr haf

i redeg ras â'r gwiwerod trwy'r brigau ir, deiliog
gan fentro neidio ar eu holau o golfen i golfen;
a dringaist, y gaeaf, y boncyff noethlymun
i'r man roedd hi'n arswyd i'r llygad dy ddilyn
wrth ysgwyd ar y meinder fel brân ar y brigyn,
dy liniau a'th freichiau'n marchogaeth y pren
a'th lygaid ynghau gan yr ymchwydd syfrdan
fel babi yn cysgu'n ei grud gan y siglo.
Bydd di'n onest, nawr;
nid pawb sy'n mentro marchogaeth y gwynt,
y gwynt sy'n chwythu lle y mynno.

★   ★   ★

   Mi est ti i lawr i Donypandy i'r Streic a'r Streic Fawr,
i'r carnifal jazz, a *football* y streicwyr a'r plismyn,
at y ceginau cawl a'r coblera,
y ffeiriau sborion i Lazarus gornwydlyd,
gan helpu i ysgubo'r briwsion sbâr o'r bordydd i'r cŵn tan y byrddau
gan arllwys cardodau fel rwbel ar y tipiau
neu hau *basic-slag* ar erddi *allotment* o ludw
i dwyllo'r pridd hesb i ffrwythlonder synthetig.
   Yno roedd y perthi wedi syrthio a'r bylchau yn gegrwth
a'r strydoedd culion fel twndis i arllwys
y corwynt, yn chwythwm ar chwythwm,
i chwipio'r corneli a chodi pennau'r tai
a chwyrlïo dynionach fel bagiau-*chips* gweigion
o bared i bost, o gwter i gwter;
y glaw-tyrfau a'r cenllysg yn tagu pob gratin
gan rwygo'r palmentydd a llifo drwy'r tai,
a lloncian fel rhoch angau'n y seleri diffenest;
a newyn fel brws-câns yn ysgubo trwy'r aelwydydd
o'r ffrynt i'r bac a thros risiau'r ardd serth,
i lawr i'r lôn-gefn at lifogydd yr afon,
y broc ar y dŵr du sy'n arllwys o'r cwm,
i'w gleisio a'i chwydu ar geulannau'r gwastadedd
yn sbwriel ar ddifancoll i bydru.
   A dyna lle'r oeddit ti fel Caniwt ar y traeth,
neu fel Atlas mewn pwll glo
â'th ysgwydd tan y creigiau'n gwrthsefyll cwymp,
neu â'th freichiau ar led rhwng y dibyn a'r môr
yn gweiddi 'Hai! Hai!'
ar lwybr moch lloerig Gadara.

O do, fe heriaist ti ddannedd y corwynt
a dringo i flaen y pren a blygai i'w hanner
gan ysgytiadau'r tymhestloedd oni bu raid iti
suddo d'ewinedd i'r rhisgl a chau dy lygaid
rhag meddwi dan ymchwydd dy hwylbren.
     Cofia di,
doedd dim rhaid iti, mwy na'r rhelyw o'th gymheiriaid,
ysgrechian dy berfedd i maes ar focs sebon
ar gorneli'r strydoedd a sgwarau'r dre:
peth i'w ddisgwyl mewn mwffler-a-chap oedd peth felly,
nid peth neis mewn coler-a-thei.
Doedd dim taro arnat ti orymdeithio yn rhengoedd y di-waith,
dy ddraig-rampant yn hobnobio â'r morthwyl a'r cryman,
i fyny i Sgwâr y Petrys, i lawr Ynyscynon a thros y Brithweunydd,
heibio i'r Llethr-ddu at y Porth a'r Dinas
ac yn ôl tros Dylacelyn a thrwy Goed y Meibion
i gae'r Sgwâr, a'r gwagenni, a'r cyrn-siarad, a'r miloedd ceg-agored

★   ★   ★

Na!
doedd dim raid iti
fentro'r *Empire* a'r *Hippodrome* tan eu sang ar nos Sul,
 – di geiliog bach dandi ar domen ceiliogod ysbardunog
y Ffederasiwn a'r *Exchange* –
ond mi fentraist,
a mentro ar lecsiynau i'r Cyngor tref a'r Sir
a'r Senedd maes o law
yn erbyn Goliath ar ddydd na ŵyr wyrth,
y cawr sydd â phigion y swyddi yn enllyn ar dy fara
ond iti estyn dy dafell a begian yn daeog ddeheuig.
Wel na, a does arna i ddim cywilydd cael arddel
bod yr ardd wrth y tŷ wedi'i phalu drwy'r blynyddoedd
a'i chwynnu yn ddygn nes bod y cefn ar gracio;
ond y pridd sydd yn drech na mi, a'r confolfiwlws
fel y cancr yn ymgordeddu trwy'r ymysgaroedd
gan wasgu'r hoedl i'r gweryd, ewinfedd wrth ewinfedd ddiymod.
Po ddyfnaf y ceibiwn, cyflymaf y dirwynai'r
confolfiwlws nadreddog drwy'r chwâl,
gan ddringo pob postyn a llwyn tan fy nwylo
a thagu'r rhosynnau a'r ffa yn eu blodau

a dyrchafu eu clychau gwyn glân fel llumanau,
neu fel merched y gwefusau petalog
sy'n dinoethi eu dannedd i wenu'n wyn
heb fod chwerthin yn agos i'w llygaid, ond bustl yn y pyllau.
    Fe fynnwn i gadw Cwm Rhondda i'r genedl
a'r genedl hithau yn ardd gan ffrwythlondeb.
'Pa sawl gwaith y mynaswn i gasglu dy gywion ond nis mynnit.'
Ond roedd hi'n arial i'r galon gael clywed fforddolion tros glawdd yr ardd
yn fy nghyfarch – 'Paid â'th ladd dy hunan, y gwirion;
rwyt ti'n gweithio'n rhy galed o fore hyd hwyr,
o wanwyn i hydre, a thâl pridd dy ardd iti ddim.'
Yna wrth droi i'w rhodianna fe'u clywn:
'Mae ef fan yna'n ei ddau-ddwbwl, mor ffôl, mor ffôl.'
A'r chwyn lladradaidd yn dwyn gwely ar ôl gwely
fel nad oedd dim ond un gwely glân heb ei ddifa,
fy aelwyd, fy mhriod a'r tair croten fach –
yn Gymry Cymraeg ac yn falch fel tywysogesi.
    Do, rwy'n adde imi dreio fy mwrw fy hun
i ddannedd y corwynt i'm codi ar ei adenydd
a'm chwythu gyda'i hergwd lle mynnai
yn arwr i achub fy ngwlad.
Cans nid chwythu lle y mynno yn unig y mae'r dymestl,
ond chwythu a fynno o'i blaen lle y mynno;
'Pwy ar ei thymp ŵyr ei thw,' meddwn innau.

★   ★   ★

O cau di dy geg â'th hunandosturi celwyddog
a'th hunan-fost seimllyd o ffals.
Rwyt ti'n gwybod mai chwarae penysgafn â gwiwerod
oedd llithro o golfen i golfen;
ac mai chwarae mwy rhyfygus oedd hofran yn y gwynt
fel barcut papur, a bod llinyn yn dy gydio di'n ddiogel wrth y llawr,
lle'r oedd torf yn crynhoi i ryfeddu at dy gampau
ar *drapeze* y panto a'th glownio'n y syrcas.
Nid marchogaeth y corwynt, ond hongian wrth fwng
un o geffylau bach y rowndabowt oedd dy wrhydri,
ceffyl-pren plentyn mewn meithrinfa,
a sŵn y gwynt i ti'n ddim ond clindarddach miwsig recordiau
peiriant sgrechlyd y ffair wagedd.
Ddioddefaist ti ddim cymaint â chrafiad ar dy groen
wrth ganlyn gwiwerod y ceginau – y cawl a'r coblera –

pan oedd dy gardodau di'n grawn yng nghlwy septig,
yn gornwydydd llidus, ar enaid trueiniaid y *Means Test.*
Y gorymdeithio banerog, yr huodledd a'r lecsiwna'n
ddim ond styntio dy awyrblan di wrth ddolennu dolennau
yn lle hedfan yn union i'th siwrne a'th hangar,
fel hedegwyr y pleidiau awdurdodedig.
'Petai e', medden nhw, 'yn hedfan yn syth at y nod, fel ni,
gan adael ei gwafars, fe âi e'n lled bell,
fe ddôi swyddi ac anrhydedd a sedd yn y Senedd
a chyfle i weithio yn gall tros Gymru
o'r tu mewn i'r unig Barti sy'n cyfri.'
'Ac fel mae e,' meddai eraill, 'fe gaean ei geg e â swyddi maes o law,
a'i brynu e fel y lleill â rhubanau.'
Roeddit tithau wrth dy fodd yn pryfocio'r corwyntoedd
gan ddanglo'n gellweirus i ddifyrru'r rabl geg-agored.
Dy rofio â rhaw-dywod a bwced glan-y-môr
yn yr ardd, gan sinachad y confolfiwlws
– cancr Seisnigrwydd sy'n cordeddu trwy Gymru –
doedd hynny'n ddim byd ond siawns i glustfeinio am y clawdd
ar y fforddolion didaro mor fwyn yn dy alw di'n wirion;
ond chlywaist ti mo'u geiriau nhw wedi iddyn nhw droi ymaith,
– mae'r Cymry'n rhy fonheddig i ddweud y gwir yn dy wyneb –
y ffŵl dwl, y lobyn, yr idiot, medden nhw,
'mwy na all e wneud fydd cadw un gwely yn lân
rhag y confolfiwlws – fe dry ei aelwyd e'n Saesneg yn ei thro
fel ein haelwydydd ni i gyd pan ddaw'r plant i oed ysgol.'
Ac felly y byddai hi, debyg iawn,
oni bai ddyfod yr Ysgol Gymraeg i gynnal dy aelwyd yn dy le.
    Mae rhuad y dymestl yn y pellter yn fiwsig
i'th glustiau pan fo'i sŵn hi yn chwythu.
Ond pwy ar ei thymp ŵyr ei thw, meddit ti.
Wel, nid ti, er dy fost a'th bitïo celwyddog a ffals . . .
ond y mae yna un peth arall i'w ateb.

    ★   ★   ★

Oes, fe ddichon,
ond dwyt tithau â'th dafod papur-swnd,
rhasb dy feirniadu a ffeil dy anymddiried,
ond yn rhychio a sgraffinio sglein y polish ar gelfi gwirionedd.
'Atolwg, pa beth yw gwirionedd?'
O wynt y gwirionedd, tyrd yn dy rwysg a'th rym

i chwythu â'th ysbryd lle y mynni
yw'r ateb i Beilat ac i tithau.
    Mor debyg i stori atodiad
Ioan Efengylydd am Bedr
yn mynd i bysgota liw nos,
wedi blino ar addewid y Deyrnas na ddôi,
a'r Brenin tan gabl y tu allan i'r ddinas.
Roedd pob troed tan ffenestr yr Oruwch-ystafell
yn dramp milwyr Rhufain, neu swn slei-bach
ysbïwyr yr Archoffeiriad, i'w gael yntau i'r ddalfa.
Er mor rhiniol y tair blynedd yn y cwmni rhyfeddol,
nes dyheu cael pabellu gyda'r Gweddnewid llachar;
eto mor anghyfrifol ym mlynyddoedd cyfrifoldeb, ac yn oedran gŵr
fai codi tŷ ar *chimera* awr iasber llencyndod.
Na, rwy'n mynd i bysgota, medd Pedr,
nôl at y cychod a'r rhwydi, a'r môr anwadal-drofaus;
yno y mae sicrwydd diogelwch.
Fel llestri'r cwpwrdd-glas, rhy ddrudfawr i'w mentro
ar ford y gegin bob dydd, yw'r cyffro adolesent, gan mor gain, mor gain.
    A'r nos honno ni ddaliasant hwy ddim.
Dyna wyrth.
Bu trip, un ddunos, ar y môr heb y Cwmni'n y cwch
yn ddigon i'w dieithrio rhag ei nabod y bore ar y lan,
er gorfod troi adre yn waglaw fethiannus.
Beth tai'r rhwydi yn llawn a'r cwch tan ei sang gan eu pysgod!
Y nos honno
– er eu doniau cyfarwydd gyda chelfi eu crefft, ac arferion y môr –
ni ddaliasant hwy ddim (O Wyrth!)
rhag llwyddo o Bedr i lithro yn slic
fel un o'i bysgod ef ei hun, o gledr y llaw a'i cynhaliai,
a throi i falchïo yng nghaniad y ceiliog.
    Wrth wledda ar y wledd a baratoesid
a chyfannu'r Gymdeithas a'r cwmni,
Efe
a gymerth fara ac a'i rhoddes iddynt
yn sacrament,
a'r pysgod a ddaliasant yr un modd,
pysgod eu profiad yn troi'n rhan o'r sagrafen
gyda'r bara a roddes Efe.
    Yna'r holi.
A wyt ti'n fy ngharu i'n fwy na'r rhai hyn,
yn fwy na'th bysgod a'th rwydi,

yn fwy na haul-a-chawod cyfnewidiol mis Ebrill llencyndod?
Ai atynt hwy y mynnit ti droi yn awr dy sadrwydd, ac yn oedran gŵr,
at y diogelwch cyn y cyffro a'r ias,
cyn i sŵn y gwynt sy'n chwythu daro'n siarp ar dy glustiau?
Mae iti ddewis, Bedr, un dewis terfynol:
pan oeddit ti'n ieuanc fe'th wregysit dy hun
a rhodio y ffordd a fynesit;
ond pan elych di'n hen, arall a'th wregysa
ac a'th arwain y ffordd ni fynnit.
'Ond ymhle, a pha bryd y cyrhaedda i ben siwrne ar dy gefn-ffordd
                                        ddigysgod Di?'
'Ni pherthyn iti wybod na'r amseroedd na'r prydiau,
eithr canlyn di Fi.'
A hyn a ddywedodd efe gan arwyddo
â pha fath angau y gogoneddai efe Dduw,
gan orchymyn i'r gwynt sydd yn chwythu
ei chwythu o'i flaen lle y mynnai.
    Fe fuost tithau'n crefu a gweddïo
am brofiad fel un Pedr i'th godi ar flaen y gwynt,
iddo gael dy chwythu di eilchwyl i'r fedyddfaen
fel y dilëid y dŵr bedydd ar dy dalcen
a'r enw Dyn a roid arnat,
ac y trochid di yno ym medydd yr Ysbryd,
a rhoi enw sant yn dy galon.
    A dyw waeth iti gyhoeddi hynny i'r bobol na pheidio!

★   ★   ★

Y Duw hwyrfrydig i lid a faddeuo fy rhyfyg
yn pulpuda, yn canu emynau a gweddïo arno Ef,
a wisgodd amdano awel y dydd,
i ddyfod i oglais fy ais i'm dihuno o'm hepian.
Gofynnais am i'r gwynt a fu'n ymorol â'r sgerbydau
anadlu yn f'esgyrn sychion innau anadl y bywyd.
Eiriolais ar i'r dymestl nithio â'i chorwynt
garthion f'anialwch, a mwydo â'i glawogydd
grastir fy nhir-diffaith oni flodeuai fel gardd.
Apeliais â thaerineb heb ystyried –
heb ystyried (O arswyd) y gallai E 'nghymryd i ar fy ngair
y gallai E 'nghymryd i ar fy ngair ac ateb fy ngweddi.
Ac ateb fy ngweddi.

Wrandawr gweddïau, bydd drugarog,
a throi clust fyddar rhag clywed f'ymbilio ffals,
rhag gorfod creu sant o'm priddyn anwadal.

Y Diymod heb gysgod cyfnewidiad un amser,
na letha fi ag unplygrwydd ymroad,
ond gad imi fela ar grefyddolder y diletant,
o flodyn i flodyn yn D'ardd fel y bo'r tywydd.

Y Meddyg Gwell,
sy'n naddu â'th sgalpel rhwng yr asgwrn a'r mêr,
atal Dy law rhag y driniaeth a'm naddai
yn rhydd oddi wrth fy nghymheiriaid a'm cymdogaeth,
yn gwbl ar wahân i'm tylwyth a'm teulu.

Bererin yr anialwch,
na osod fy nghamre ar lwybr disberod y merthyr
ac unigrwydd pererindod yr enaid.

O Dad Trugareddau, bydd drugarog,
gad imi gwmni 'nghyfoedion, ac ymddiried fy nghydnabod,
a'r cadernid sydd imi yn fy mhriod a'r plant.

Y Cynefin â dolur, na'm doluria
drwy noethni'r enaid meddal, a'i adael wedi'i flingo
o'r gragen amddiffynnol a fu'n setlo am hanner-can-mlynedd
yn haenen o ddiogi tros fenter yr ysbryd,
na châi tywodyn anghysuro ar fywyn fy ego.

Rwy'n rhy hen a rhy fusgrell a rhy ddedwydd fy myd,
rhy esmwyth, rhy hunanddigonol,
i'm hysgwyd i'r anwybod yn nannedd dy gorwynt.
Gad imi lechu yng nghysgod fy mherthi, a'r pletiau'n fy nghlawdd.

Frenin brenhinoedd, a'r llengoedd angylion wrth Dy wŷs yn ehedeg,
a gwirfoddolion yn balchïo'n Dy lifrai – Dy goron ddrain
a'th bum archoll –
paid â'm presio a'm consgriptio i'r lluoedd sy gennyt
ar y Môr Gwydr ac yn y Tir Pell.

Yr Iawn sydd yn prynu rhyddhad,
gad fi ym mharlwr y *cocktails* i'w hysgwyd a'u rhannu
gyda mân arferion fy ngwarineb
a'r moesau sy mewn ffasiwn gan fy mhobol.
Na fagl fi'n fy ngweddïau fel Amlyn yn ei lw,
na ladd fi wrth yr allor y cablwn wrth ei chyrn,
ond gad imi, atolwg, er pob archoll a fai erchyll,
gael colli bod yn sant.

Quo vadis, quo vadis, i ble rwyt ti'n mynd?
Paid â'm herlid i Rufain, i groes, â 'mhen tua'r llawr.

O Geidwad y colledig,
achub fi, achub fi, achub fi
rhag Dy fedydd sy'n golchi mor lân yr Hen Ddyn.
Cadw fi, cadw fi, cadw fi
rhag merthyrdod anorfod Dy etholedig Di.
Achub a chadw fi
rhag y gwynt sy'n chwythu lle y mynno.
Boed felly, Amen,
  ac Amen.

Neuadd Maesyrhaf, Trealaw

....

Gweithiau Kitchener Davies

gan

Gwmni Panel Drama Sir Aberteifi

(O dan nawdd CYNGOR GWLAD CEREDIGION)

....

Cynhyrchydd: Mrs. MARY LEWIS

....

Cadeirydd:

Aneirin Talfan Davies, B.B.C.

....

Nos Sadwrn, Tachwedd 24, 1956

" Meini Gwagedd "

(Buddugol yn Eisteddfod Llandebie, 1944)

Y Cymeriadau

Y Tri:

Gŵr .... E. D. Jones
Mari ⎰ ei ddwy ⎱ .... Mair Meganwy Jones
Shani ⎱ ferch ⎰ .... Neli Davies

Y Pedwar:

Ifan .... Ioan Griffiths
Elen .... Nansi Lewis
Sal .... Sadie Jenkins
Rhys .... Dai Williams

Lle: Adfeilion Glangorsfach.

Amser: Nos Gŵyl Fihangel, yn unrhyw un o flynyddoedd y ganrif hon.

Paentiwyd y cefndir gan John Elwyn.

" Y Tri Dyn Dierth "

(Seiliedig ar stori fer gan Thomas Hardy)

Y Cymeriadau

Dafydd .... Tudor Jones
Leisa .... Neli Davies
Mari .... Mary James
Rhys .... Stanley Jones
Lies .... Olifer Williams
Jac .... Aneurin Jenkins Jones
Nans .... Nansi Lewis
Catrin .... Nansi W. Jones

Sian .... Mair Meganwy Jones
Siencyn .... E. D. Jones
Y Dyn Dierth Cyntaf .... Dai Williams
Yr Ail .... Alwyn Jones
Y Trydydd .... Ithel Jones
Ceidwad .... Ioan Griffiths

Lle: Cegin ar Fannau Brycheiniog.
Amser: Tua 1850.
Y dawnsio yng ngofal Nansi W. Jones.
Wrth y delyn: Rhiannon Davies.

" Sŵn y Gwynt sy'n Chwythu "

Cyflwyniad o'r Bryddest Radio gan nifer o leisiau)

Cymeriadau

Yr Awdur .... T. James Jones
Tri a'i adnabu'n ifanc .... Sadie Jenkins
                                            Tudor Jones
                                Mair Meganwy Jones
Tri a'i adnabu yn ei
   flynyddoedd gwaith .... Ioan Griffiths
                                        Alwyn Jones
                                        Ithel Jones
Llais mewnol .... Aneurin Jenkins Jones

Ysgrifennydd y Panel Drama: Olifer Williams.

·······

Dymuna'r pwyllgor ddiolch yn gynnes am bob
cefnogaeth a charedigrwydd.

NODDWYR

***

Parch. D. J. Morgan, Ynyshir.
Mr. a Mrs. George Davies, Treorci.
Mr. D. Haydn Davies, B.B.C.
Mr. Emyr Humphreys, B.B.C.
Miss Nan Davies, B.B.C.
Mr. Emrys Simons, Tonyrefail.
Mrs. Edwards, Chemist, Treorci.
Mr. Evans, Confectioner, Pentre.
Mr. a Mrs. Dan Davies, Trewiliam.
Mr. a Mrs. David Davies, Tylorstown.
Mr. Eic Davies, Gwauncaeurwen.
Miss Nora Isaac, Coleg y Barri.
Mr. Elfyn Talfan Davies, Brynaman.
Mrs. Dilys Davies, Blaengwynfi.
Mr. a Mrs. Brynmor Williams, Porth.
Mr. a Mrs. Glyn James, Ferndale.
Miss Eurfron Griffiths, Ynyshir.
Mr. Meurig Jones, Gelli.
Mri. Evans a Short Cyf., Tonypandy.
Mrs. M. Powell, Ton Pentre.
Mr. Gilbert Davies, Ferndale.
Mr. D. T. Lewis, Treorci.
Mr. R. Cummings, Ystrad.
Mr. a Mrs. Trefor Jones, Ton Pentre.
Mr. Gareth James, Ferndale.
Mr. a Mrs. W. Jones, Tonypandy.
Mr. Ieuan Parry, Ferndale.
Dr. J. Gwyn Griffith, Abertawe.
Miss B. Meddlicott, Gelli.
Mrs. Wyn Morris, Caerdydd.
Miss G. Owen, Ystrad.
Mr. Dudley Metford, Tonypandy.
Mr. a Mrs. Ben Harcombe, Tonypandy.
Mr. a Mrs. E. Jones, Tonypandy.
Mr. Dan Jones, Pontygwaith.
Misses S. a E. Jones, Treherbert.
Miss Olwen Jones, Treorci.
Mrs. M. Roberts, Ynyshir.
Mr. John Owen Penybont-ar-Ogwr.
Mr. a Mrs. Cynlais Evans, Porth.
Mr. a Mrs. J. Harcombe, Trealaw.
Mr. a Mrs. A. Davies, Trealaw.
Mr. a Mrs. Edwards, Penygraig.
Mr. a Mrs. W. Lewis, Tonypandy.
Mrs. Rees, " Aeron," Trealaw.
Mr. a Mrs. H. O. Edwards, Tonypandy.
Cynghorwr H. P. Richards, Caerffili.
Parch. Erfyl Blainey, Ferndale.
Mr. a Mrs. Allen, Trealaw.
Mr. H. W. J. Edwards, Trealaw.

Evans a Short Cyf., Argraffwyr, Tonypandy

Nodiadau

YSGRIFAU HUNANGOFIANNOL

Rhwng Aeron a Theifi – yno y mae haf
Cyhoeddwyd yn y *Western Mail* (17 Awst 1937).

t. 3: 'Ar y ffin rhwng Padarn-Odwyn a Charon-**Is-Coed**,' oedd y llinell agoriadol yn yr erthygl wreiddiol.

Cymharer yr ysgrif hon â 'Diwrnod o Haf', Mair Kitchener Davies, a gyhoeddwyd yn *Y Fflam* yn 1946. Y mae'r ddwy'n ymdebygu o ran eu naws delynegol a'u defnydd cyson cyffelyb o ddelwedd yr haf fel symbol o sicrwydd a dedwyddwch ac ysbrydoliaeth fywiol.

Cymal o'i hysgrif – 'A minnau, pan ddaw fy nos, a gofiaf fy haf' – yw beddargraff Mair Kitchener Davies, a gladdwyd yn yr un bedd â'i gŵr ym mynwent y Llethr Ddu, Trealaw yn Ebrill 1990.

Lladd mochyn
Cyhoeddwyd yn y *Western Mail* (18 Ionawr 1937).

Codi craith ar bren a chalon
Cyhoeddwyd yn y *Western Mail* (15 Hydref 1936).

Enwau soniarus a dieithr
Cyhoeddwyd yn y *Western Mail* (30 Mehefin 1937).

Fy awr gydag Edward Frenin
Cyhoeddwyd yn y *Western Mail* (19 Tachwedd 1936), adeg ymweliad y brenin newydd â Dowlais, pan ynganodd y geiriau enwog 'Something must be done'. Yn sgil y Dirwasgiad bu'n rhaid i 430,000 o Gymry ymadael â'u gwlad rhwng 1921 a 1940, eithr mae'n nodweddiadol o Kitchener mai canolbwyntio ar dynged y merched a yrrwyd oddi cartref i weini yn ninasoedd mawr Lloegr – profiad a anwybyddwyd gan y mwyafrif o sylwebyddion – ac nid ar brofiad y dynion y mae ef yn yr ysgrif hon.

Adfyw

Ym mis Awst a mis Medi 1950, darlledwyd cyfres o sgyrsiau gan Raglen Cymru y BBC a roddai gyfle i 'do iau o lenorion ail-fyw rhai o'u profiadau cofiadwy'. Ymhlith y cyfranwyr yr oedd Islwyn Ffowc Elis, Gruffydd Parry, D. Tecwyn Lloyd, Norah Isaac, J. Gwyn Griffiths a Kitchener Davies. Darlledwyd sgwrs Kitchener ar 14 Medi a thestun y sgwrs honno a adargreffir yma fel 'Adfyw, 1'. Cyhoeddwyd fersiwn arall ohoni, talfyriad a oedd hefyd ychydig yn wahanol, gan Mair Kitchener Davies yn rhifyn Gaeaf 1982 o'r cylchgrawn *Poetry Wales* a neilltuwyd yn rhannol i waith Kitchener. Penderfynwyd bod y gwahaniaethau rhwng y ddau fersiwn yn ddigon diddorol i gyfiawnhau cyhoeddi'r fersiwn hwn yma hefyd fel 'Adfyw, 2'.

t. 17: 'y Brynmor Follies' oedd yr enw ar garfan egnïol o ganfaswyr ifanc dros Blaid Cymru a enwyd ar ôl Brynmor Williams, o'r Cymer, Porth ac a gyfunai ymroddiad dros yr achos â sbort a sbri heintus. Yn ôl un o'r chwedlau niferus amdanynt, fe gafodd Luned Howells, a ddaeth yn ddiweddarach i ddysgu yn Ysgol Ynys-wen, brofiad diddorol wrth gnocio ar ddrws dyn a'i hystyriai ei hun yn dipyn o foi gyda'r menywod. 'Can I interest you in Kitchener Davies's manifesto?' holodd Luned. Gwenodd y gŵr wrth weld y ferch ifanc, olygus, ac agorodd y drws iddi, led y pen. 'Well,' meddai'n awgrymog, 'you can come in and try.'

YSGRIFAU GWLEIDYDDOL

Tir ei geraint, Tregaron

Cyhoeddwyd yr ysgrif ym mhapur Plaid Cymru, *Y Ddraig Goch* 21/11 (Tachwedd, 1947). Trefnwyd protestiadau gan Blaid Cymru yn erbyn bwriad 'y Swyddfa Rhyfel a Llywodraeth Llundain' i 'ddefnyddio 27,000 acer o [Sir Geredigion] at ddibenion rhyfel', a chychwynnwyd y gwrthdystiad drwy gynnal 'cyfarfod cyhoeddus arbennig ar sgwâr Tregaron, wrth gofgolofn Henry Richard, ddydd Mawrth, Hydref 28'. Ymddengys fod peth o'r wybodaeth am hanes yr ardal a geir yn yr ysgrif hon wedi ei chodi o lyfr D. C. Rees, *Tregaron: Historical and Antiquarian* (Llandysul: Gwasg Gomer, 1936).

Cyflwr Cwm Rhondda

Cyhoeddwyd yn *Yr Efrydydd* 4/8 (1928), 232–5. Cylchgrawn Misol Mudiad Cristnogol y Myfyrwyr ac Urdd y Deyrnas oedd *Yr Efrydydd*, ac o dan olygiaeth D. Miall Edwards pwysleisiai fod 'llawer o anhrefn y byd heddyw i'w briodoli i amwysedd a llacrwydd dioglyd ein syniadau am Dduw a dyn ac ystyr bywyd'. Y nod felly oedd dwyn unigolion 'a'r gymdeithas yr ydym yn aelodau ohoni i gytgord llawn â'r ewyllys ddwyfol' a thrwy hynny i esgor ar weledigaeth weithredol, ymarferol a fyddai'n gweddnewid gwleidydd-iaeth, economeg a diwylliant. O'r herwydd yr oedd *Yr Efrydydd*, drwy gydol y 1920au a'r

1930au, yn cynnwys dadansoddiadau deallus o bynciau megis y dirwasgiad enbyd yng nghymoedd de Cymru (gweler, er enghraifft, y rhifyn arbennig am *Y Glowr, y Glo a'r Genedl*, Mawrth, 1929) a'r tyndra trydanol rhwng gwladwriaethau Ewrop; ac yr oedd y cylchgrawn yn gadarn ei gefnogaeth ar hyd yr amser i'r mudiad heddwch.

Thoughts after an election

Cyhoeddwyd yn y *Welsh Nationalist* 11/4 (April, 1933), 7. Roedd Kitchener yn un o'r grŵp bach a oedd wedi mynnu, ar ddechrau'r 1930au, bod angen cylchgrawn Saesneg ar Blaid Cymru yn ogystal â'r *Ddraig Goch*. Dadleuent mai honno fyddai'r unig ffordd i genhadu ymhlith trwch y boblogaeth ddi-Gymraeg yn ardaloedd diwydiannol y de. Yr un awydd i sicrhau effeithioldeb y Blaid fel plaid wleidyddol a welir yn yr ysgrif hon. Er bod Kitchener yn mynychu ysgolion haf y Blaid yn selog, credai'n angerddol fod angen torchi llewys a bwrw ati i sicrhau llwyddiannau etholiadol, ac o'r herwydd bu'n ymgeisydd diflino am seddau'r Cyngor Dosbarth a'r Senedd ar hyd ei oes.

Urdd y Deyrnas, Cynhadledd Caer: llunio 'Cymdogaeth'

Cyhoeddwyd yn *Yr Efrydydd* 10/8 (Mai, 1935), 220–3.

Lle Cymru yng nghynllwynion Lloegr

Cyhoeddwyd yn *Heddiw* 1/3 (Hydref, 1936), 90–2.

Cenedlaetholdeb Cymru a Chomiwnyddiaeth

Cyhoeddwyd yn *Heddiw* 5/4 (Ebrill, 1937), 84–90. Ymateb y mae Kitchener i ysgrif J. Roose Williams, 'Comiwnyddiaeth a Chymru', yn rhifyn mis Chwefror o'r cylchgrawn. Mae'n amlwg fod y golygyddion wedi gwahodd Kitchener i gynnal dadl â Roose Williams. Yn ysgrif olygyddol rhifyn cynharach ceir adolygiad ffyrnig o bamffled yr awdur, 'Llwybr Rhyddid y Werin', ac fe'i collfernir yn hallt. Dywedir ei fod yn cefnogi 'Rwsia filwrol', gwladwriaeth sy'n rhannu cariad Prydain Fawr at ryfel a grym. Nodir na 'chododd y Comiwnyddion fys bach' i ymgeleddu nac i amddiffyn y Gymraeg: 'Y gwir yw iddynt eu profi eu hunain yn elynion i'r gwareiddiad Cymraeg. Gŵyr pawb sydd wedi treulio ychydig amser yn Neheudir Cymru wirionedd y gosodiad hwn.' Ac addewir y ceir cyfle mewn rhifyn arall i drafod 'ymosodiad Mr Williams ar y Blaid Genedlaethol . . . gan iddo addo dadlau ar gwestiwn *Comiwnyddiaeth a Chymru* yn *Heddiw*'.

Welsh language: our defence consolidated – now we must advance

Cyhoeddwyd yn yr *Herald of Wales* (8 Rhagfyr 1951), 1 a 7. Roedd gan Kitchener golofn wythnosol yn y papur gydol Rhagfyr 1951. Ar 22 Rhagfyr cyhoeddwyd ei ysgrif olaf. Yr wythnos ganlynol fe'i olynwyd gan H. W. J. Edwards a esboniodd fod Kitchener bellach dan ofal meddyg. Aeth yn ei flaen i sôn am y cyfeillgarwch a fu rhyngddynt, a hwnnw'n gyfeillgarwch pur annisgwyl gan mai Tori oedd ef a Phleidiwr oedd Kitch. Yr esboniad ar hynny, meddai, oedd eu bod ill dau yn y bôn yn arddel credo economaidd, gwleidyddol a chymdeithasegol y *Distributists*.

Ym 1950, flwyddyn cyn cyhoeddi'r ysgrif hon, y sefydlwyd Ysgol Gynradd Gymraeg Ynys-wen, Treorci, ar ôl ymgyrch hir a phenderfynol gan lond dwrn o rieni dewr ac ymroddedig. Roedd yr ymgyrchu cyffredinol dros addysg gynradd Gymraeg ar gynnydd yn ystod y cyfnod hwn, wrth gwrs, ond diddorol yw nodi pwyslais Kitchener, a hynny mor gynnar â 1951, ar yr angen am addysg uwchradd Gymraeg, am i Brifysgol Cymru gymreigio drwyddi draw a chynnig pynciau trwy gyfrwng y Gymraeg. A thros drigain mlynedd yn ddiweddarach, mae ei ddadl flaengar dros sefydlu Coleg Prifysgol cyfrwng Cymraeg yn dal i ffrwtian.

YSGRIFAU LLENYDDOL

Arwydd y Grog
Cyhoeddwyd yn *Yr Efrydydd* 7/9 (Mehefin, 1931), 240–6; troswyd i'r Saesneg dan y teitl 'The sign of the Cross through the ages', *Western Mail* (11 Ebrill 1936).

Drama fawr Gymraeg: pam na ddaeth eto?
Cyhoeddwyd yn *Y Ford Gron* 4 (1934), 176 a 182.

Rhoddai'r *Ford Gron* gryn dipyn o sylw i'r ddrama yr adeg hon. Yn ogystal â sylwadau'r Dr Stefan Hock (gweler y nodyn isod am 'Y Llysfam', t. 252), a chyfraniadau gan nifer o ysgrifwyr eraill, ceir sawl trafodaeth gan T. Rowland Hughes sy'n cynganeddu â daliadau Kitchener: 'Gadewch broblemau i athronwyr, a rhowch esbonio a phroffwydo i bregethwyr. Eich gwaith chi yw cyfleu gweledigaeth y bardd.' Ailadroddir nifer o'r pwyntiau yn y darn hwn mewn dwy ysgrif arall: 'An analysis of present-day Welsh literary effort', *Western Mail* (17 Hydref 1936); 'Will 1936 produce the great playwright?', *News Chronicle* (27 Rhagfyr 1935).

t. 69: '. . . yn un o "wŷr y gloran"': yn ôl *Geiriadur Prifysgol Cymru*, ystyr 'cloren' yw cynffon, llosgwrn, cwtws, bôn cynffon, asgwrn y gynffon, pen ôl . . . *tail, rump* . . . Dywed ymhellach mai '"Gwŷr y Gloran" yw'r enw ar frodorion gwreiddiol Cwm Rhondda oherwydd edrychid gynt ar Lyn Rhondda fel "cloren" Morgannwg.'

Ategir hyn gan yr Athro Ceri W. Lewis, yn ei ysgrif 'Hynt y Gymraeg yng Nghwm Rhondda', *Cwm Rhondda*, gol. Hywel Teifi Edwards (Gwasg Gomer, 1995), t. 75: 'cyn i ddyfodiad y diwydiant glo beri'r fath gyfnewidiadau ysgubol ym mywyd economaidd a chymdeithasol y Cwm, siaradai'r brodorion lleol dafodiaith Gymraeg arbennig, a elwid yn gyffredin yn "Dafodiaith Gwŷr y Gloran", tafodiaith ac ynddi eirfa anghyffredin o gyfoethog ac a gynhwysai lawer iawn o briod-ddulliau trawiadol ac ymadroddion lliwgar.' Gweler hefyd ei nodyn 7, t. 121.

Dialects problem on the Welsh stage

Cyhoeddwyd yn y *News Chronicle* (14 Chwefror 1936). Roedd rhifyn arbennig Cymreig o'r papur dyddiol hwn yn cael ei argraffu yr adeg hon, ac roedd gan Kitchener golofn wythnosol yn y rhifyn hwnnw am gyfnod o bum mis (Hydref 1935–Chwefror 1936).

Yr Eisteddfod a'r ddrama

Cyhoeddwyd yn *Heddiw* 5/4 (Awst, 1939), 170–9.

Cychwynnwyd y cylchgrawn blaengar hwn gan Aneirin ap Talfan a Dafydd Jenkins ym mis Awst, 1936, gyda'r bwriad o wynebu her enbyd y bywyd cyfoes. Rhannai Kitchener weledigaeth wleidyddol y golygyddion ifainc: 'A allwn barhau i ddal y gredo ddiniwed mai damweiniol yw holl ymosodiadau bwrocrataidd llywodraeth Lloegr, o gofio Llŷn [Penyberth] ac yn y dyddiau diwethaf hyn y prawf moddion [Means Test] llofrudd? Methodd y llywodraeth yn ei chynllun i ladd deheudir Cymru trwy ei diboblogi felly gwarchaeodd arni i'w llwgu.' (Cymharer â dadl Kitchener yn 'Lle Cymru yng nghynllwynion Lloegr', tt. 47–8.) Roedd yr ysgrif yn un o dair a oedd yn trafod swyddogaeth yr eisteddfod: y ddwy ysgrif arall oedd 'Yr Eisteddfod a barddoniaeth', gan Alun Llywelyn-Williams, a D. Tecwyn Lloyd, 'Rhyddiaith bur'. Roedd Kitchener, a ddaliai ar hyd ei oes i gystadlu mewn eisteddfodau, yn argyhoeddedig mai honno oedd y ffordd orau i lenor ifanc ddysgu ei grefft. Felly, ni rannai ef farn Alun Llywelyn-Williams: 'Y mae'n anhygoel bron fod beirdd a llenorion wedi gallu dychmygu am eiliad fod modd hyrwyddo barddoniaeth gwlad gyda chystadleuaeth flynyddol.'

Drama a beirniadaeth lenyddol

Cyhoeddwyd yng nghylchgrawn y *Glamorgan Drama League*, *The Torch* 2 (Gwanwyn, 1949), 13–16. Sefydlwyd y gymdeithas ym 1946 i osod ar gof a chadw yr hanes am weithgareddau'r cwmnïau drama amatur yn y sir, ac ymhlith selogion yr achos yr oedd D. T. Davies, E. Eynon Evans, Jack Jones ac A. G. Prys-Jones. Buasai'r maes hwn o ddiddordeb byw iawn i Kitchener ers y 1930au, ac yr oedd wedi ymdrin â'r cwmnïau amatur yn rheolaidd yn ei golofn yn yr *Herald of Wales*.

Beirdd i'r theatr

Cyhoeddwyd yn *Lleufer* (Haf, 1950), 59–64. Cylchgrawn Addysg y Gweithwyr yng

Nghymru oedd hwn, a disgrifir Kitchener yn y nodiadau am y cyfranwyr nid yn unig fel awdur dramâu ond hefyd fel 'athro dosbarthiadau'.

Saunders Lewis a'r ddrama Gymraeg

Cyhoeddwyd yn Pennar Davies, gol., *Saunders Lewis: Ei Feddwl a'i Waith* (Dinbych: Gwasg Gee, 1950), 90–120. Mae'r testun yn bwrw goleuni diddorol ar waith Kitchener ei hun fel dramodydd. Ond y mae hefyd yn astudiaeth gyfoethog o waith awdur a gwleidydd a oedd wedi dylanwadu'n drwm ar Kitchener – nid gormod fyddai honni, er enghraifft, fod *Williams Pantycelyn* (1927) wedi gadael argraff annileadwy ar ei ddychymyg. Serch hynny, dengys yr ysgrif hon y modd y medrai Kitchener arfer annibyniaeth barn hyd yn oed pan oedd yn trafod gwaith y dramodydd a oedd yn un o'i arwyr pennaf ar hyd ei oes.

Poet's view

Cyhoeddwyd yn yr *Herald of Wales* (Rhagfyr 1, 1951). Ceir esboniad ar y cyd-destun yn y nodyn isod am *Sŵn y Gwynt*, t. 256.

GWEITHIAU CREADIGOL

Y Llysfam

Cyhoeddwyd yn *Y Ford Gron* (Medi, 1933), 251, 262, 264. Mae'n debyg mai Richard L. Huws yw'r arlunydd. Er mai cynnyrch y dychymyg yw'r stori, fe'i seilir, yn ôl pob tebyg, ar brofiadau Kitchener ei hun o gael ei ddietifeddu. Ar yr un pryd, mae'r stori yn nodweddiadol o'r ffuglen a gyhoeddwyd gan y cylchgrawn – storïau melodramatig o gyffrous. A hwyrach fod y gweddau seicdreiddiol ar gynnwys 'Y Llysfam' hefyd yn apelio at olygydd y cylchgrawn: mae'n ddiddorol nodi, er enghraifft, y cynhwysir hysbysebion gan y *British Institute of Practical Psychology* yn sawl rhifyn o'r *Ford Gron*, a cheir sôn yn yr hysbyseb am 'a "disturbance centre" in Sub-consciousness which sends out powerful negative impulses overcoming and paralysing your positive impulses'. Cylchgrawn misol hynod fywiog, amlweddog a phoblogaidd ei naws oedd *Y Ford Gron: papur Cymry'r byd*, cylchgrawn a gyhoeddwyd rhwng 1930 a 1935 dan olygyddiaeth J. Tudor Jones (John Eilian). Byddai'r sylw a roddai i fyd y ddrama wedi apelio'n arbennig at Kitch – ceir ysgrif yn y rhifyn dan sylw, er enghraifft, gan Dr Stefan Hock (arbenigwr o Awstria a edmygwyd gan Kitchener) yn cynghori'r Cymry i roi'r gorau i'r 'dramâu-cegin-cefn gwirion' ac yn canmol trosiad T. Gwynn Jones, *Pobun*. Mae'n eithaf posib fod ôl cynllun y ddrama foes hon a'i thebyg i'w weld ar *Sŵn y Gwynt sy'n Chwythu*. Nesaf at ysgrif Hock argreffir ysgrif gan Mair I. Rees, Aberaeron, Ceredigion (Mair Kitchener Davies maes o law) am 'Ferched Llydaw'.

Yn yr ysgrif 'Adfyw' (t. 16 uchod), ceir y sylw canlynol: 'Tri dolur mawr a gefais i erioed, sef colli Mam pan own i'n chwech oed, gwerthu'r Llain pan own i'n ddeunaw, ac yn saith-ar-hugain manwl graffu ar y cancr maleisus, fel *convolvulus*, yn cordeddu am einioes y fodryb-fam a'm magodd.'

Bu farw Martha Davies, mam Kitchener, ar enedigaeth plentyn ym mis Chwefror 1909, yn 36 oed ac fe'i claddwyd ym mynwent Eglwys Tregaron. Ym mynwent Pontycymer, Morgannwg y claddwyd ei gŵr, Thomas Davies, ac yn yr un bedd ag ef y claddwyd Hannah, ei ail wraig. Ym mynwent y Llethr Ddu yn Nhrealaw y mae bedd Mary – Bodo Mari – chwaer Martha a fu farw ym 1929.

Ceir yn y stori hon rai adleisiau hunangofiannol diddorol. Er mawr siom i'r plant mae'r llysfam yn hudo'r tad o'r hen gartref i berfeddion di-ddychwel y cymoedd glo; crëir hen gynnen gas ymhlith y teulu estynedig pan werthir y tyddyn a'r eiddo i gyd; rhoir y plant o dan ofal eu modryb, sy'n talu am gadw Glyn yn yr ysgol rhag iddo orfod dilyn ei dad i'r pwll glo. Ati hi, i Gwm Rhondda, yr aiff ef i fyw maes o law. Mae ei ddyled iddi'n fawr. 'Y fenyw fach' oedd llysenw tylwyth Kitchener ar Hannah. Ym Mlaengarw, ym mhen draw Cwm Ogwr, y cartrefai hi a Thomas Davies; y ffordd dros Fynydd y Bwlch – lle y digwydd y ddamwain angeuol – yw'r un sy'n arwain o'r Rhondda Fawr i Gwm Ogwr. Fel Glyn, roedd gan Kitchener ddiddordeb mawr yn nylanwad 'y feddyleg newydd', sef seicdreiddiad.

Cyd-ddigwyddiad rhyfedd yw'r disgrifiad o'r ddrama a ysgrifennodd Glyn ar ei wely angau – y ddrama y 'dinoethodd ynddi ei enaid ei hun' – o gofio cynnwys a chefndir *Sŵn y Gwynt sy'n Chwythu*, a ysgrifennwyd bron i ugain mlynedd ar ôl y stori hon.

'Nunc Dimittis . . .'
Cyhoeddwyd yn *Poetry Wales* (Gaeaf, 1982), 32. Neilltuwyd rhan o'r rhifyn hwn i drafodaethau ar fywyd a gwaith Kitchener Davies.

Noder y gwahaniaethau rhwng y llawysgrif wreiddiol a'r fersiwn a gyhoeddwyd yn *Poetry Wales*.

ll. 9: Llawysgrif wreiddiol – Gad imi heno *brofi* rhin
Poetry Wales – Gad imi heno *wybod* rhin
ll. 11: Llawysgrif wreiddiol – *Rhag* i waelodion llestri'r wledd
Poetry Wales – *Cyn* i waelodion llestri'r wledd

'Le Bon Dieu est Mort'
Cyhoeddwyd yn rhifyn arbennig *Poetry Wales* (Gaeaf, 1982), 35.

Sacrament
Codwyd o lawysgrif a geir ym mhapurau B. J. Morse (3/146), Llyfrgell Salisbury, Prifysgol Cymru, Caerdydd.

O Bridd y Ddaear

Codwyd o lawysgrif a geir ym mhapurau B. J. Morse (3/146), Llyfrgell Salisbury, Prifysgol Cymru, Caerdydd.

Cwm Glo

Fe'i dyfarnwyd yn fuddugol yng nghystadleuaeth y ddrama hir yn Eisteddfod Genedlaethol Castell-nedd (1934) ar ôl i fersiwn cynharach (â'r teitl *Adar y To*) fethu â chipio'r wobr yn Eisteddfod Genedlaethol Port Talbot (1932). Er i'r beirniaid (D. T. Davies, R. G. Berry a'r Athro Ernest Hughes) ganmol crefftwaith y ddrama, mynnent na ddylid ei llwyfannu am ei bod yn anfoesol. Serch hynny, cafwyd caniatâd y sensor, Cynan, i'w pherfformio, ac fe'i chwaraewyd yn gyntaf gan Gwmni Drama Gymraeg Abertawe ac yna gan Gwmni'r Pandy, dan gyfarwyddyd yr awdur. Codwyd storm o gyffro gan y perfformiadau: mynnai rhai (megis Amanwy) fod y ddrama gnawdol yn 'domen o afiechyd' ac 'yn *libel* ar lowyr Deheudir Cymru' (*Amman Valley Chronicle*, 19 Rhagfyr 1935), tra haerai eraill (megis Ken Etheridge) ei bod yn chwalu rhagrith crefyddol, gan ymdebygu i nofelau arloesol D. H. Lawrence, Liam O'Flaherty (*The Informer*) a Saunders Lewis (*Monica*). Crynhoir hanes lliwgar perfformio'r ddrama yn 'Nid bachan budr yw Dai', Hywel Teifi Edwards, *Arwr Glew Erwau'r Glo* (Llandysul: Gomer, 1994), 143–212, a Manon Rhys, 'Atgyfodi *Cwm Glo* Kitchener Davies', yn Hywel Teifi Edwards, gol., *Cwm Rhondda* (Llandysul: Gomer, 1995), 72–125. Pan benderfynwyd mynd ati i ddarlledu'r ddrama ar y radio (BBC, Rhaglen Cymru, Dydd Gwener, 29 Medi 1950), mae'n bur debyg fod yr awdur wedi ymuno yn y gwaith o ddiwygio'r testun a'i addasu ar gyfer slot awr (LlGC, BBC Blwch 52). Yn y golygiad hwnnw gwnaed ymdrech (aflwyddiannus) i wella ar y diweddglo gorfelodramatig gwreiddiol drwy greu diweddglo newydd 'cryfach'. Hefyd, hepgorwyd golygfa gyntaf Act 1 yn llwyr: felly, collwyd y trafodaethau gwleidyddol/cymdeithasegol/diwinyddol pwysig. Ymhellach, ceir gwared â Dai ymhell cyn diwedd yr olygfa olaf, a thorrir araith ffrwydrol Marged am fynd i Gaerdydd, gan gynnwys ei sylw mai 'dim ond rhyw sy'n cymell dynion'. Ai rhag peidio â thramgwyddo gwrandawyr parchus *The Welsh Home Service* y 'sbaddwyd y testun?

Penderfynwyd glynu wrth ffurf wreiddiol y ddrama, o ran ieithwedd ac orgraff, er mwyn cofnodi naws cyfnod ei hysgrifennu ac er mwyn cofnodi dull y cyfnod hwnnw o roi myn-egiant ysgrifenedig i'r iaith lafar, dafodieithiol. Fel D. T. Davies, roedd Kitchener yn flaen-gar yn ei ymdrech (aflwyddiannus, weithiau) i gyfleu deialog ddeheuol, naturiol. Defnyddia 'maes' i gyfleu 'mas', 'mae fe' i gyfleu 'ma' fe' a 'mlaen' i gyfleu 'mlân'; mae'n gartrefol wrth ddefnyddio geiriau ac ymadroddion megis 'maes-law', 'am bwytu', 'wada di bant', 'cabar-ddylu dy ben', 'spo' a 'dere'. Gwelir anghysonderau, weithiau, mewn ymadroddion an-ystwyth megis 'Mi ddylai fod gas gen ti, a'th fam, 'ed,' (t. 151) a 'Dere maes gen i' (t. 190). Bryd arall, er enghraifft mewn llinellau fel 'Der' ag e yma! Beth yw'r swanco 'na sy arnat ti?' (t. 148), a 'Dyna'r reit ffordd i roi gwybod dy fola berfedd i'r byd' (t. 168) a 'Reit. Ti yw'r tegel, finnau yw'r ffreinpan' (t. 194), gwelir ei hyder a'i hyfdra wrth fynegi'r idiom lafar.

Cyhoeddodd Cymdeithas Ddrama Cymru ddiweddariad (a chyfieithiad ohono) gan Manon Rhys ym 1995, a pherfformiwyd y ddrama yn Gymraeg ac yn Saesneg gan Gwmni Theatr Gwynedd, o dan gyfarwyddyd y diweddar Graham Laker, yn ystod gwanwyn y flwyddyn honno.

t. 129: 'S.M.P.' yn y cyflwyniad yw S. M. Powell, athro hanes galluog ac ymroddedig Ysgol Uwchradd Tregaron yn y cyfnod y bu Kitchener yn ddisgybl yno. Dyma sut y sonia Cassie Davies amdano yn ei chyfrol *Hwb i'r Galon* (Abertawe: Gwasg Tŷ John Penry, 1973 t. 54):

> [Ond] yr un a adawodd yr argraff ddyfnaf o ddigon ar bawb a fu dan ei ddysgeid-
> iaeth oedd S. M. Powell, o Rydlewis, o'r un dras â Charadog Evans, ac yn llinach
> Henry Richard . . . [R]oedd . . . yn athro cwbl eithriadol, o leiaf hanner can
> mlynedd o flaen ei oes o ran cynnwys ei waith, ei ddull o gyflwyno addysg a'i ffordd
> o gael ei ddisgyblion i ymateb . . . [Y]r oedd . . . yn gwreiddio'r gwaith yn hanes a
> chwedlau a thraddodiadau'r fro a'r cylch.

Gellid honni bod un elfen led-hunangofiannol, o leiaf, yn *Cwm Glo*. Beichiogodd Mary Davies – Bodo Mari – pan oedd hi'n ifanc iawn a rhoi genedigaeth i fab, Charles, a fagwyd gan ei fodryb Ann, chwaer ei fam. Mae lle i gredu mai yn ystod ei chyfnod o wasanaeth yng nghartref rheolwr pwll glo yn Nhonypandy y digwyddodd hyn. Bu farw Charles pan oedd yn 29 oed ac fe'i claddwyd ym medd ei dad-cu a'i fam-gu ym mynwent Eglwys Tregaron.

Meini Gwagedd

Yn ei feirniadaeth ar gystadleuaeth y Ddrama Hir yn Eisteddfod Genedlaethol Bangor (1943) cyhoeddodd Kitchener mai 'darfelydd bardd yw hanfod pob gwir ddrama'. Flwyddyn yn ddiweddarach, a'r Eisteddfod yn Llandybïe, mentrodd gynnig *Meini Gwagedd* ar gyfer dwy gystadleuaeth. Barn Saunders Lewis, beirniad cystadleuaeth y wers rydd, oedd 'y gellid gwneud cerdd dda ohoni o'i hailysgrifennu a thaflu llawer allan ohoni a llafurio arni': eithr newidiodd ei feddwl yn gyfan gwbl yn ddiweddarach (gweler isod) ar ôl darllen sylwadau 'Eurosydd' (Prosser Rhys) yn y *Faner*. Ond dyfarnodd D. Matthew Williams, beirniad cystadleuaeth y ddrama fer, y wobr gyntaf i'r gwaith, er ei fod yn cydnabod ei fod yn gymysgryw o ran ei ffurf, ac argymhellodd y dylid ei gyhoeddi, yn groes i'r arfer, yng nghyfrol y *Cyfansoddiadau a Beirniadaethau*. Er mwyn ceisio darganfod a oedd y 'ddrama' yn argyhoeddi fel gwaith llwyfan, trefnwyd perfformiad dethol iawn ohoni gan Bwyllgor Drama Ceredigion ar y cyd â Phwyllgor Cerdd y sir yn Llanbedr Pont Steffan yn ystod haf, 1945. O'r herwydd, llwyddwyd i sicrhau bod *Kol Nidrei*, darn gan y cyfansoddwr Iddewig, Max Bruch, yn rhan hanfodol o'r ddrama. Mary Lewis oedd y cynhyrchydd a chynllun-iwyd y set gan John Elwyn (Davies): gwelir ymateb yr awdur i'r cynhyrchiad yn y llythyr a adargreffir yn y gyfrol hon. Perfformiwyd darnau o *Meini Gwagedd* gan Norah Isaac, Neli Davies ac Eic Davies yn y cwrdd coffa i Kitchener (Rhagfyr 1952).

Pan ddarlledwyd *Meini Gwagedd* gan y BBC ar 21 Mehefin 1946, bu'n rhaid i'r cynhyrchydd, Dafydd Gruffydd, olygu'r testun yn llym (gyda chaniatâd yr awdur, a hwyrach gyda'i gymorth ef) gan mai hanner awr yn unig o raglen ydoedd. Weithiau gellid honni bod y golygu'n tynhau'r ysgrifennu: bryd arall, collwyd llinellau creiddiol. Mae'r gwahaniaethau rhwng y fersiwn radio a'r un a gyhoeddwyd yn ddiddorol, a nodir y rhai mwyaf arwyddocaol ohonynt yn y testun ei hun neu isod (tt. 254–5).

Fe'i perfformiwyd, yn ogystal, yn dwyn yr is-deitl 'Buddugol yn Eisteddfod Llandebie, 1944', ynghyd â *Sŵn y Gwynt* ac *Y Tri Dyn Dierth*, gan Gwmni Panel Drama Sir Aberteifi, o dan gyfarwyddyd Mary Lewis, ar 24 Tachwedd 1956 yn Neuadd Maes yr Haf, Trealaw.

Mae'n ddiddorol sylwi ar restr enwau noddwyr y noson (gweler rhaglen y noson, tt. 241–4). Yn eu plith y mae rhai adnabyddus megis Eic Davies, Emyr Humphreys, Nan Davies, Norah Isaac a J. Gwyn Griffiths a chefnogwyr selog Cymreictod a chenedlaeth-oldeb yng Nghwm Rhondda, megis Glyn a Hawys James, Cynlais a Siân Evans, D. J. Morgan, David Davies, Gilbert Davies, Mr a Mrs Edwards, Penygraig, y chwiorydd Siwsi a Lizzie Jones, Mary Roberts, Ynyshir, a'i chyfeilles Eurfron Griffiths, a Brynmor a Margaret Williams. Ceir hefyd enwau rhieni ymroddgar Ysgol Ynys-wen megis George Davies, Haydn Davies (arweinydd Côr Treorci), a theuluoedd Edwards y Chemist, Treorci, Dan Davies, Trefor ac Eunice Jones, H. O. Edwards, Aeron Davies ac Olwen Jones, y brifathrawes. 'Mrs Ben Harcombe, Tonypandy' yw Tish, chwaer Kitchener, 'Marged' ym mherfformiad Cwmni'r Pandy o *Cwm Glo*; priodasai â Ben Harcombe, un o brif swyddogion y Blaid Lafur yn y Rhondda ac un o dylwyth enfawr yr oedd eu teyrngarwch i'r blaid honno'n ddihareb. Cymdogion i Kitchener ar Ffordd y Brithweunydd oedd teuluoedd Cummings ac Allen, a 'Mrs Rees' oedd ei fam-yng-nhyfraith. Yr enw olaf ar y rhestr yw H. W. J. Edwards, y Tori o Genedlaetholwr y tyfodd cyfeillgarwch a dealltwriaeth annisgwyl rhyngddo a Kitchener dros y blynyddoedd.

Ym 1964, perfformiwyd *Meini Gwagedd* gan Gwmni Aelwyd Treboeth, Abertawe, o dan gyfarwyddyd T. James Jones, yn Eisteddfod Genedlaethol yr Urdd, Cricieth, ac yn Eisteddfod Genedlaethol Abertawe. Ym 1965, addaswyd y cynhyrchiad hwnnw, o dan gyfarwyddyd John Hefin, ac fe'i darlledwyd ar y teledu gan y BBC.

Dangosir rhai o'r newidiadau creiddiol pwysicaf a wnaed ar gyfer y fersiwn radio (21 Mehefin 1946) yn y testun fel a ganlyn:

(1) rhoddir y darnau a dociwyd yn y sgript mewn bachau petryal ([ ]);

(2) dangosir geiriau, ymadroddion neu atalnodi a newidiwyd yn y sgript gan seren (*), sy'n cyfeirio at nodyn testunol ar waelod y tudalen;

(3) rhoddir geiriau ac ymadroddion a ychwanegwyd at destun y sgript mewn bachau dwbl ({ }).

t. 197: Hepgorwyd y dyfyniad o Lyfr Eseia, ond llefarwyd y paragraff canlynol:

Nos Gŵyl Mihangel yw hi, a'r lleuad fedi yn ariannu adfeilion tyddyn Glangors-fach. Ar weddillion yr aelwyd drist, ymysg y chwyn a'r drain, y mae ysbrydion anniddig Gŵr

Glangors-fach a'i ddwy ferch, Mari a Siani. Fel y mae'r chwarae'n mynd ymlaen, clywir hefyd leisiau rhai eraill a drigai unwaith yn y tyddyn, ond yn awr, dim ond y tri hynaf sydd i'w clywed.

t. 214: Ni ymddangosodd y llinell hon yn y sgript o gwbl: 'y baco i chwi'r gwŷr, a sgidiau i'r plant.'

t. 217: Yn yr ychwanegiad yma, sylwer ar y sillafiad gogleddol 'fwyall'.

t 219: Newidiwyd rhywfaint ac ychwanegwyd at y darn hwn:

> Mae pob**o**l y Dre'n llawn triciau, a'u pres yn creu cyfraith
> **sy'n gwneud** prynu'n ddrud **a gwerthu'n** rhad yn eu
> marchnad,
> **a ffermydd o faint gwlad a pheiriannau i bob crefft**
> **yn drech na thyddyn-un-ceffyl.**
> Ffyrdd dynion sy'n gors fel cors Glangors-fach
> a'r felltith o'r ddwy gors a'n cododd ni'n grwn o'r gwraidd.

Mae hwn yn ychwanegiad perthnasol ac amserol o gofio dirywiad y diwydiant amaeth-yddol yng Nghymru ar ddechrau'r unfed ganrif ar hugain, wedi clefyd y gwartheg gwallgof a chlwy'r traed a'r genau.

Ond yna, fel y dangosir yn y testun, torrwyd y llinellau hyn yn gyfan gwbl o'r sgript.

tt. 223–4: Wrth dorri'r darn olaf yma, collwyd yr adleisiau amlwg rhwng:

t. 202   Fihangel erlidiol, gad inni bentymor a diwedd.
            Rhy uchel yw'r rhent a rhy hir yw'r les;
            gad inni fedd yn gyfannedd, a gorwedd.
            Gostwng y rhent a diryma'r les . . .
            dyna'r rhent, dyna'r les wedi'r gwyn-fan-draw.

t. 223   Fihangel erlidiol, gostwng y rhent a diryma'r les . . .
            Gostwng dy rent a diryma'r les:
            gad inni bentymor, gad ddiwedd.

Ac, wrth gwrs, y diweddglo:

t. 224   . . . Fihangel erlidiol derbyn y rhent ar y les
            – y rhent rhy uchel a'r les ry hir –
            derbyn y rhent ar y les.

Llythyr Saunders Lewis

Mae'r llythyr gwreiddiol ar goll. Codir y testun hwn o gopi a geir ym mhapurau Thomas Parry-Williams (*LlGC*, Ch723).

Llwyfannu **Meini Gwagedd**

Mae'r llythyr gwreiddiol ar goll. Codir y testun o ysgrif D. Jacob Davies, 'Llwyfannu *Meini Gwagedd*', *Y Genhinen* 55 (Hydref, 1954), 217–22. Adargreffir darn o'r llythyr hwn yn rhifyn arbennig *Poetry Wales* (Gaeaf, 1982), 25–6.

Sŵn y Gwynt sy'n Chwythu

Yn hydref 1951, cychwynnodd Rhaglen Cymru'r BBC ddarlledu, bob pythefnos, gyfres o gerddi comisiwn Cymraeg a luniwyd yn unswydd ar gyfer y radio. Gofynnwyd i'r awduron gadw'r gwrandawr mewn cof; i sicrhau bod y deunydd yn gyfoes; ac i gynhyrchu darn a fyddai'n addas ar gyfer sawl llais. Pan adolygwyd y gyfres anorffenedig gan Kitchener yn yr *Herald of Wales* ym mis Rhagfyr (gweler 'Poet's View', tt. 110–12), canmolodd flaengarwch cynhyrchydd y gyfres, Aneirin Talfan Davies, gan bwysleisio bod yn rhaid i feirdd feistroli'r cyfrwng llafar newydd poblogaidd a hynod ddylanwadol hwn. Yna aeth ati i bwyso a mesur gwaith yr awduron – Rhydwen Williams, J. Gwyn Griffiths, Gwilym R. Jones, T. H. Parry-Williams, J. M. Edwards – gan dynnu ar y profiad sylweddol a oedd ganddo ef, erbyn hynny, o lunio testun ar gyfer ei ddarlledu. Fis ar ôl yr adolygiad, ar 23 Ionawr 1952, darlledwyd *Sŵn y Gwynt*, cerdd a oedd wedi ei chomisiynu gan Aneirin Talfan cyn i Kitchener fynd yn wael, ond a gyfansoddwyd ganddo tra oedd yn derbyn triniaeth yn yr ysbyty. Ailddarlledwyd y bryddest radio ar 20 Awst, ychydig ddyddiau yn unig cyn i Kitchener farw, a darllenwyd darnau ohoni yn y cwrdd coffa iddo (Rhagfyr 1952) gan blant dosbarth Kitchener, dan gyfarwyddyd Eic Davies. Yn fuan ar ôl hynny, cyhoeddwyd hi ar ffurf llyfryn, ynghyd â Rhagair gan Gwenallt a sylwadau gan Aneirin Talfan Davies, ac ym 1954 darlledwyd cyfieithiad Saesneg Wil Ifan ohoni.

Fe'i perfformiwyd yn ogystal fel 'Cyflwyniad o'r Bryddest Radio gan nifer o leisiau' ar 24 Tachwedd 1956, yn Neuadd Maes yr Haf, Trealaw. (Gweler y nodyn uchod ar *Meini Gwagedd*, t. 254, a rhaglen y noson, tt. 241–4.)

MYNEGAI